1.668

Cynnwys

Uned 1 – De a Gogledd

Nod yr uned hon yw...
• Dysgu am dafodieithoedd Cymru
• Dysgu am lefydd yn y de a'r gogledd
• Dysgu a defnyddio geirfa ac idiomau newydd

Geirfa

● **enwau benywaidd**	*feminine nouns*
● **enwau gwrywaidd**	*masculine nouns*
● **berfau**	*verbs*
● **ansoddeiriau**	*adjectives*
● **arall**	*other*

awel(on)	*breeze(s)*
enghraifft (enghreifftiau)	*example(s)*
llythyren (llythrennau)	*letters(s) (a,b,c)*

cyffroi	*to get excited*
loetran	*to loiter*
perffeithio	*to perfect*
sisial	*to whisper*

eisoes	*yn barod*
o ganlyniad i	*as a result of*

anhawster (anawsterau)	*difficulty (difficulties)*
camddealltwriaeth (au)	*misunderstanding (s)*
cynnydd	*progress; increase*
dŵr (dyfroedd)	*water(s)*
eiddo	*property*
ffactor(au)	*factor(s)*
incwm	*income*

beiddgar	*daring, bold*
cofiadwy	*memorable*
credadwy	*believable, credible*
dibynnol	*reliant*
dymunol	*pleasant; desirable*
euraidd	*golden*
gor-hoff	*overly fond*
treisgar	*violent*

Geiriau pwysig i mi...

....

....

Siaradwch

1. Gyda'ch partner, ceisiwch ddod o hyd i'r disgrifiad gorau o bob gair.

Gair	Disgrifiad
anarferol	ddim yn garedig nac yn ddymunol
cyffroi	yr un pwysica, y prif un
dychmygol	peth sy'n gallu gwneud bywyd yn haws
hunlun	y gwrthwyneb i 'diflasu'
pennaf	ddim yn real
pwyllog	gallwch chi ddefnyddio ffôn i dynnu llun fel hyn
teclyn	ddim yn gyffredin
treisgar	yn araf ac yn ofalus

2. Dewiswch **ddau** gerdyn sy'n eich disgrifio chi'n dda, ac **un** cerdyn sydd ddim yn eich disgrifio chi'n dda o gwbl!

3. Mae llawer o ansoddeiriau eraill, fel treisgar, sy'n gorffen â **-gar**. Ydych chi'n gwybod beth maen nhw'n ei feddwl? Ceisiwch ddyfalu, gyda'ch partner.

amyneddgar...   anniolchgar...

hawddgar...   petrusgar...

cyfeillgar...   gweithgar..

4. Gan ddefnyddio eich geirfa newydd, cyfieithwch y brawddegau hyn:

1. *She was wearing an unusual dress.*

....

2. *I never take selfies.*

....

3. *Aled is writing about an imaginary country.*

....

4. *You have to drive slowly and carefully on this road.*

....

5. *I get excited when I go shopping for new shoes.*

....

Help llaw – Pennaf

Gallwch chi ddefnyddio **pennaf** wrth siarad am bethau da a drwg!

ffrind pennaf = *best friend*
gelyn pennaf = *worst enemy*

Dyma enghreifftiau eraill o **pennaf**:

Ar bobl ifanc mae'r epidemig ffliw wedi effeithio'n bennaf.
The flu epidemic has mainly affected young people.

Hi sy'n bennaf cyfrifol am y cyfrifon.
She's mainly responsible for the accounts.

Mae ein staff yn broffesiynol, yn drefnus, ac yn bennaf oll, yn gyfeillgar.
Our staff are professional, organised, and most of all, friendly.

Garddwr oedd e, yn bennaf.
In the main, he was a gardener.

Llenwch y bylchau yn y brawddegau hyn. Bydd angen i chi ddefnyddio ymadroddion sy'n cynnwys **pennaf**.

1. Maen nhw gyda'i gilydd drwy'r amser. Maen nhw'n .... ers y Cylch Meithrin.

2. Ti sy'n... am y llanast, felly ti ddylai dacluso.

3. Faswn i ddim yn siarad fel yna gyda fy... !
    Mae'n ofnadwy!

4. Mae'r cynnydd ym mhris bwyd yn... ar deuluoedd
    incwm isel.

5. Rhaglen deledu i blant yw hon ....ond mae llawer o
    rieni yn mwynhau ei gwylio hi hefyd.

6. Mae pobl yn ei gofio e,..., achos ei fod e'n
    ganwr arbennig o dda.

Tafodieithoedd Cymru

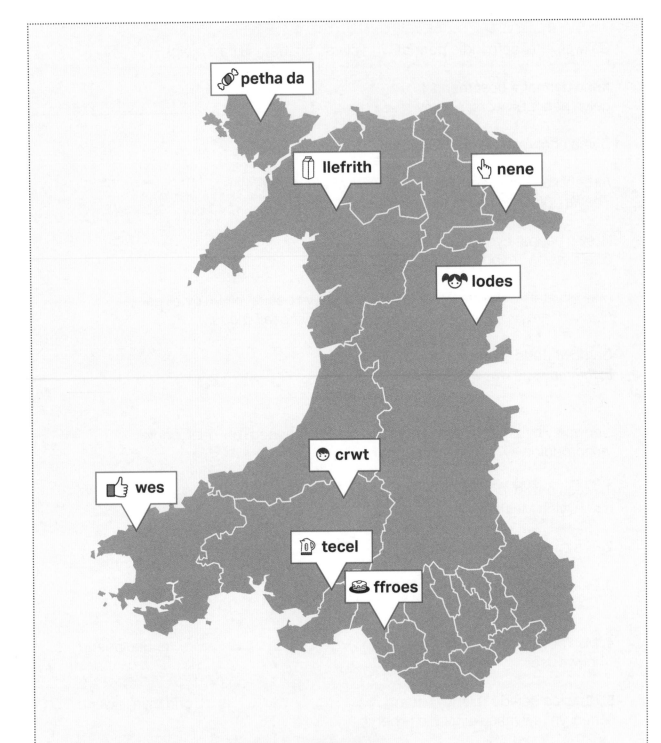

petha da

llefrith

nene

lodes

crwt

wes

tecel

ffroes

Yn eich grwpiau, edrychwch ar y map o Gymru.
Ydych chi'n deall yr holl eiriau ar y map? Ydych chi'n clywed rhai o'r geiriau'n cael eu dweud yn eich ardal chi?

Gwylio a gwrando 1

Byddwch chi'n gwylio fideo o Dr Iwan Rees yn siarad am dafodieithoedd y Gymraeg, ac yna'n clywed rhai o'r tafodieithoedd hyn.

1. Yn ôl Dr Iwan Rees, beth yw **tafodiaith**?

2. Mae Dr Iwan Rees yn sôn am barau o eiriau sy'n golygu'r un peth, er enghraifft **allwedd** yn y de a **goriad** yn y gogledd. Allwch chi feddwl am ddwy enghraifft arall?

3. Sut mae ystyr **blin** yn wahanol yn y de a'r gogledd?

4. Pam mae gogledd Ceredigion yn cael ei galw'n **ardal drawsnewid** (*transition zone*)?

5. Rhowch un enghraifft leol o'r gair **bachgen / hogyn**.

6. Pa lythyren sy'n cael ei dweud yn wahanol yn y gogledd a'r de?

7. Mae Dr Iwan Rees yn dweud bod ffactorau heblaw am ddaearyddiaeth yn effeithio ar dafodiaith person. Beth ydyn nhw?

8. Byddwch chi'n gwylio dau fideo sy'n dangos enghreifftiau o dafodiaith. Ysgrifennwch un peth am y tafodieithoedd yn y tabl.

Ardal	
Nodweddion	

Siaradwch
- Pa dafodiaith dych/dach chi'n ei defnyddio wrth siarad Cymraeg?
- Beth yw eich tafodiaith yn eich mamiaith?
- Pa dafodieithoedd dych/dach chi'n eu hoffi?
- Dych/Dach chi'n cael trafferth deall rhai tafodieithoedd?
- Dych/Dach chi'n deall pob tafodiaith yn eich mamiaith?

Darllen 1 – *Dafydd Hywel:*
Hunangofiant Alff Garnant (Gomer, 2013)

Dyma ran o hunangofiant yr actor o Ddyffryn Aman, Dafydd Hywel.

**Geirfa: anhawster   cofiadwy   ishws (eisoes)
dibynnol**
            gor-hoff   perffeithio   credadwy

Yn **amal**, pan wi'n **ca'l anhawster** cysgu, wi'n meddwl am **ddyddie** ysgol a choleg ac am **gyfnode cofiadwy** yn **'y** mywyd i. Fel wi **ishws** wedi **gweud**, do'n ni ddim yn gyfoethog fel teulu ac ro'dd pob **c'inog** yn help mawr. Fe ddechreues i helpu Jac y **Lla'th** adeg gwylie ysgol pan o'n i'n rhyw un ar ddeg **o'd**, a Jac yn **ddibynnol** bryd hynny ar gart a cheffyl. Rhai **blynyddo'dd** yn ddiweddarach, ei fab, Wyn, brynodd y cerbyd letric cynta yn Nyffryn Aman, a ninne **o ganlyniad** yn **cwpla'r** rownd yn gynt. Ro'n i'n codi am hanner awr wedi pedwar y bore ac yn **dod i ben sha** canol y prynhawn. Rhaid gweud, do'n i ddim yn **or-hoff** o'r job o gasglu'r arian gan fod rhai wedi **perffeithio**'r grefft o **raffu celwydde** a rhestru esgusodion reit **gredadwy**.

1. Beth yw'r geiriau hyn mewn Cymraeg safonol?

amal...............................	ca'l....................	dyddie....................
cyfnode...........................	'y.......................	gweud....................
c'inog.............................	lla'th..................	o'd.......................
blynyddo'dd.......................	cwpla..................	sha......................

Beth sy wedi'i ysgrifennu yn lle **dw i** a **roedd**?

....

2. Beth yw ystyr yr idiomau hyn? Trafodwch!

o ganlyniad ....

dod i ben ....

rhaffu celwyddau ....

Siaradwch

- Oeddech chi'n gweithio pan oeddech chi yn yr ysgol neu'r coleg?
- Beth oedd eich swydd gynta chi?

Darllen 2 – *Cyw Haul* gan Twm Miall
(Y Lolfa, 1988)

Geirfa: beiddgar

Mae'r nofel hon yn sôn am ddyn ifanc o'r enw Bleddyn, sy'n byw mewn pentref bach yng ngogledd-orllewin Cymru ar ddechrau'r 1970au. Cafodd y nofel lawer o sylw pan gafodd ei chyhoeddi achos ei darlun **beiddgar** o fywydau pobl ifanc, a'r iaith anffurfiol sy'n cael ei defnyddio.

****

Mi fethais i fwyta dim drwy'r dydd, dim hyd yn oed darn o dôst ac roeddwn i'n smocio fel stemar. Pan ddaeth yr hen bobol **adra** o'r gwaith, dyma nhw'n **deud** wrtha i am fynd i bolisho fy sgidia a gwisgo'r dillad roeddwn i wedi eu cael yn **newydd sbon danlli** i fynd i gnebrwn Yncl Jo – crys a thei, jaced a thrywsus **gora**. Mae'n gas **genna i** wisgo dillad felna, roeddan nhw'n gwneud i mi deimlo'n lot gwaeth a doeddwn i ddim yn teimlo fel fi fy hun rywsut – acdio mae rhywun bob tro mae o'n gwisgo dillad gwahanol i'r rheini mae o'n eu gwisgo fel arfer. Roedd y ddau ohonyn nhw'n ffyshian o'm cwmpas i, un yn gwneud fy nhei i a'r llall yn brwshio'r jaced efo'r brwsh dillad sydd yn dŵad allan o'r drôr ryw unwaith neu ddwywaith mewn **blwyddyn gron**. 'Cofia neud hyn' a 'cofia neud llall' oedd hi wedyn; '**isda** i fyny'n syth a phaid â **gorweddian**, tria neud dy hun yn debyg i **rwbath**, siarada'n **uchal** ac yn glir er mwyn i bawb gal dy **glywad** di a jyst consyntretia ar y **cwestiyna** ac ar be fydd Mr Huws yn ddeud'. Roedd hi'n ddigon hawdd iddyn nhw siarad, doeddan nhw ddim yn gorfod mynd ar brawf i'r **sêt fawr** o flaen Huws. Mi benderfynais i un peth ar fy ffordd allan o'r tŷ – hwn oedd y tro olaf; nefyr agen, not on iwar neli.

1. Beth ydy'r geiriau hyn mewn Cymraeg safonol?

adra ....   deud ....   gora ....

genna i ....   isda ....   rhwbath ....

uchal ....   clywad ....   cwestiyna ....

Ar beth dych chi'n sylwi am y rhan fwyaf o'r geiriau hyn?

....

2. Beth ydy ystyr y geiriau hyn? Trafodwch!

newydd sbon danlli   blwyddyn gron   gorweddian   sêt fawr

3. Nodwch o leiaf bum gair yn y darn sy'n amlwg yn dod o'r Saesneg.

....

....

Beth yw eich barn chi am ddefnyddio llawer o Saesneg wrth siarad Cymraeg?

Gwylio a gwrando 2 – Mae'n wlad i mi...

Byddwch chi'n gwylio fideo o Georgia Ruth yn canu rhan o'r gân **Mae'n wlad i mi** a ffilmiwyd i gyd-fynd â'r tymor rygbi. Mae'r ffilm yn cyfuno rhai o olygfeydd naturiol harddaf Cymru yn y De a'r Gogledd ag eiliadau cofiadwy mewn gemau rygbi. Mwynhewch!

Nesaf, byddwch chi'n gwrando ar Georgia Ruth yn canu'r gân gyfan. Gwrandewch am y geiriau hyn:

eiddo	awel	dyfroedd	loetran
sisial	euraidd	gwyrddlas	clychau

Edrychwch ar y map a nodi ble mae'r llefydd sy'n cael eu henwi yn y gân. Mae'r rhestr o dan y map.

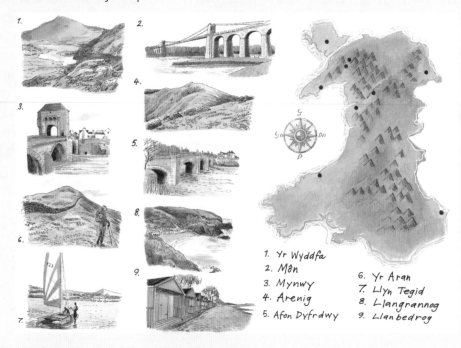

1. Yr Wyddfa
2. Môn
3. Mynwy
4. Arenig
5. Afon Dyfrdwy
6. Yr Aran
7. Llyn Tegid
8. Llangrannog
9. Llanbedrog

1. Mae'n wlad i mi ac mae'n wlad i tithe (tithau). Rydyn ni'n defnyddio tithau i gyfleu'r ystyr *you too*. Edrychwch ar yr isod:
A: Diolch yn fawr i ti.
B: Ac i tithau.

Mae **finnau** *(me too)* hefyd yn gyffredin iawn:
A: Dw i'n oer.
B: A finnau.

2. Mi fûm yn crwydro. Mae **bûm** yn ffurfiol ar gyfer **bues i**. Ydych chi'n gallu dyfalu ffurfiau ffurfiol ar gyfer beth yw'r isod?

myned

_____

rwyf

_____

yr oedd

_____

i'm

_____

3. Moelydd meithion. Lluosog **maith** yw **meithion**. Beth yw...?

blackberries

_____

The All Blacks

_____

The Blue Birds

_____

other books

_____

4. Beth yw'r lluosog?

traeth

_____

llwybr

_____

dŵr

_____

ton

_____

cloch

_____

5. Gorffennwch yr ymadroddion, fel y maen nhw yn y gân:

o gopa'r _____

hyd lwybrau _____

tywod _____

mae clychau'n _____

Siaradwch

- Faint o'r llefydd sy'n cael eu henwi ar y map dych/dach chi wedi bod iddyn nhw?
- Oes hoff draeth gyda chi yng Nghymru?
- Pa mor aml dych/dach chi'n teithio o'r de i'r gogledd?

Darllen

Mae'n bwysig iawn ar Uwch 2 eich bod chi'n darllen llyfrau Cymraeg sy ddim wedi'u hysgrifennu i ddysgwyr. Ond os nad ydych chi wedi darllen pob llyfr yng nghyfres **Amdani**, mae'n bosib hoffech chi ddechrau gyda nhw. Mae rhai yn nhafodiaith y de a rhai yn nhafodiaith y gogledd.

Edrychwch ar y cloriau isod a chysylltwch y clawr â'r disgrifiad cywir o'r llyfr.

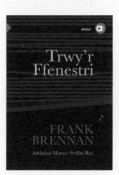

"Helô, Catrin. Siân sy 'ma. Mae'n ddrwg gen i, ond bydd rhaid i ti ddod lawr at Mam. Mae'n rhaid i ni siarad. Dw i'n gwybod dy fod ti wastad yn brysur, ond bydd rhaid i ti ddod. Mae Mam wedi mynd yn ormod i fi. Ffonia fi 'nôl yn nhŷ Mam mor gyflym â phosib."

Stori deimladwy am ymdrech dwy chwaer i ddod i delerau â dementia eu mam, a'i effaith ar eu bywydau.

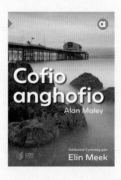

Ar ôl corwynt o garwriaeth, mae Katie newydd symud i Gymru yn adnabod neb ond Dylan, ei gŵr newydd sbon. Er addo y bydden nhw'n byw mewn tŷ enfawr gyda llawer o dir o'u cwmpas ... nid felly y mae pethau. Rhannu gwely sengl yng nghartref rhieni Dylan yw eu hanes, wrth i bawb ddysgu ymdopi â'r ddieithrwraig ryfedd yn eu plith ... a hithau'n Saesnes hollol ddi-glem!
Yn y nofel gomig hon, mae gan Katie lawer i ddysgu, am Gymru, y Gymraeg ac am ei gŵr newydd hefyd!

Pan mae tri byd yn taro yn erbyn ei gilydd, ydy unrhyw beth yn gallu aros yr un fath? Dydy Alfan ddim yn deall i ddechrau pam mae'r Siwan gyfoethog yn dangos diddordeb ynddo fo, pan mae o'n byw ar y stryd a heb ddim byd i'w gynnig iddi hi. Mae hi'n gofyn iddo ddod am benwythnos yng nghefn gwlad Cymru a mynd i barti teuluol. Mae o'n cytuno ac yn penderfynu ei bod yn well peidio holi gormod. Ond pan mae o'n cyfarfod ei brawd, Cai, daw Alfan i sylweddoli nad ydy bywyd mor syml â hynny. Yn ystod y penwythnos, daw cyfrinachau i'r wyneb sy'n clymu'r tri am byth.

Addasiad Cymraeg Manon Steffan Ros o *Windows of the Mind* gan Frank Brennan i ddysgwyr Cymraeg safon uwch. Casgliad o straeon byrion difyr. Dewch i adnabod cymeriadau cymleth, lleoliadau pell, a straeon fydd yn aros yn eich meddwl am amser maith.

"Anhygoel! Hollol, hollol anhygoel!"
Doedd Daniel Rowlands ddim yn defnyddio geiriau fel yna'n aml...

Casgliad amrywiol o straeon â thinc rhyngwladol iddyn nhw – a phob un yn mynd â ni i fyd difyr y synhwyrau. Cyfle i weld y da a'r drwg, y caredig a'r sinistr ochr yn ochr wrth i gymeriadau'r straeon, bob yn un, ddod wyneb yn wyneb â'r gwir.

Rhestr wirio

Dw i'n gallu...

deall y prif wahaniaethau rhwng Cymraeg y de a Chymraeg y gogledd.	
deall a defnyddio idiomau a geirfa newydd.	

Y tro nesa – Dewch â 3 llun ohonoch chi ar wyliau.

Uned 2 – Fuoch chi erioed yn ...?

Nod yr uned hon yw...

• Defnyddio amser gorffennol y ferf 'bod' (bues, buest, buodd ac ati)

• Siarad am wyliau a theithio

• Dysgu a defnyddio geirfa ac idiomau newydd

Geirfa

anghrediniaeth	*disbelief*		**cefnfor(oedd)**	*ocean(s)*
gwep(iau)	*face(s)*		**gwres**	*heat; heating; temperature*
naws	*atmosphere, ambience*		**lludw**	*ash(es)*
siwrnai (siwrneiau)	*journey(s) ambience*		**moethusrwydd**	*luxury*
			pennog (penwaig)	*herring(s)*

claddu	*to bury*
ffoli (ar)	*to be besotted (with)*
holi	*gofyn*
trafferthu	*to trouble*
troedio	*to tread*
ymhyfrydu (yn)	*to take a delight (in)*

apelgar	*appealing*
crasboeth	*scorching*
gwybodus	*knowledgable*
syfrdan	*astonished*
syfrdanol	*astonishing*

ar hyd y blynyddoedd	*over the years*
hynod o (brysur)	*(prysur) iawn, iawn*

Geiriau pwysig i mi...

Tafodiaith

Gyda'ch partner, trafodwch y geiriau yn y tabl. O ble mae'r geiriau hyn yn dod?
Ydych chi'n defnyddio'r geiriau hyn, neu eiriau gwahanol?

Gair	De / Gogledd?	Beth rydych chi'n ei ddweud?	Geiriau eraill sy'n golygu'r un peth?
pres			
crwt			
losin			
hogan			
goriad			
dishgled			

Siaradwch

- Beth yw eich hoff eiriau Cymraeg chi? Pam?

Gorffennol cryno bod

Dych/Dach chi'n hoffi siopa? Ydw, bues i/mi fues i yn y dre dydd Sadwrn.
Dych/Dach chi'n hoffi ffilmiau?
Dych/Dach chi'n hoffi gwneud ymarfer corff?
Dych/Dach chi'n hoffi gwylio rygbi?

Aeth hi allan neithiwr? Naddo, buodd/mi fuodd hi yn y tŷ drwy'r nos.
Aethon nhw allan neithiwr?
Aeth John allan neithiwr?
Est ti allan neithiwr?
Aethoch chi allan neithiwr?
Aeth Siân allan neithiwr?

Help llaw

Bues i	Mi fues i
Buest ti	Mi fuest ti
Buodd e/hi	Mi fuodd o/hi
Buon ni	Mi fuon ni
Buoch chi	Mi fuoch chi
Buon nhw	Mi fuon nhw

Weithiau, mae'n anodd gwybod pryd i ddefnyddio **bues i**, a phryd i ddefnyddio
ro'n i/roeddwn i. Rydyn ni'n defnyddio **bues i** pan mae'r weithred wedi digwydd
ac wedi gorffen.

- Bues i yn Sbaen ar fy ngwyliau yn yr haf.

Basen ni hefyd yn gallu dweud **Es i i Sbaen** a basai'r frawddeg yn golygu bron yr un peth. Ond...

> • Ro'n i yn Sbaen pan glywais i'r newyddion da.

Mae **roedd** ac yn y blaen yn cyfeirio at rywbeth sy'n digwydd dros gyfnod o amser.

> **A:** Mae eich gwallt chi'n edrych yn hyfryd.
>
> **B:** Diolch, **bues i** yn Salon Sali. **Ro'n i'n** mynd i Salon Siwsi pan o'n i'n byw yng Nghaernarfon.

Hefyd, mae'n rhaid defnyddio **roedd** wrth drafod amser penodol. Er enghraifft:

> • **Roeddwn i** mewn cyngerdd am wyth o'r gloch neithiwr.
>
> • **Bues i** mewn cyngerdd neithiwr.

Gyda'ch partner, meddyliwch am bedwar cwestiwn sy'n dechrau â **Fuoch chi / Fuest ti**, a gofynnwch y cwestiynau i bedwar person.

Er enghraifft: Fuoch chi'n sgio erioed?
                Fuoch chi yn rhywle arbennig ar eich gwyliau diwetha?
                Fuest ti yn Ibiza gyda ffrindiau ysgol ar ôl gadael yr ysgol?

Deialog

De	Gogledd
A: Fuoch chi ar eich gwyliau eleni? **B:** Do, buon ni yn yr Eidal ym mis Gorffennaf. **A:** O, buon ni yn yr Eidal y llynedd. Fwynheuoch chi? **B:** Do, ond roedd hi'n grasboeth ac yn hynod o brysur yn y dinasoedd. Buon ni yn Fenis, Fflorens a Rhufain – dinasoedd hyfryd, rhaid dweud. **A:** Buoch chi'n teithio o gwmpas tipyn, felly! Dim ond yn ardal Llyn Garda buon ni. Fuon ddim yno am amser hir, dim ond am dair noson. **B:** Dw i wedi clywed ei bod hi'n ardal hyfryd. Sut dywydd gawsoch chi? **A:** Cynnes braf. Roedd hi'n berffaith i fi – dw i'n llosgi'n ofnadwy yn yr haul.	**A:** Fuoch chi ar eich gwyliau eleni? **B:** Do, mi fuon ni yn yr Eidal ym mis Gorffennaf. **A:** O, mi fuon ni yn yr Eidal y llynedd. Wnaethoch chi fwynhau? **B:** Do, ond roedd hi'n grasboeth ac yn hynod o brysur yn y dinasoedd. Mi fuon ni yn Fenis, Fflorens a Rhufain – dinasoedd hyfryd, rhaid deud. **A:** Mi fuoch chi'n teithio o gwmpas tipyn, felly! Dim ond yn Llyn Garda buon ni. Fuon ni ddim yno am amser hir, dim ond am dair noson. **A:** Dw i wed clywed bod hi'n ardal hyfryd. Sut dywydd gaethoch chi? **B:** Cynnes braf. Roedd hi'n berffaith i mi – dwi'n llosgi'n ofnadwy yn yr haul.

Gyda'ch partner, llenwch y bylchau yn y cardiau post hyn:

S'mae!
Dan ni'n cael amser da iawn yn Barcelona. Aethon ni i weld y Sagrada Familia ddydd Llun. _____ adeiladwyr yn gweithio yno – maen nhw'n gobeithio gorffen y gwaith erbyn tua 2030! Mae'r tywydd yn hyfryd. _____ ni yn Sitges ddydd Mawrth, ar lan y môr. Aethon ni yno ar y trên ond _____ hi ddim yn siwrna hir. Ddydd Mercher, _____ ni yng nghastell Monjuic. _____ y golygfeydd yn syfrdanol. ____ ni wedi blino wedyn, felly _____ ni'n eistedd mewn caffi ar y Ramblas am weddill y prynhawn, yn yfed Cava oer ac yn gwylio pobl yn mynd a dŵad. Bendigedig!

                    Hwyl am y tro,
                    Mei a Jo

100 Stryd yr Eglwys,
Heol Ddu,
Abercastell,
Cymru.

Shwmae?
Dw i'n cael amser gwych yma yn Tallinn. Es i ar daith gerdded o gwmpas yr hen ddinas ddoe. _____ yr adeiladau'n anhygoel – fel lluniau mewn stori tylwyth teg! Heddiw, _____ i yn y farchnad Nadolig. _____ pob math o bethau ar werth: gemwaith, crefftau, teganau a bwydydd blasus. _____ rhaid cael gwin cynnes i dwymo, wrth gwrs! _____ i mewn bwyty traddodiadol neithiwr. Ces i rosolje, sef salad tatws, betys a phenwaig, a gwydraid mawr o gwrw. Ro'n i wedi bwriadu mynd i'r amgueddfa awyr agored bore 'ma, ond es i ddim yn y diwedd achos ei bod hi mor oer! Felly, bydda i'n crwydro'r siopau a'r caffis cyn dal yr awyren adref heno.
Gwela i chi cyn hir!
Martha X

26 Heol y Llan,
Cwm Mawr,
Cymru.

Gwrando

Mordeithiau (*Cofio*, Radio Cymru)

Byddwch chi'n gwrando ar Ann Pash yn siarad â'r cyflwynydd John Hardy am fordeithiau.

1. **Rhowch gylch o gwmpas y geiriau hyn pan fyddwch chi'n eu clywed nhw:**

   ffoli   ar hyd y blynyddoedd   naws

   moethusrwydd   tân ar fy nghroen i

2. **Nodwch dair ffaith bwysig yn y darn hwn.**

   ....

   ....

   ....

3. **Trafodwch arwyddocâd y rhifau hyn yn y darn gwrando:**

   ugain ....

   trigain ....

   dwy ....

   deg ....

   tair ....

4. **Gwrandewch yn ofalus ar Ann yn siarad. Beth mae hi'n ei ddweud yn lle...**

   fy mam a fy nhad ....

   arni hi ....

   chwaer ....

Siaradwch

Defnyddiwch yr holiadur isod i siarad am wyliau, e.e. Fuoch chi erioed ar fordaith? Ydy'r math yma o wyliau yn apelio atoch chi?

Enw	ar fordaith	ar wyliau gwersylla	ar wyliau cerdded	ar wyliau 'all inclusive'	ar wyliau mewn bws

Darllen

Milionêrs gan Marlyn Samuel (Gwasg y Bwthyn, 2014)

Geirfa: **apelgar**   **troedio**   **gwres**   **syfrdan**
               anghrediniaeth   **gwep**   **ymhyfrydu**   **syfrdanol**

'Mauritius! Y chi! Dach chi'n mynd i Mauritius?!' Roedd wynebau Gwyn a Nicola yn bictiwr.

Syniad Mal oedd Mauritius. A deud y gwir, mi fysa Majorca neu Menorca wedi **gwneud y tro** yn iawn i Wendi. Unrhyw le, dim ond iddi gael haul.

'Mauritius. Awn ni i Mauritius. Fanno ma'r milionêrs 'ma i gyd yn mynd ar eu holides,' medda fo amser te, a phawb yn claddu i mewn i wledd Cantonese.

'Ma fanno'n bell – yng Nghefnfor India,' meddai Gari'n wybodus.
'Y lle neis 'na ydi o, 'te, efo'r byngalos posh 'na ar *stilts* allan yn y môr.'

'Ddim y Maldives ydi fanno?' holodd Gari.

Ar ôl trip arall i Lerpwl, **y tro hwn** i drefnu pasborts i bawb, bwciodd Wendi wyliau i'r pump ohonyn nhw yn un o'r gwestai mwyaf moethus yn Mauritius. Ond suddodd ei chalon pan sylwodd ei bod hi'n daith ddeuddeg awr. Roedd ffleit dwy awr a hanner i Majorca yn fwy **apelgar** bob munud.

'Dan ni'n mynd wsnos i fory,' meddai Wendi ar ôl iddi dynnu ei hesgidiau a **throedio** tu ôl i Nicola i'r gegin. Roedd y llawr yn gynnes braf, diolch i'r **gwres** o dan y llawr.

'I ffwrdd? Lle dach chi'n ca'l mynd, felly?' holodd ei brawd heb drafferthu i droi rownd, yn rhy brysur yn gwneud paned o goffi o'i beiriant.

'Mynd efo tocens o'r *Sun* dach chi eto, ia?' gwenodd Nicola. 'Lle dach chi'n ca'l mynd y tro 'ma, 'ta? I Blackpool aethoch chi llynedd, ia?'

'I Mauritius.'

'Mauritius?' Roedd Gwyn wedi troi rownd, ei holl sylw ar Wendi.

'Ia. Mauritius.'

'*Y* Mauritius?' holodd Nicola, a honno yr un mor **syfrdan**.

'Ia. Pam? Oes 'na fwy nag un Mauritius?'

'Mauritius?' meddai Gwyn wedyn, yr **anghrediniaeth** yn glir ar ei hen **wep**. 'Dach chi wedi ennill y loteri neu rwbath?'

'Do.' **Ymhyfrydodd** Wendi ym mhob eiliad o weld ymateb ei brawd a'i chwaer-yng-nghyfraith i'w newydd **syfrdanol**.

Mae'r darn yn cynnwys dau ymadrodd sy'n defnyddio 'tro'. Cyfieithwch:

gwneud y tro...

y tro hwn...

Llenwch y bylchau â'r geiriau cywir (sy'n cynnwys 'tro' neu 'troi'), gan dreiglo a newid ffurf y ferf os oes angen.

1. Gyda'r nos, mae Sioned yn hoffi mynd â'r ci am.................................... .

2. Roedd olwynion y car yn.................. a............................. .

3. "Hwyl! Tan y............ nesa!"

4. Penderfynodd Elwyn ei bod hi'n bryd................ am adre.

5. "................. eich cadeiriau i wynebu'r blaen, os gwelwch yn dda."

6. Roedd Nia wedi cael siom; roedd Lisa wedi gwneud............ gwael â hi.

7. "Dy.......... di yw hi i fynd â'r biniau allan," meddai Jac wrth weld y lori ludw.

8. "Paid â............ dy gefn arna i!" gwaeddodd Mam yn flin.

Rhestr wirio

Dw i'n gallu...

defnyddio gorffennol cryno 'bod'.	
trafod gwyliau a theithio.	

Uned 3 – Chwedlau Cymru

Nod yr uned hon yw...

- Ymarfer y treigladau a dysgu am y treiglad meddal wrth drafod amser
- Dysgu am chwedlau Cymru, a siarad amdanyn nhw
- Dysgu a defnyddio geirfa ac idiomau newydd

Geirfa

cosb(au)	punishment(s)
deintyddfa (deintyddfeydd)	dentist's surgery (surgeries)
dewines(au)	sorceress(es), enchantress(es)
duwies(au)	goddess(es)
gwaywffon (gwaywffyn)	spear(s), javelin(s)
llawysgrif(au)	manuscript(s)
melltith(ion)	curses(s)

arf(au)	weapon(s)
brenin (brenhinoedd)	king(s)
bwch	gafr ifanc
cafn(au)	trough(s)
cyfeillgarwch	friendship
diflaniad(au)	disappearance(s)
tywysog(ion)	prince(s)
ymadrodd(ion)	phrase(s)

cael gwared ar	to get rid of
darganfod	to discover
dial	to revenge; to avenge
diflannu	to disappear
esgus	to pretend
ysbrydoli	to inspire

cyffredinol	general
trasig	tragic

ar ffurf	in the form of
hud a lledrith	magic and enchantment
medden nhw	so they say
seiliedig ar	based on

Geiriau pwysig i mi...

....

....

....

Treigladau!

Beth ydy enwau'r **tri** threiglad? Pa lythrennau sy'n cael eu heffeithio? Sut mae'r llythrennau'n newid?

Treiglad _____	Treiglad _____	Treiglad _____

Help llaw

Treiglo adferfau amser

Rydyn ni'n treiglo diwrnod penodol, e.e.
        Does dim gwers **dd**ydd Llun (y dydd Llun nesaf).
Ond, os ydyn ni'n cyfeirio at ddiwrnod yn gyffredinol, rydyn ni'n defnyddio **ar**:
        Mae'r dosbarth yn digwydd **ar ddydd Llun** (hynny yw, bob dydd Llun
            neu unrhyw ddydd Llun).
        Dw i'n mynd i ddosbarth salsa **ar fore Gwener** = bob bore Gwener.
Ond: Dw i'n mynd i ddosbarth salsa **fore Gwener** = fore Gwener nesaf.
        Es i i ddosbarth **fore Gwener** = fore Gwener diwethaf.

Weithiau, mae pobl yn defnyddio **y** gyda **Sul** i ddangos eu bod nhw'n siarad am bob dydd Sul yn gyffredinol, er enghraifft:

        Fyddwch chi'n mynd i'r capel **ar y Sul**?

Mae **y Sul** hefyd yn gallu golygu 'y penwythnos', er enghraifft:

        Fyddwch chi'n mynd i ffwrdd **dros y Sul**?

        Fyddwch chi'n **bwrw'r Sul** yn rhywle?   = Fyddwch chi'n treulio'r penwythnos yn rhywle?

Byddwn ni hefyd yn treiglo'n feddal mewn ymadroddion sy'n cynnwys **yn ôl**, e.e.
Symudais i i Aberheli **b**um mlynedd yn ôl.

1. Gofynnwch i o leiaf 5 berson ydyn nhw'n gwneud rhywbeth cyson yn ystod yr wythnos.

Enw	ar ddydd Llun	ar ddydd Mawrth	ar ddydd Mercher	ar ddydd Iau	ar ddydd Gwener	ar ddydd Sadwrn	ar ddydd Sul

2. Rhowch y geiriau cywir yn y bylchau hyn: **dydd, ddydd,** neu **ar ddydd**.

i. .... Llun maen nhw'n casglu sbwriel yn ein stryd ni.

ii. Does dim casgliad sbwriel .... Llun achos ei bod hi'n ŵyl banc.

iii. Mae angen i ni gael cyfarfod. Beth am gwrdd yn fy swyddfa .... Mercher?

iv. Dw i fel arfer yn cael brecwast mewn caffi .... Sul.

v. Welaist ti'r gêm .... Sadwrn?

vi. .... Gwener yw fy hoff ddiwrnod i.

vii. Dw i'n mynd i ddosbarth ioga bob wythnos, ... Mawrth.

viii. Mae .... Iau yn ddiwrnod prysur yn y salon trin gwallt.

ix. Fydd hi ddim yn y gwaith .... Gwener achos ei bod hi'n mynd at y deintydd.

x. Dw i'n hoffi mynd i'r farchnad .... Mercher.

Darllen

Pedair Cainc y Mabinogi

Geirfa:
seiliedig
diflaniad
diflannu

llawysgrif
brenin
cyfeillgarwch

hud a lledrith
cawr

Pedair chwedl o'r Oesoedd Canol yw *Pedair Cainc y Mabinogi*. Mae cainc yn golygu 'cangen', ac ystyr 'Mabinogi' yw stori am blentyndod. Cymeriad Pryderi sy'n cysylltu'r pedair chwedl â'i gilydd, er nad yw e'n amlwg iawn ym mhob chwedl.

Mae'r *Pedair Cainc* yn dyddio'n ôl ganrifoedd, i tua 1050 – 1120. Does neb yn gwybod pwy oedd eu hawdur, ond cawson nhw eu trosglwyddo ar lafar am ganrifoedd cyn iddyn nhw gael eu hysgrifennu. Mae rhai cymeriadau'n **seiliedig ar** dduwiau Celtaidd, fel Lleu Llaw Gyffes (Lugh yn Iwerddon a Lugus yn yr Alban), a Rhiannon (Epona, duwies Geltaidd y ceffylau).

Gallwch chi weld y chwedlau yn *Llyfr Gwyn Rhydderch* – **llawysgrif** o'r bedwaredd ganrif ar ddeg sy'n cael ei chadw yn Llyfrgell Genedlaethol Cymru, Aberystwyth.

Er bod y chwedlau'n llawn **hud a lledrith**, maen nhw'n aml yn digwydd mewn llefydd cyfarwydd i ni heddiw, fel Arberth yn sir Benfro a Harlech yng Ngwynedd.

Y Gainc Gyntaf: Pwyll Pendefig Dyfed

Mae'r tywysog Pwyll yn ymweld ag Annwfn, sef byd arall o dan y ddaear. Rydyn ni'n cael hanes priodas Pwyll â Rhiannon a **diflaniad** rhyfedd eu mab, Pryderi.

Yr Ail Gainc: Branwen Ferch Llŷr

Mae Branwen yn priodi Matholwch, **brenin** Iwerddon. Dydy ei hanner brawd hi, Efnisien, ddim yn hapus am hyn ac aiff pethau o ddrwg i waeth. All hyd yn oed Bendigeidfran y **cawr** ddim datrys y sefyllfa. Dyma'r stori fwya crefftus (a thrasig).

Y Drydedd Gainc: Manawydan Fab Llŷr

Mae hud ar Ddyfed a phopeth wedi **diflannu** yn y niwl! Rhaid i Manawydan achub Rhiannon a Pryderi. **Cyfeillgarwch** yw thema'r chwedl hon.

Y Bedwaredd Gainc: Math Fab Mathonwy

dewines	**melltith**	**arfau**	**daear**	**cael gwared ar**	**esgus**
cafn	**to**	**bwch**	**dod o hyd i**	**ar ffurf**	**cosb**
carreg					

Math fab Mathonwy ydy teitl y Bedwaredd Gainc, ond mae'r stori am ei fab a'r **ddewines** Arianrhod yn bennaf.

Mae Arianrhod wedi rhoi **melltith** ar ei mab. Chaiff o ddim enw, **arfau** na gwraig sy'n un o 'ferched y **ddaear**'. Ond, mae Gwydion, ei brawd, yn llwyddo i dorri'r ddwy **felltith** gyntaf. Caiff y mab ei alw'n Lleu Llaw Gyffes, ac mae'n derbyn **arfau**. Yna, trwy hud a lledrith, mae Math a Gwydion yn creu gwraig o flodau i Lleu, ac yn ei galw hi'n Blodeuwedd.

Ond, mae Blodeuwedd yn dechrau teimlo'n unig achos bod Lleu yn treulio llawer o amser i ffwrdd. Un diwrnod, mae hi'n cyfarfod Gronw Pebr. Mae'r ddau'n syrthio mewn cariad, ac yn cynllunio i **gael gwared ar** Lleu.

Mae Blodeuwedd yn **esgus** ei bod hi'n poeni am Lleu, ac yn holi sut gallai rhywun ei ladd. Mae o'n esbonio bod hynny'n broses gymhleth iawn! Yn gyntaf, mae'n rhaid iddo fo ymolchi mewn **cafn** â **tho** arno ar lan afon, ac yna sefyll ag un droed ar ymyl y **cafn** a'r llall ar gefn **bwch**. Wedyn, gall rhywun ei ladd â gwaywffon. Ond nid â gwaywffon gyffredin! Mae'n rhaid treulio blwyddyn yn gwneud y waywffon, a hynny adeg gwasanaeth y Sul yn unig.

Mae Blodeuwedd yn dweud hyn wrth Gronw, a'r ddau yn paratoi i ladd Lleu. Ar ôl blwyddyn, mae'r waywffon yn barod, a Blodeuwedd yn perswadio Lleu i ymolchi mewn **cafn** ac yn y blaen, i ddangos sut medrai rhywun ei ladd. Wrth gwrs, mae Gronw yn barod, ac yn taflu'r waywffon at Lleu.

OND, dydy Lleu ddim yn marw. Mae o'n troi'n eryr, ac yn hedfan i ffwrdd.

Wedi hynny, mae Blodeuwedd a Gronw yn priodi. Ond, mae Gwydion yn **dod o hyd i** Lleu (**ar ffurf** eryr) ac yn ei droi'n ôl yn ddyn, ond mae o'n sâl iawn.

I ddial, mae Gwydion yn chwilio am Blodeuwedd ac yn dod o hyd iddi wrth Lyn y Morynion. Ond yn hytrach na'i lladd, mae'n rhoi **cosb** waeth iddi, sef ei throi hi'n dylluan.

Cosb Gronw ydy sefyll ar lan Afon Cynfal a chael ei ladd gan waywffon Lleu. Hyd heddiw, mae **carreg** a thwll ynddi ar lan Afon Cynfal sy'n cael ei galw'n Llech Ronw.

1. Heb edrych yn ôl ar y darn, cyfieithwch:

i. *the fourteenth century* ....

ii. *The National Library of Wales* ....

iii. *Things go from bad to worse.* ....

iv. *resolve the situation* ....

v. *until today* ....

2. Edrychwch ar y geiriau isod. Allwch chi feddwl am dri gair sy'n gysylltiedig â nhw, e.e. sŵn > swnllyd? Mae rhai geiriau i'ch helpu yn y darn darllen.

plentyn

....

....

....

crefft

....

....

....

cyfaill

....

....

....

priodi

....

....

....

3. Rhowch y llythrennau coll yn y geiriau hyn, gan dreiglo os oes angen – mae'r trefnolion ar y chwith a'r rhifau ar y dde.

1. Y ferch __yntaf.

2. Y bachgen __yntaf.

3. Y __r_d_dd ferch.

4. Yr _il __achgen.

5. Y __edw _ _ _dd ferch.

6. Y __ryd_dd __achgen.

7. Yr _il __erch.

8. Y __edw__rydd bachgen.

1. Y __air _erch.

2. Y __au __achgen.

3. Y __ri __achgen.

4. Y dd__ __ __erch.

5. Y __edwar __achgen.

6. Y __um __erch.

7. Y __ed_ _ _ __erch.

8. Y __um __achgen.

Siaradwch

- Oes diddordeb gennych chi mewn chwedlau?

- Ydych chi'n mwynhau llyfrau a ffilmiau sydd wedi'u hysbrydoli gan chwedlau, e.e. *The Lord of the Rings*, *Game of Thrones* ac ati?

- Neu ydy hi'n well gennych chi ffilmiau a llyfrau am bobl a digwyddiadau cyfoes?

- Beth am gemau fel *Dungeons and Dragons* ac ail-greu brwydrau?

Gwylio a gwrando

Cynefin: Bryn Saeth, Bro Ffestiniog (Rondo, 2018)

Geirfa: **medden nhw**   **gwaywffon**   **eryr**   **dial**

Byddwch chi'n gwylio Siôn Tomos Owen yn adrodd rhan o Bedwaredd Gainc y Mabinogi, sy'n sôn am Lleu Llaw Gyffes, Blodeuwedd a Gronw Pebr.

1.   Ar ôl gwylio'r fideo, cwblhewch y brawddegau hyn:

Mae pobl yn credu bod stori o'r .... wedi digwydd ym Mryn Saeth.

Yn 1934, cafodd .... arbennig ei darganfod ar waelod ....Cynfal.

Roedd y graig yn arbennig achos bod ....

Doedd Lleu ddim yn hapus achos ....

Rhedodd Lleu ar ôl .... a ....

Taflodd Gronw .... at Lleu.

Cafodd Lleu ei droi'n ....

Ar ddiwedd y stori, daeth hi'n amser i Lleu ....

Ro'n nhw ar lannau'r .... unwaith eto.

Taflodd Lleu .... at Gronw.

Aeth y waywffon trwy'r ....

Aeth y waywffon yn syth trwy .... Gronw.

Llech Ronw yw'r enw ar y .... nawr.

Enw'r fferm yw Bryn Saeth, achos ....

....

2.   'Rhedodd Lleu ar eu holau nhw ...'

Gallwch chi ddefnyddio **olau** neu **ôl** gyda **ni, chi** (lluosog) a **nhw**.
Allwch chi lenwi'r bylchau yma?

ar i   ar .... ni

ar .... di   ar .... chi

ar .... e/o   ar .... nhw

ar .... hi

Mae'r un peth yn wir am **o flaen.** Mae'n bosib defnyddio **blaen** neu **blaenau**
gyda **ni, chi** (lluosog), a **nhw.**

o i   o' .... ni

o .... di   o' .... chi

o' .... e/o   o' .... nhw

o' .... hi

**3.   Mae llawer o enwau benywaidd yn y fideo yma. Allwch chi restru
      rhai ohonyn nhw? Sut rydyn ni'n gwybod eu bod nhw'n fenywaidd?**

....

....

....

**4.   Mae Siôn Tomos Owen yn dweud "So chi'n cael hela 'da
      gwaywffon rhagor".**

      Allwch chi feddwl am ffordd arall o ddweud hynny?

....

....

....

Gwylio a gwrando

Gwyliwch yr Athro Sioned Davies yn adrodd hanes chwedl Branwen. Gyda'ch partner, meddyliwch am o leiaf 3 chwestiwn i'w gofyn am y chwedl.

....

....

....

....

....

....

....

Rhestr wirio

Dw i'n gallu...

treiglo adferfau amser yn feddal.	
trafod chwedlau.	

Uned 4 – Dramâu teledu ac operâu sebon

Nod yr uned hon yw...

• Adolygu ac ymarfer yr amodol

• Siarad am ddramâu teledu ac operâu sebon

• Dysgu a defnyddio geirfa ac idiomau newydd

Geirfa

camlas (camlesi)	canal(s)
ffurf(iau)	form(s)

achlysurol	occasional; casual
afreal	unrealistic; unreal
amheus	doubtful; suspicious
difrifol	serious
diniwed	blameless, innocent;
ethnig	ethnic
hoyw	gay
parhaol	permanent
snobyddlyd	snobby

cydraddoldeb	equality
dihiryn (dihirod)	rascal(s), scoundrel(s), villain(s)
goddefgarwch	tolerance
iselder	depression
llosgfynydd(oedd)	volcano(es)
nod(au)	aim(s)
tlodi	poverty

byrddio	to board
canolbwyntio	to concentrate
delio (â)	to deal (with)
haeddu	to deserve
hybu	to promote
lleoli	to locate
twyllo	to cheat; to deceive
ystyried	to consider

ar brydiau	at times
newyddion da o lawenydd mawr	glad tidings of great joy / good news of great joy

Geiriau pwysig i mi...

Yr amodol

1. Adolygu **baswn i / faswn i ddim**.
Trafodwch y sefyllfaoedd ar y cardiau, a dywedwch beth **fasech** chi'n ei wneud,
a beth **fasech chi ddim** yn ei wneud.

2. Mae'r geiriau isod ar eich cardiau chi.
Gyda'ch partner, meddyliwch am dri ymadrodd / gair sy'n defnyddio'r geiriau
hyn, neu elfennau ohonyn nhw.
Er enghraifft: byrddio → bwrdd → bwrdd smwddio

byrddio

....

....

....

bywyd

....

....

....

llosgfynydd

....

....

....

Help llaw

Hyd yn hyn, rydyn ni wedi canolbwyntio ar ffurfiau amodol **baswn i** ac yn y
blaen. Ond mae'n siŵr y byddwch wedi sylwi ar ffurf amodol arall sy'n cael ei
defnyddio, sef **byddwn i** – sydd â **bydd**, fel ffurfiau'r dyfodol, ond gyda **-wn**, **-et**,
-ai, **-en**, **-ech**, **-en**, sy'n perthyn i'r amodol. Dyma rediad y ffurf hon:

Byddwn i

Byddet ti

Byddai o/fe/hi

Bydden ni

Byddech chi

Bydden nhw

Fel arfer, y ffurfiau hyn sy'n cael eu defnyddio wrth ysgrifennu. Yn y de, mae pobl
yn defnyddio'r ffurfiau hyn ar lafar hefyd – yn enwedig yn y de-orllewin.

Dydy'r ffurfiau **taswn i, tasai'r tywydd** ac ati ddim yn newid.

Llenwch y bylchau yn y brawddegau hyn, gan ddefnyddio'r ffurfiau amodol uchod. Efallai bydd angen i chi dreiglo weithiau.

1. .... ti'n gallu dod am swper heno, yn lle nos fory?

2. Tasai Elis yn ddigon heini, ... 'n rhedeg marathon.

3. Beth .... nhw'n wneud heb dy help di?

4. .... i byth yn nofio yn y môr ar ddiwrnod oer fel heddiw.

5. .... i'n poeni tasai siop y pentref yn cau.

6. Dw i'n meddwl .... chi'n mwynhau'r ffilm 'na – mae hi'n ddoniol iawn.

7. .... hi ddim yn hapus taswn i'n rhannu'r gyfrinach gyda ti.

8. .... John byth yn fy nghredu i – mae'n rhaid i ti ddweud wrtho fe.

9. .... chi'n cael eich cosbi tasech chi'n meiddio twyllo yn y prawf yma.

10. .... nhw ddim yn hoffi mynd ar wyliau i wlad boeth.

11. .... chi'n cael trafferth siopa ar-lein heb fy help i.

12. .... Jac byth yn dweud celwydd – mae e mor ddiniwed.

Storom eirfa – Drâmau teledu ac operâu sebon

Nodwch o leia chwe gair ar y thema yn y blwch isod.

Siaradwch

- Ydych chi'n gwylio opera sebon neu ddramâu teledu?
- Beth yw'r dramâu teledu mwya poblogaidd ar hyn o bryd?
- Os nad ydych chi'n gwylio opera sebon – pam?
- Oeddech chi'n gwylio opera sebon pan oeddech chi'n blentyn?
- Pa fath o raglenni dych/dach chi'n eu hoffi orau?
- Ydych chi erioed wedi gweld *Pobol y Cwm*?
- Ydych chi erioed wedi gweld drama deledu Gymraeg?
- Ydych chi'n hoff o unrhyw ddihiryn mewn drama neu opera sebon?

Deialog – Rownd A Rownd

Opera sebon wedi'i lleoli yn Ynys Môn ydy *Rownd a Rownd*. Mae hi'n cael ei ffilmio ym Mhorthaethwy ac yn cael ei darlledu ddwywaith yr wythnos ar S4C.

Yn wreiddiol, opera sebon i blant oedd *Rownd a Rownd*. Roedd hi'n canolbwyntio ar bobl ifanc oedd yn gwneud rownd bapur newydd. Erbyn hyn, mae hi'n cael ei darlledu gyda rhaglenni oedolion ac yn delio â themâu anodd ar brydiau. Er hynny, mae llawer o hiwmor yn *Rownd a Rownd* ac mae hi'n boblogaidd gyda phobl o bob oed.

Byddwch chi'n darllen deialog rhwng dwy chwaer, Dani a Britney.

1. Dewiswch y fersiwn o'r ddeialog sy'n addas i chi. Edrychwch arni gyda'ch partner, ffeindiwch yr amodol ynddi hi, ac ysgrifennwch y ffurfiau amodol.

_____

2. Sut byddech chi'n ysgrifennu'r ffurfiau yma fel arfer?

_____

3. Tanlinellwch yr holl elfennau llafar, neu'r dafodiaith yn y ddeialog.

4. Darllenwch y ddeialog gyda'ch partner, gan gymryd tro i wneud y ddwy ran.

Fersiwn wreiddiol (y gogledd)	Fersiwn y de
BRITNEY 'Nath hi sôn rwbath am y pres sy arnyn nhw i'r dyn treth wedyn?	**BRITNEY** 'Wedodd hi rywbeth am yr arian sy arnyn nhw i'r dyn treth wedyn?
DANI Na. Dim byd.	**DANI** Na. Dim byd.
BRITNEY Bechod.	**BRITNEY** Trueni.
DANI Ia, dw i'n gwbod.	**DANI** Ie, dw i'n gwbod.
BRITNEY Pam 'nei di'm cynnig talu drostyn nhw?	**BRITNEY** Pam 'nei di ddim cynnig talu drostyn nhw?
DANI Fi?	**DANI** Fi?
BRITNEY Ia. Ma' gin ti ddigon o bres, does?	**BRITNEY** Ie. Mae digon o arian 'da ti, on'd oes e?
DANI Ond 'y mhres i 'dio.	**DANI** Ond fy arian i yw e.
BRITNEY Dw i'n gwbod, ond tasa gin i bres, 'swn i'n gynnig o iddyn nhw.	**BRITNEY** Dw i'n gwbod, ond tase arian 'da fi, byddwn i'n 'i gynnig e iddyn nhw.
DANI (AMHEUS IAWN) O bysat?!	**DANI** (AMHEUS IAWN) O fyddet ti?!
BRITNEY Byswn. Faint o bres Wyn sgin ti ar ôl?	**BRITNEY** Byddwn. Faint o arian Wyn sy 'da ti ar ôl?
DANI Meindia dy fusnas!	**DANI** Meindia dy fusnes!
BRITNEY Gin ti ddigon ma' siŵr, does?	**BRITNEY** Mae digon 'da ti, on'd oes e?
DANI Oes, ella.	**DANI** Oes, falle.
BRITNEY A fysa chdi'n ga'l o'n ôl ginnyn nhw. Dim ond benthyg fysa fo. 'Swn i'n 'neud 'swn i'n chdi.	**BRITNEY** A byddet ti'n 'i ga'l e'n ôl wrthyn nhw. Dim ond benthyg fydde fe. Byddwn i'n neud, yn dy le di.

Gwylio a gwrando – Anti Marian yn ymddeol

Byddwch chi'n gwylio cyfweliad â Buddug Williams, adeg ei hymddeoliad ar ôl blynyddoedd yn actio ar *Pobol y Cwm*.

Rhowch ✓ wrth y geiriau a'r ymadroddion hyn pan fyddwch chi'n eu clywed nhw.

achlysurol   newyddion da o lawenydd mawr

Dewiswch yr atebion cywir a rhowch groes yn y blwch.		
O ble mae Buddug Williams yn dod?	Pontypridd Pontyberem Pont-y-pŵl	
Mae Anti Marian yn dweud "Paid ti â meddwl bo' ti'n mynd i ga'l tamed o'r _____ 'na!" Beth?	cawl pizza lasagne	
Mae Buddug Williams yn dweud bod Anti Marian fel mam i rywun. Pwy?	Denzil Sioned Cheryl	
Dydy Buddug Williams ddim yn gallu mynd i rywle ar brynhawn dydd Mercher. Ble?	Pontyberem Caerfyrddin Cefneithin	
Beth fydd Buddug Williams yn gweld ei eisiau fwya ar ôl ymddeol?	y cyflog y cwmni perfformio	

Bydd Buddug Williams yn parhau i wylio *Pobol y Cwm*. Pam? Ysgrifennwch ddau reswm isod.

1...

2...

Siaradwch

Os ydych chi wedi ymddeol:
- Beth ydych chi'n mwynhau ei wneud ers ymddeol?
- Beth ydych chi'n gweld ei eisiau / colli fwya ers ymddeol?

Os nad ydych chi wedi ymddeol:
- Beth ydych chi'n edrych ymlaen at ei wneud ar ôl ymddeol?
- Ydych chi'n bwriadu gweithio cyn hired ag y gallwch chi?

- Sut mae eich teulu a ffrindiau i chi wedi ymdopi â bywyd ar ôl ymddeol?
- Pa mor bwysig ydy'r teledu i bobl sy wedi ymddeol?

Darllen – Operâu sebon

parhaol	ystyried	haeddu	nod	afreal	difrifol
snobyddlyd	tlodi	iselder	hoyw	ethnig	hybu
cydraddoldeb		goddefgarwch			

Mae llawer ohonon ni'n defnyddio'r term 'operâu sebon' i ddisgrifio dramâu teledu fel *Eastenders, Coronation Street, Hollyoaks, Emmerdale, Pobol y Cwm* a *Rownd a Rownd* neu ddramâu radio fel *The Archers*.

Cafodd y term ei ddefnyddio gyntaf oherwydd bod cwmnïau sebon yn noddi dramâu radio cynnar America'r 1930au. Ond os gwyliwch chi wobrau BAFTA ar y teledu, chlywch chi mo'r term yn cael ei ddefnyddio. 'Dramâu **Parhaol**' yw'r term sy'n cael ei ddefnyddio erbyn hyn.

Pam tybed? Wel, mae llawer o bobl yn y byd darlledu yn **ystyried** bod disgrifio drama fel 'opera sebon' yn hen ffasiwn. Maen nhw'n credu bod y term yn gwneud i bobl feddwl am ddrama rad, nad yw cystal â drama 'go iawn'. Maen nhw o'r farn bod y term yn awgrymu bod dramâu o'r fath yn llai pwysig.

Ond mae lle i ddadlau nad yw 'operâu sebon' yn **haeddu** cael eu **hystyried** o'r un safon â dramâu eraill. Maen nhw'n rhatach i'w cynhyrchu, a'u prif **nod** yw denu'r gynulleidfa i wylio'r sianel am weddill y noson. Maen nhw am wneud y gynulleidfa yn gaeth iddyn nhw.

Mae'n rhaid iddyn nhw gynnwys storïau gor-ddramatig, felly, er mwyn gwneud yn siŵr nad yw'r gynulleidfa byth yn diflasu. Mae popeth yn ddrama fawr. Mae'n rhaid i bopeth symud yn gyflym iawn, ac felly mae llawer o ddadlau a gweiddi. Maen nhw'n gwbl **afreal** yn hynny o beth.

O ganlyniad, does dim cymaint o syniadau'n cael eu trafod mewn operâu sebon ag sydd mewn dramâu mwy **difrifol**. Yr hyn sy'n digwydd sy'n bwysig mewn 'opera sebon' tra bo dramâu 'go iawn' yn **ystyried** pam mae pethau'n digwydd.

Ond mae hynny'n eithaf **snobyddlyd** mewn gwirionedd! Mae 'operâu sebon' yn gallu delio â phethau pwysig, er enghraifft, salwch, **tlodi**, **iselder** a thrais. Maen nhw hefyd yn cynnig cwmni i bobl sy'n byw ar eu pennau eu hunain.

Maen nhw hefyd yn gallu codi ymwybyddiaeth am faterion pwysig. Drwy gynnwys cymeriadau **hoyw** a chymeriadau o leiafrifoedd **ethnig**, er enghraifft, gall opera sebon **hybu cydraddoldeb** a **goddefgarwch** at ein gilydd.

Mae'n amhosibl gwadu bod gan raglenni o'r fath le pwysig iawn ar y cyfryngau – beth bynnag rydyn ni'n eu galw nhw!

1. Ydych chi'n gallu crynhoi prif negeseuon yr erthygl mewn pum pwynt?

....

....

....

....

....

2. Edrychwch ar y diffiniad ar y chwith, ac ysgrifennwch yr ymadrodd gorau o'r darn sy'n cyfateb i'r diffiniad. Ceisiwch wneud hyn heb edrych ar y darn yn gyntaf.

Pobol y Cwm a *Rownd a Rownd*	
Game of Thrones a *Line of Duty*	
ble mae actorion *Coronation Street* ac *Eastenders* yn gallu ennill rhywbeth	
ddim yn fodern	
y peth mawr rydych chi eisiau ei gyflawni	
cael pobl i wylio'ch sianel chi	
yr amser rhwng swper ac amser gwely	
dysgu pobl am fater arbennig	
pobl o gymunedau du ac Asiaidd yng Nghymru	
helpu pobl i ddeall bod pawb yn gyfartal	

Rhestr wirio

Dw i'n gallu...

defnyddio ffurfiau cryno amodol y ferf.	
siarad am ddramâu teledu ac operâu sebon gan ddefnyddio geirfa ac ymadroddion newydd.	

Uned 5 – Sefydliadau

Nod yr uned hon yw...

• Adolygu'r cymal enwol (fy mod i, y bydda i ac ati)
• Siarad am rai o sefydliadau Cymru
• Dysgu a defnyddio geirfa ac idiomau newydd

Geirfa

caer (caerau, ceyrydd)	*fort(s)*
cenedl (cenhedloedd)	*nation(s)*
daeareg	*geology*
hawlfraint (hawlfreintiau)	*copyright(s)*
llechen (llechi)	*slate(s)*
lleng(oedd)	*legion(s)*

amneidio	*to beckon, to nod*
arloesi	*to pioneer*
buddsoddi	*to invest*
cyfeirio (at)	*to refer (to)*
cyfleu	*to convey*
dethol	*to select*
meithrin	*to nurture*
nodi	*to note*
tasgu	*to splash, to scatter*
tisian	*to sneeze*
ymddiswyddo	*to resign*

o blaid	*in favour of*
y Rhufeiniaid	*the Romans*
yn gyfan gwbl	*completely*

adnodd(au)	*resource(s)*
atyniad(au)	*attraction(s)*
canmlwyddiant	*centenary*
cymal(au)	*clause(s); joint(s)*
deunydd(iau)	*material(s)*
e-ddarllenwr(-wyr)	*e-reader(s)*
gwystl(on)	*hostage(s)*
modd	*manner; means*
pencadlys(oedd)	*headquarter(s)*
pwyslais	*emphasis*
symudiad(au)	*movement(s)*
trywydd(au)	*trail(s), path(s)*

diedifar	*unrepentant*
glofaol	*coal-mining*
rhagweladwy	*forseeable, predictable*
ysgrifenedig	*written*

Geiriau pwysig i mi...

....

....

Adolygu'r amodol (baswn/byddwn a taswn)

Unwch y parau i greu cwestiynau, ac yna gofynnwch y cwestiynau i'ch partner.

Tasech chi'n dathlu eich pen-blwydd heddiw,	fyddech chi'n bwyta pethau melys o gwbl?
Tasech chi'n gweld rhywun yn 'smygu mewn lle cyhoeddus,	fasech chi'n mentro allan yn y car?
Tasech chi'n byw yn Llundain,	fyddech chi'n troi at y we?
Tasech chi ar ddeiet,	fasech chi eisiau i bawb gael gwybod?
Tasech chi eisiau gwyliau rhad,	fyddech chi'n dweud rhywbeth?
Tasech chi'n ddeunaw oed eto,	fasech chi'n ystyried cyfnewid tŷ?
Tasai hi'n bwrw eira,	fasech chi'n ei derbyn hi?
Tasech chi eisiau prynu teledu newydd,	fyddech chi'n dilyn yr un trywydd?
Tasech chi'n cael cynnig swydd newydd dramor,	fasech chi'n mynd i'r theatr yn aml?

Ymatebwch i'r brawddegau isod, gan ddefnyddio'r ferf sy mewn cromfachau a 'bod wedi'. Dilynwch y patrwm:

Aethon ni i Ffrainc ar y fferi. (gallu)   **Gallech chi fod wedi hedfan.**

1.   Hedfanon ni i Iwerddon.
      (gallu) ....

2.   Roedd eisiau help arnon ni ddoe.
      (dyl-) ....

3.   Ro'n i'n byw yn Lerpwl yn y chwedegau.
      (hoffi/licio) ....

4.   Gwelais i rywun yn ymddwyn yn amheus iawn yn y stryd ddoe.
      (dyl-) ....

5.   Dw i'n ymddiheuro am y camddealltwriaeth.
      (dyl-) ....

6.   Roedd yr olygfa'n wych o gopa'r Wyddfa ddydd Sadwrn.
      (hoffi/licio) ....

Cam-

Meddyliwch am y gair **camddealltwriaeth**. Nodwch isod o leia chwe gair arall sy'n dechrau gyda **cam-**:

....

....

....

....

Edrychwch ar y tair brawddeg isod. Yna, cyfieithwch y tri ymadrodd:

Ni chafodd y gôl ei chaniatáu achos bod y chwaraewr yn camsefyll.
Cafodd y bachgen bach gam yn y gystadleuaeth – dylai fe fod wedi ennill.
Roedd un o'r staff yn cael amser caled yn y cyfarfod felly roedd rhaid i mi achub ei gam.

to be offside _____
to suffer an injustice _____
to defend/to stand up for _____

Sefydliadau Cymru

Ysgrifennwch enwau rhai o sefydliadau Cymru yn y blwch hwn:

Y Cymal Enwol

Unwch y ddau hanner i greu un frawddeg, gan ddefnyddio cymal enwol:

Dw i'n gwybod...	Mae Llyfrgell Genedlaethol Cymru yn Aberystwyth.
Dw i'n siŵr...	Mae Canolfan Mileniwm Cymru ym Mae Caerdydd.
Dw i'n meddwl...	Bydd yr Urdd yn mynd o nerth i nerth.
Dw i'n sicr...	Saith safle sy gan Amgueddfa Genedlaethol Cymru.
Dw i'n gwybod...	Mae pencadlys Mudiad Meithrin yn Aberystwyth.
Dw i'n siŵr...	Ym Mangor mae'r 'Coleg ar y Bryn'.
Dw i'n meddwl...	Bydd mwy o sefydliadau cenedlaethol yn y dyfodol.
Dw i'n gobeithio...	Dw i'n mynd i ddysgu mwy am sefydliadau Cymru.

Help llaw – Y Cymal Enwol

Hyd yn hyn, rydych chi wedi dysgu'r rheolau isod:
- Pan fydd y cymal yn y **presennol** neu'r **amherffaith**, mae eisiau defnyddio **bod**:
  Dw i'n gwybod bod Dafydd yn chwaraewr da.
  Ro'n i'n gwybod bod Dafydd yn teimlo'n sâl ddoe.

- Mae **bod** yn newid gyda rhagenwau:
fy mod i	ein bod ni
dy fod ti	eich bod chi
ei fod e/o, ei bod hi	eu bod nhw

- Os bydd y cymal yn y **dyfodol** neu'r **amodol**, mae eisiau defnyddio **y** (er nad ydyn ni'n clywed **y** yn yr iaith lafar yn aml):

  Dw i'n gobeithio y bydd hi'n braf yfory.
  Roedden nhw'n meddwl y byddai'r tîm yn ennill y cwpan.
  Mae'n bosib y dylwn i wneud rhagor o waith.
  Maen nhw'n dweud y gallai hi fwrw glaw fory.

- Os bydd **pwyslais** yn y cymal, rhaid i ni ddefnyddio **mai** neu **taw**:
  Clywais i mai John fydd y capten newydd.
  Maen nhw'n dweud taw Siân gafodd y swydd.

Ond, mae un rheol arall i'w dysgu. Beth sy'n digwydd pan fydd y cymal yn y **gorffennol cryno**? Edrychwch ar yr isod:

Enillais i'r raffl y tro diwetha.	>	Dw i'n meddwl **i mi ennill** y raffl y tro diwetha.
Cerddodd pawb allan o'r cyfarfod.	>	'Dyn ni wedi clywed **i bawb gerdded** allan o'r cyfarfod.

Rydyn ni'n defnyddio'r patrwm gyda'r arddodiad **i** (fel **Rhaid i fi fynd** ac **Ar ôl i mi fynd**). Beth bynnag, ar lafar rydych chi'n aml yn clywed pobl yn dweud 'Dw i'n meddwl enillais i'r raffl y tro diwetha', felly does dim angen poeni gormod am hyn.

Rhowch gynnig ar gyfieithu'r brawddegau isod, gan ddefnyddio'r arddodiad **i**.

1. *I think I left my file in class last week.*

2. *I'm sure I understood correctly.*

3. *I heard he forgot to do the homework.*

4. *They are saying that the Prime Minister resigned after the cabinet meeting.*

5. *I think she was born on Tuesday.*

Isod, mae rhestr o sefydliadau Cymreig ac yn y blwch mae rhestr o ddyddiadau. Penderfynwch ym mha flwyddyn y cafodd y sefydliadau eu sefydlu. Defnyddiwch y patrwm newydd i ymarfer: 'Dyn/Dan ni'n meddwl/gwybod i S4C gael ei sefydlu yn xx.'

Undeb Rygbi Cymru
Cadw
Cymdeithas Bêl-droed Cymru
Cynulliad Cenedlaethol Cymru
Gardd Fotaneg Genedlaethol Cymru
Gwasg Prifysgol Cymru
Llyfrgell Genedlaethol Cymru
S4C

1982	**2000**	
	1881	**1999**
1907	**1922**	
	1876	**1984**

Amgueddfa Cymru

Siaradwch

- Pryd buoch chi mewn amgueddfa ddiwetha?
- Pa un yw eich hoff amgueddfa?
- Ydych chi'n meddwl y dylai fod mynediad am ddim i bob amgueddfa?
- Beth yw pwrpas amgueddfa?
- Trafodwch yr amgueddfa sy fwya lleol i chi fel grŵp.

Gwrando

Mae saith amgueddfa'n rhan o Amgueddfa Cymru.
Cyn gwrando ar y darn, ceisiwch lenwi'r tabl isod drwy
roi enwau'r
amgueddfeydd ac un peth amdanyn nhw. Wrth wrando,
nodwch neu gwiriwch enw'r amgueddfa ac ysgrifennwch
un ffaith newydd.

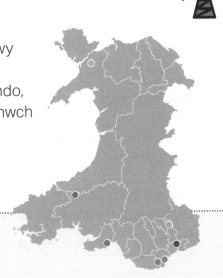

Ble?	Enw'r Amgueddfa	Beth rydych chi'n ei wybod?	Ffaith newydd
Caerdydd			
Sain Ffagan			
Abertawe			
Blaenafon			
Llanberis			
Caerllion			
Dre-fach Felindre			

Gwylio a gwrando – Croeso i Sain Ffagan

Ym mis Gorffennaf 2019 cyhoeddwyd mai Sain Ffagan oedd Amgueddfa'r Flwyddyn – gwobr uchel iawn ei statws.

1.   Gwyliwch y ffilm a nodwch arwyddocâd y llefydd canlynol:

Stockholm _____

Plymouth _____

Rhyd-y-car _____

Pontarddulais _____

Ynys Môn _____

2.   Nodwch un ffaith ddiddorol a ddysgoch chi am Sain Ffagan.

_____

3.   Y tro hwn, gwrandewch yn ofalus a llenwch y bylchau:

i.   Roedd e eisiau sefydlu cartref i ddiwylliant, iaith, treftadaeth a

_____ Cymru.

ii.   _____ llawer o adeiladau o bob cwr o Gymru.

iii.   _____ hen furluniau lliwgar _____

4.   Ceisiwch wrando am y geiriau yn y darn sy'n dod o'r geiriau isod. Ydych chi'n   gallu meddwl am ragor?

i.   arbennig _____

ii.   gwaith _____

iii.   lle _____

5.   Yn olaf, gorffennwch yr ymadroddion hyn:

i.   newydd _____

ii.   dan _____

iii.   dweud eu _____

Llyfrgell Genedlaethol Cymru

Ysgrifennwch o leia 10 gair sy'n gysylltiedig â llyfrgelloedd.

Siaradwch

Trafodwch y datganiadau isod:

- Mae angen buddsoddi mwy o arian mewn llyfrgelloedd.
- Mae pobl yn teimlo'n gryf o blaid llyfrgelloedd, ond mewn gwirionedd does neb yn eu defnyddio.
- Tasai rhaid i fi ddewis rhwng cadw llyfrgell, canolfan i'r henoed neu barc chwarae ar agor, byddwn i'n dewis...

Gwrando

Gwrandewch ar Rhodri Glyn Thomas, Llywydd y Llyfrgell Genedlaethol yn siarad ac atebwch y cwestiynau:

i. Pam mae'n rhaid i'r Llyfrgell dderbyn popeth?

....

....

ii. Beth yw'r peth pwysig am y Llyfrgell?

....

....

iii. Enwch dri pheth sy yn y Llyfrgell.

....

....

....

Gwrandewch eto a cheisiwch lenwi'r bylchau:

Dych chi wedi disgrifio rhai o _____'r Llyfrgell.

Rhaid i ni dderbyn popeth _____ _____ _____ gyflwyno/gynnig.

Mae yna _____ enfawr.

Mae yna _____ _____ _____ o luniau.

Mae'n _____ i'n cyfeirio ni i'r dyfodol.

Modd

Mewn rhan arall o'r cyfweliad, mae Rhodri Glyn Tomos yn dweud, "Mae modd i bobl weithio yn gyfan gwbl trwy gyfrwng y Gymraeg." Driliwch eich partner:

Faint o arian dych chi'n gallu ei wario mewn hanner awr? Mae modd gwario miloedd.
Pa mor bell dych chi'n gallu rhedeg mewn hanner awr?
Faint o eiriau dych chi'n gallu eu teipio mewn hanner awr?
Faint o gwrw dych chi'n gallu ei yfed mewn hanner awr?
Faint o eiriau Cymraeg dych chi'n gallu eu dysgu mewn hanner awr?

Mae fy nghyfrifiadur wedi torri.   Oes modd i ti ie drwsio fe/fo?
Mae fy mheiriant golchi wedi torri.
Mae fy ffeil wedi torri.
Mae fy meic wedi torri.
Mae fy nghadair wedi torri.
Mae fy ffôn wedi torri.
Mae fy nghamera wedi torri.

Mae problem gyda fi.   Oes modd i fi helpu?
Mae syched arna i.   ....
Mae eisiau bwyd arna i.   ....
Does dim arian gyda fi/   ....
Sgen i ddim pres.
Dw i ddim yn deall y   ....
cyfarwyddiadau.

Darllen

Y Llyfrgell gan Fflur Dafydd (Y Lolfa, 2009)

Geirfa: gwystlon   tisian   hances   e-ddarllenwyr

tasgu   deunyddiau   amneidio   cyfleu

diedifar   rhagweladwy

Mae *Y Llyfrgell* wedi'i lleoli yn Llyfrgell Genedlaethol Cymru yn y dyfodol agos. Mae hi'n nofel gyffrous, sy'n adrodd stori dwy chwaer – Nan ac Ana – sy eisiau dial ar academydd o'r enw Eben Prydderch. Maen nhw'n credu taw Eben Prydderch oedd yn gyfrifol am farwolaeth eu mam, yr awdures Elena Wdig. Cafodd y nofel ei throi'n ffilm yn 2016.

Yn y darn yma, mae Nan ac Ana yn paratoi i gadw staff y llyfrgell yn **wystlon**.

Wedi i Nan nesáu at y swyddfa, **tisiodd** i mewn i'w **hances**. Dyma oedd yr arwydd i ddangos i Ana fod pob dim wedi mynd fel y dylai, ac y gallai adael y swyddfa fechan roedden nhw'n ei rhannu gyda'r tair arall. Fel y gwnaethon nhw ymarfer gannoedd o weithiau cyn hynny, cyrhaeddodd Ana'r drws yn union yr un pryd â Nan, yn cario pentwr o **e-ddarllenwyr**. Tarodd y ddwy yn erbyn ei gilydd, gan **dasgu** mynydd o **ddeunyddiau** ar y carped coch. Yn y dryswch a'r chwerthin a'r ailgasglu, llwyddodd Nan i drosglwyddo'r allwedd i bentwr Ana, yn ogystal â rhoi'r bag du yn llaw ei chwaer. Edrychodd Nan i fyny ar Ana ac **amneidio** tuag at y camerâu diogelwch. Edrychodd Ana 'nôl arni **mewn penbleth**. Roedd Nan yn ysu am y cyfle i ddweud wrthi fod neb yn eu gwylio, ond methodd **gyfleu'r** neges yn ei llygaid. Cerddodd Ana i'r cyfeiriad arall gan edrych yn ddryslyd ar ei hôl, ac aeth Nan yn ôl at ei desg.

     Roedd Nan yn gwybod yn iawn beth oedd ei rôl hi nawr, sef cadw'r tair merch – Gwelw, Haf, a Petal – yn eu seddau o fewn y swyddfa fechan, a'u rhwystro rhag crwydro oddi yno, rhag ofn iddyn nhw weld yr hyn a wnâi Ana yn y coridor. **Pur anaml** y byddai'r tair yn symud fel arfer, beth bynnag, gan eu bod yn gaeth i rythmau'r Llyfrgell. Te am un ar ddeg, cinio am un, coffi am dri, a'r dydd yn batrwm o disian, ochneidio, a thorri gwynt yn dawel a **diedifar**. Roedd Nan **yn dueddol o** fod **ar gyrion** eu sgyrsiau; gwrando wnâi hi, yn fwy na chyfrannu, a dros y misoedd diwethaf, roedd wedi astudio'u symudiadau, ac wedi synnu o weld pa mor **rhagweladwy** oedden nhw.

1. Mae'r darn yma'n cynnwys **rhwystro rhag,** sy'n golygu *to prevent from*. Rydyn ni'n defnyddio **rhag** gyda llawer o ferfenwau sy'n cyfleu elfen o fygythiad neu berygl. Gyda'ch partner, gwnewch frawddeg yn cynnwys pob un o'r rhain:

    achub rhag ....

    amddiffyn rhag ....

    cadw rhag ....

    cuddio rhag ....

    dianc rhag ....

2. e-ddarllenwyr ydy *e-readers*. Beth ydy:

    e-bostio ....   e-ddysgu ....

    e-sigarennau ....   e-bortffolio ....

3. Gyda'ch partner, cysylltwch yr ymadroddion â'r diffiniad cywir.

mewn penbleth	dim ond weithiau
pur anaml	ymddwyn yn y ffordd yma fel arfer
yn dueddol o	ddim yn y canol
ar gyrion	teimlo'n ddryslyd ac yn ansicr

Siaradwch

Mae Nan wedi sylwi ar drefn 'ragweladwy' y merched eraill yn y swyddfa.

*   Ydych chi wedi gweithio yn rhywle lle mae pawb yn dilyn yr un drefn?
*   Ydych chi'n hoffi trefn yn eich bywyd pob dydd?

Siaradwch

Siaradwch am y Cynulliad Cenedlaethol. Llenwch y grid isod:

	Gwybod	Ddim yn siŵr	Eisiau gwybod
Cynulliad Cenedlaethol Cymru			

Beth sy'n cael ei drafod yn y Cynulliad Cenedlaethol ar hyn o bryd?

....

....

....

Rhestr wirio

Dw i'n gallu...

defnyddio cymalau enwol.	
siarad am rai o sefydliadau Cymru.	

Uned 6 – Rhyfel

Nod yr uned hon yw...

• Defnyddio berfau amhersonol (-wyd/-ir/-id)

• Siarad am wahanol agweddau ar ryfel

• Dysgu a defnyddio geirfa ac idiomau newydd

Geirfa

dôr(au)	drws pren allanol
mawnog(ydd)	*peatbog(s)*
sain (seiniau)	*sound(s)*

cofáu	*to commemorate*
cyfansoddi	*to compose*
dedfrydu	*to sentence*
didoli	*to separate, to sort*
difrodi	*to damage*
dogni	*to ration, to share*
enwebu	*to nominate*
gohirio	*to postpone*
llochesu	*to shelter*

ar gyfartaledd	*on average*
Y Ffiwsilwyr Brenhinol Cymreig	*The Royal Welch Fusiliers*

cadfridog(ion)	*general(s)*
cadoediad(au)	*armistice(s), truce(s), ceasefire(s)*
ffoadur(iaid)	*refugee(s)*
goddrych(au)	*subject(s) (gramadeg)*
gro	*gravel, shingle, earth*
gwirfoddolwr (-wyr)	*volunteer(s)*
milwr (-wyr)	*soldier(s)*
olew olewydd	*olive oil*
rhyfel(oedd)	*war(s)*
troseddwr (-wyr)	*criminal(s)*
ymchwiliad(au)	*investigation(s)*

cyflawn	*complete, entire*
dyngarol	*humanitarian, philanthropic*

Geiriau pwysig i mi...

....

....

Ymarfer y goddefol

Cwblhewch y brawddegau isod gyda'ch partner, gan ddefnyddio berfau addas.

Cafodd y nodyn ....

Cafodd y bencampwriaeth ....

Cafodd y llenni ....

Cafodd y cadoediad ....

Cafodd y ffoadur ....

Cafodd y llwybr ....

Cafodd y llifddorau ....

Cafodd y rheol fantais ....

Cafodd y rhaglen ....

Yr amhersonol

Newidiwch y brawddegau i'r amhersonol, e.e. Cafodd y bachgen ei weld – Gwelwyd y bachgen.

Cafodd y nodyn ei anfon. ....

Cafodd y bencampwriaeth ei gohirio. ....

Cafodd y llenni eu hagor. ....

Cafodd y cadoediad ei barchu. ....

Cafodd y ffoaduriaid eu croesawu. ....

Cafodd y llwybr ei wella. ....

Cafodd y rhaglen ei recordio. ....

Help llaw – Yr amhersonol

Rydych chi wedi dysgu sut i ddefnyddio'r goddefol (*passive*) i siarad am bethau sy'n cael eu gwneud i ni, er enghraifft:

Cafodd hi ei magu yng Nghaerdydd.

Cafodd y tŷ ei adeiladu ugain mlynedd yn ôl.

Maen nhw'n cael eu cosbi am dorri rheol.

Mae'r cyngerdd yn cael ei gynnal heno.

Ond mae ffordd fwy cryno (*concise*) o ddweud hyn, **sef berfau amhersonol**. Dydy berfau amhersonol ddim yn cael eu defnyddio'n aml ar lafar – dim ond, efallai, mewn adroddiadau newyddion. Ond byddwch chi'n siŵr o'u gweld nhw mewn erthyglau a dogfennau ffurfiol.

Edrychwch ar y brawddegau isod. Mae'r ystyr yr un peth â'r brawddegau goddefol uchod.

Magwyd hi yng Nghaerdydd.

Adeiladwyd y tŷ ugain mlynedd yn ôl.

Cosbir nhw am dorri rheol.

Cynhelir y cyngerdd heno.

Byddwch chi'n sylwi ein bod ni'n defnyddio terfyniad -**wyd** i siarad am y gorffennol, a therfyniad -**ir** i siarad am bethau sy'n digwydd yn y presennol neu'r dyfodol.

Gyda'r terfyniad -**ir**, mae'r **a** yn y ferf yn aml yn troi'n **e**, er enghraifft canu → cenir; rhannu → rhennir; cynnal → cynhelir.

Dyma rai o'r berfau amhersonol (gorffennol) y byddwch chi'n eu clywed amla ar y newyddion. Defnyddir ffurfiau amhersonol y gorffennol yn amlach na ffurfiau'r presennol/dyfodol.

Berfenw	Gorffennol	Enghraifft
cynnal	cynhaliwyd	Cynhaliwyd ymchwiliad.
rhoi	rhoddwyd	Rhoddwyd y gorau i chwilio am y rhai sydd ar goll.
arestio	arestiwyd	Arestiwyd pum dyn yn dilyn y ddamwain.
carcharu	carcharwyd	Carcharwyd y tair am gyfanswm o ugain mlynedd.
rhyddhau	rhyddhawyd	Rhyddhawyd nhw yn gynnar y bore 'ma.
lladd	lladdwyd	Lladdwyd dros gant o bobl.
cyhoeddi	cyhoeddwyd	Cyhoeddwyd y newyddion yn hwyr neithiwr.
ymosod (ar)	ymosodwyd (ar)	Ymosodwyd ar y pentref o'r awyr.
difrodi	difrodwyd	Difrodwyd y cartrefi gan y storm.
anafu	anafwyd	Anafwyd Sam Jones yn y gêm gwpan ddydd Sadwrn.
penderfynu	penderfynwyd	Penderfynwyd cau'r ysgol yn yr hydref.
achosi	achoswyd	Achoswyd y ddamwain gan niwl tew.
dal	daliwyd	Daliwyd y lladron y tu allan i'r banc.
galw	galwyd	Galwyd am heddwch rhwng y ddwy wlad.
geni	ganwyd	Ganwyd plentyn cyntaf Dafydd a Mari Davies neithiwr.

A dyma rai o'r ffurfiau mwya cyffredin wrth ddefnyddio'r terfyniad **-ir**.

Berfenw	Presennol/Dyfodol	Enghraifft
cynnal	cynhelir	Cynhelir ffair yr ysgol yfory.
agor	agorir	Agorir y drysau am dri o'r gloch.
cyhoeddi	cyhoeddir	Cyhoeddir enw'r bardd buddugol ar ddiwedd y gystadleuaeth.
gallu	gellir	Gellir codi tâl am barcio.
siarad	siaredir	Siaredir Cymraeg yma.
caniatáu	caniateir	Ni chaniateir ysmygu.

Yn ogystal â'r terfyniadau **-wyd** ac **-ir**, byddwch chi hefyd yn gweld y terfyniad **-id** weithiau, yn enwedig mewn hen lenyddiaeth ac erthyglau ffurfiol neu academaidd. Rydyn ni'n defnyddio'r **-id** wrth siarad am bethau a ddigwyddodd dros gyfnod o amser, neu bethau oedd yn arfer digwydd yn rheolaidd yn y gorffennol (sef yr amser amherffaith). Fel gyda'r berfau **-ir**, mae'r **a** yn y ferf yn aml yn troi'n **e**, fel canu → cenid; rhannu → rhennid.

Er enghraifft:
Roedd dillad yn cael eu golchi yn yr afon.
Golchid dillad yn yr afon.
Roedd seiren yn cael ei chanu i rybuddio am ymosodiad o'r awyr.
Cenid seiren i rybuddio am ymosodiad o'r awyr.
Roedd masgiau nwy yn cael eu rhoi i blant.
Rhoddid masgiau nwy i blant.

Dyma rai berfau afreolaidd, sy'n dilyn patrwm ychydig yn wahanol i ffurfio'r amhersonol.

Berfenw	Gorffennol	Presennol / Dyfodol	Amherffaith
mynd	aethpwyd / aed	eir	eid
dod	daethpwyd	deuir	deuid
gwneud	gwnaethpwyd / gwnaed	gwneir	gwneid
cael	cafwyd (*there was*)	ceir (*there is*)	ceid

Byddwch chi'n gweld amhersonol **mynd** a **dod** pan fyddan nhw'n cael eu dilyn gan yr arddodiad **â**, er enghraifft:

Aethpwyd/Aed â nhw i'r ysbyty mewn ambiwlans.

Mae'n werth dysgu tair ffurf gyffredin arall:

Gellir	Gellir talu â cherdyn credyd.
Gellid	Gellid bod wedi osgoi'r tân.
Dylid	Dylid gorfodi seiclwyr i wisgo helmed.

Cofiwch:
• **Does dim treiglad meddal ar ôl berf amhersonol.**
Anafwyd tri o bobl mewn damwain neithiwr.   Recordiwyd rhaglen radio yn y stiwdio.

• **Does dim GODDRYCH i ferf amhersonol** h.y. dydyn ni ddim yn gwybod pwy neu beth sy'n gwneud y weithred, e.e.

Enillwyd y tîm y cwpan. ✘   Enillodd y tîm y cwpan. ✔
Gwnaethpwyd y ferch y gwaith. ✘   Gwnaeth y ferch y gwaith. ✔
Trefnir y pwyllgor y cyngerdd. ✘   Mae'r pwyllgor yn trefnu'r cyngerdd. ✔

Os ydyn ni eisiau dweud **pwy sy'n gwneud y weithred**, rhaid i ni ddefnyddio **berf bersonol**, neu **ferf amhersonol** a **gan**, er enghraifft:

Adeiladwyd y tŷ **gan** gwmni o Ffrainc.   Codwyd llawer o arian **gan** elusennau lleol eleni.

Mantais defnyddio'r amhersonol wrth ysgrifennu yw nad oes rhaid i chi boeni am dreiglo, rhoi **h** cyn llafariaid na meddwl am **ei/eu**:

Cafodd y dyn ei gynghori.   Cynghorwyd y dyn.
Cafodd y ferch ei chynghori.   Cynghorwyd y ferch.
Cafodd y plant eu cynghori.   Cynghorwyd y plant.
Mae'r llythyr yn cael ei anfon.   Anfonir y llythyr.
Mae'r neges yn cael ei hanfon.   Anfonir y neges.
Mae'r llyfrau'n cael eu hanfon.   Anfonir y llyfrau.

Ymarfer

Ailysgrifennwch y brawddegau hyn gan ddefnyddio berfau amhersonol addas.

1. Cafodd gwobr ei rhoi i'r tîm gorau yn y gystadleuaeth.

   ....

2. Roedd cloch yn cael ei chanu bob amser chwarae yn fy hen ysgol.

   ....

3. Mae dosbarth Cymraeg yn cael ei gynnal yn Neuadd y Pentref.

   ....

4. Bydd y troseddwr yn cael ei ddedfrydu yfory.

   ....

5. Cafodd parsel ei anfon atoch chi ddoe.

   ....

6. Roedd dillad o bob math yn cael eu gwneud yn y ffatri hon.

   ....

7. Bydd enw'r enillydd yn cael ei gyhoeddi yr wythnos nesaf.

   ....

8. Cafodd deg pysgodyn eu dal gan y pysgotwr neithiwr.

   ....

9. Roedd gwasanaeth plygain yn cael ei gynnal yn yr eglwys hon ers talwm.

   ....

10. Mae swyddfa newydd y cwmni'n cael ei hagor yfory.

    ....

Storom eirfa – Rhyfel

Nodwch o leia chwe gair sy'n gysylltiedig â rhyfel yn y blwch isod.

Siaradwch

- Oes rhywun o blith eich teulu chi wedi bod i ryfel?

Darllen 1 – Cymru a Rhyfel Cartref Sbaen

Geirfa: **cadfridog** **dyngarol** **ffoaduriaid**

Llenwch y bylchau yn y testun trwy ddewis y berfau amhersonol cywir o'r rhestr isod:

cafwyd **cyhoeddwyd** **ysbrydolwyd** **ffurfiwyd**
lladdwyd **ymosodwyd** **rhyddhawyd**

Dechreuodd Rhyfel Cartref Sbaen yn 1936 pan _____ ar Lywodraeth Gweriniaeth Sbaen gan filwyr y **Cadfridog** Franco.

Trwy Ffederasiwn Glowyr De Cymru a'r Blaid Gomiwnyddol, _____ llawer o gefnogaeth yng Nghymru i'r Brigadau Rhyngwladol oedd yn ymladd yn erbyn Franco.

Aeth 174 o Gymry i ymladd yn Sbaen (ac un yn unig fuodd yn ymladd dros Franco). _____ 33 ohonyn nhw.

Ar ôl cwymp Gwlad y Basg yn 1938, dan arweiniad David Lloyd George, _____ pwyllgorau **dyngarol** i helpu plant **ffoaduriaid** o Wlad y Basg.

_____ dwy nofel gan Lewis Jones o'r Rhondda sy'n trafod ymateb glowyr Cymru i Ryfel Cartref Sbaen, sef *Cwmardy* (1937) a *We Live* (1939).

Yn fwy diweddar, _____ y band o'r Coed Duon, The Manic Street Preachers, gan wirfoddolwyr o dde Cymru a ymladdodd yn y Brigadau Rhyngwladol. _____ 'If You Tolerate This Your Children Will Be Next' yn 1998, ac aeth i rif un y siartiau Prydeinig.

Gwylio a gwrando 1 – Ymweliad â'r Ysgwrn, cartref Hedd Wyn

Geirfa: dawnus

1.   Ym mha bentref yng Nghymru mae'r Ysgwrn?

....

2.   Beth oedd enw 'go iawn' Hedd Wyn?

....

3.   Sut mae Gerald Williams yn perthyn i Hedd Wyn?

....

4.   Pwy sy'n gyfrifol am Yr Ysgwrn heddiw?

....

5.   Beth yw arwyddocâd y rhifau hyn?

1917 ....

14 ....

9 ....

"Rhoddwyd llen ddu dros y gadair yn ystod y seremoni."
Ailysgrifennwch y frawddeg uchod gan ddefnyddio berfau cwmpasog yn lle **rhoddwyd**.

....

....

"Mae Eisteddfod Penbedw'n cael ei galw'n 'Eisteddfod y Gadair Ddu'."
Ailysgrifennwch y frawddeg uchod gan ddefnyddio berf amhersonol yn lle **cael ei galw**.

....

....

Darllen 2 – Detholiad o englynion coffa 'Hedd Wyn' gan R. Williams Parry

Geirfa: didoli   dôr   mawnog   gro

Math o farddoniaeth draddodiadol yw englyn. Mae beirdd yn aml yn cyfansoddi englynion i goffáu pobl, neu i ddathlu achlysuron arbennig fel geni plentyn neu briodas. Mae englynion R. Williams Parry i Hedd Wyn yn gyfarwydd i lawer o siaradwyr Cymraeg. Clywir plentyn yn eu canu ar ddiwedd y ffilm *Hedd Wyn* (Paul Turner, 1992).

Y bardd trwm dan bridd tramor,—y dwylaw
  Na ddidolir rhagor:
   Y llygaid dwys dan ddwys ddôr,
   Y llygaid na all agor.

Tyner yw'r lleuad heno—tros fawnog
  Trawsfynydd yn dringo;
   Tithau'n drist a than dy ro
   Ger y ffos ddu'n gorffwyso.

Atgynhyrchwyd trwy ganiatâd Gwasg Gee.

Gyda'ch partner, cymerwch dro i ddarllen yr englynion yn uchel er mwyn clywed eu sain nhw.

Siaradwch

- Ydych chi wedi darllen cerddi eraill am ryfel?
- Ydych chi'n mwynhau dramâu neu ffilmiau am ryfel?
- Ydych chi wedi bod i unrhyw amgueddfeydd rhyfel?
- Wnaethoch chi gymryd rhan mewn unrhyw beth i goffáu'r Rhyfel Byd Cynta?

Bywyd ar ôl yr Ail Ryfel Byd

Geirfa: parhau · ar gyfartaledd · dogni · olew olewydd

Daeth yr Ail Ryfel Byd i ben yn 1945, ond roedd yn **parhau** i effeithio ar fywydau pobl ar ddechrau'r 1950au hefyd.

Gyda'ch partner, rhowch gynnig ar ateb y cwestiynau hyn am 1953.

• **Ar gyfartaledd**, faint yn hirach mae pobl yn byw nawr nag yn 1953?
• Pa nwyddau oedd yn cael eu **dogni**?
• Sut roedd noson yn y sinema'n dod i ben?
• Pa fath o swyddi oedd gan wragedd?
• Sut roedd menyn yn cael ei werthu?
• Sut roedd dillad yn cael eu golchi a'u sychu?
• Faint o gyllideb wythnosol pobl oedd yn cael ei wario ar fwyd a diodydd ysgafn? Beth am heddiw?
• Pa raglenni radio oedd yn boblogaidd?
• Sut mae arferion gwyliau wedi newid i lawer?
• Pam roedd pobl yn prynu **olew olewydd**?
• Enwch un digwyddiad hanesyddol sy'n dyddio'n ôl i 1953.
• Beth na fyddech chi'n cael hyd iddyn nhw yn y rhan fwyaf o dai yn 1953?
• Sut mae prynu bisgedi wedi newid dros y blynyddoedd?
• Pa raglenni teledu oedd yn boblogaidd? Enwch un gwahaniaeth mawr rhwng y rhaglenni hyn a rhaglenni heddiw.

Gwylio a gwrando 2 – *Ar y Bysus* (Tinopolis, 2018)

Geirfa: cadoediad · Y Ffiwsilwyr Brenhinol Cymreig · cyflawn · ffaelu

Byddwch chi'n gwylio fideo am daith cwmni Bysiau Cwm Taf i Wlad Belg, i ymweld â mannau pwysig yn hanes y Rhyfel Byd Cyntaf.

Yn gyntaf, rhowch gylch o gwmpas y geiriau pan fyddwch chi'n eu clywed nhw. Yna, atebwch y cwestiynau isod.

1. Beth ydy lluosog...

amgueddfa ....

mynwent ....

2. Beth mae Hubert (y gyrrwr) yn ei ddweud am Sat Nav?

....

3. Sut mae'r ffyrdd yng Ngwlad Belg yn cymharu â'r ffyrdd gartre, yn ôl Hubert?

....

4. Pa enw mae'r cyflwynydd yn ei ddefnyddio yn lle 'Y Rhyfel Byd Cyntaf'?

....

5. Pa gerdd mae'r siaradwr olaf yn ei hadrodd?

....

6. Hen air am ryfel yw **cad**, ac mae'n elfen mewn llawer o eiriau Cymraeg, fel **cadoediad** a **cadfridog**. Gyda'ch partner, trafodwch ystyr yr ymadroddion hyn:

i'r gad

maes y gad

ar flaen y gad

Siaradwch

- Ydych chi wedi bod ar daith fws dramor? Beth yw manteision ac anfanteision mynd ar daith fws?

Rhestr wirio
Dw i'n gallu...

defnyddio berfau amhersonol.	
siarad am ryfel.	

Uned 7 – Diwydiant a byd gwaith

Nod yr uned hon yw...

• Defnyddio cymalau 'a'
• Siarad am ddiwydiannau hen a newydd
• Dysgu a defnyddio geirfa ac idiomau newydd

Geirfa

amaethyddiaeth	*agriculture*
amgylchiad(au)	*circumstance(s)*
ffwrnais (ffwrneisi)	*furnace(s)*
pleidlais (pleidleisiau)	*vote(s)*
sgil effaith (sgil effeithiau)	*side effect(s)*
tirwedd(au)	*landscape(s)*
tywysoges(au)	*princess(es)*

cynllunydd (cynllunwyr)	*designer(s)*
cynnyrch	*produce*
digrifwr (-wyr)	*entertainer(s); comedian(s)*
dywediad(au)	*saying(s)*
llonyddwch	*silence; calmness*
melinydd(ion)	*miller(s)*
metel(au) tawdd	*molten metal(s)*
nwyddau	*goods*

arallgyfeirio	*to diversify*
clymu	*to tie*
cydnabod	*to recognise*
manwerthu	*to retail*
noswylio	*mynd i'r gwely*
slafio	*gweithio'n galed iawn*

annibynnol	*independent*
gwladol	*national*
gwledig	*rural*
llewyrchus	*thriving, flourising, prosperous*
pwerus	*powerful*

bod wrthi	*to be at it*
ergyd farwol	*final blow*
gwrthwynebydd cydwybodol	*conscientious objector*
pedwar ban y byd	*four corners of the world*
yn ei anterth	*at its height*
yn rhannol	*partly; partially*

Geiriau pwysig i mi...

....

....

Help llaw – Cymalau 'a'

Yn yr uned hon, rydyn ni'n edrych ar y cymal **a** (*which, who*) rydyn ni'n ei ddefnyddio i gysylltu cymalau'r frawddeg â'i gilydd, fel hyn:

Fe yw'r dyn. Gwelais i fe yn y siop ddoe. =
Fe yw'r dyn **a** welais i yn y siop ddoe.   Mae **treiglad meddal** ar ôl yr **a** yma.

Mewn Cymraeg ysgrifenedig, byddwch chi'n siŵr o weld cymalau **a**.

Wrth siarad, dydy pobl ddim bob amser yn dweud yr **a**, ond mae'r treiglad yno, e.e.

Hon yw'r gân glywais i ar y radio neithiwr.

Rydyn ni'n gweld **a** mewn cymalau pwysleisiol. Rydyn ni'n defnyddio **sy** yn y presennol ond **a** yn yr amserau eraill:

Siân **sy**'n arwain y côr heno.
Siân **a** fydd yn arwain y côr yr wythnos nesaf.
Siân **a** arweiniodd y côr yr wythnos diwethaf.
Siân **a** oedd yn arfer arwain y côr.

Sylwch nad yw'r **a** yn newid o flaen llafariad.
Sylwch hefyd ein bod ni'n defnyddio ffurf **trydydd person unigol** y ferf gyda'r lluosog hefyd:

Dyma'r person **a** gollodd ei swydd yn y ffatri.

Dyma'r bobl a **gollodd** eu swyddi yn y ffatri.

Lori **a** achosodd yr oedi ar yr M4 ddoe.

Lorïau **a achosodd** yr oedi ar yr M4 ddoe.

Bydd y myfyriwr **a** gaiff y marciau uchaf yn ennill gwobr.

Bydd y myfyrwyr **a gaiff** y marciau uchaf yn ennill gwobr.

Ymarfer
1. Ar lafar gyda'ch partner, gwnewch yr ymarfer yma. Dilynwch y patrwm:

rhedeg y ras	Hi yw'r ferch a redodd y ras./Hi ydy'r ferch a redodd y ras.
bwyta'r caws	
nofio yn yr afon	
ffonio'r heddlu	
clywed y larwm	
achub fy nghath	
gweld y ddamwain	
canu yn y cyngerdd	
trwsio'r ffenest	
tacluso'r ardd	

2. Gwnewch frawddegau gyda'r cymal **a**. Dilynwch y patrwm:

Hi + merch + gweld + damwain > **Hi yw'r ferch a welodd y ddamwain.**

1. Dyma'r bont + adeiladu + Rhufeiniaid

2. Fe yw'r ci + bwyta + fy + gwaith cartref

3. Dyma'r gacen + coginio + fi + neithiwr

4. Dyma'r côr + canu + yn y cyngerdd + wythnos diwethaf

5. Dyna'r tractor + achosi + damwain

6. Fe ydy'r bachgen + canu unawd + yn y briodas nesa

7. Nhw yw'r bobl + dod i fyw + drws nesa + y mis nesa

8. Nhw ydy'r merched + rhedeg + ras + yn y gystadleuaeth nesa

3. Mewn iaith ffurfiol, caiff berfau amhersonol eu defnyddio'n aml gydag **a**, er enghraifft:

Mae'r ferch a arestiwyd neithiwr wedi cael ei rhyddhau.
Mae'r sbwriel a welir ar ein strydoedd y dyddiau hyn yn warthus.
Y Plygain yw'r gwasanaeth arbennig a gynhelir adeg y Nadolig.

Gyda'ch partner, cysylltwch y cymalau hyn â'i gilydd i wneud brawddegau synhwyrol.

Mae'r Nadolig yn ŵyl	a glywir cyn i Gymru chwarae rygbi
Mae'r briallu'n flodau	a ysgrifennwyd gan Gwyneth Lewis
'Hen Wlad Fy Nhadau'	a chwaraeir yn yr Alban
Ar Ganolfan y Mileniwm, mae barddoniaeth	a gynhelir ar Ragfyr y pumed ar hugain
Mae'r bagbib yn offeryn	a gynlluniwyd gan William Edwards
'Mam Cymru' yw'r enw	a roddir i fardd yn yr Eisteddfod Genedlaethol
Ym Mhontypridd mae'r bont enwog	a welir yn y gwanwyn
Cadair yw'r wobr	a roddir i Ynys Môn

4.   Atebwch y cwestiynau gyda phwyslais gan ddefnyddio'r cymal **a**.

1.   Pa ddiwydiant oedd yn bwysig yn ne Cymru yn y gorffennol? (y diwydiant glo)

....

2.   Beth fydd yn datblygu mwy a mwy yn y dyfodol? (twristiaeth)

....

3.   Beth fasai'n dda i'r economi? (mwy o swyddi'n gofyn am sgiliau uchel)

....

4.   Beth oedd yn bwysig iawn i economi gogledd Cymru yn y gorffennol?
(y chwareli llechi)

....

5.   Beth gaeodd yn 2018? (y pwll glo olaf)

....

Beth yw diwydiant?
diwydiant eg. ll. diwydiannau

1.   y broses o gynhyrchu nwyddau mewn ffatrïoedd   *industry*
2.   ffurf neu gangen benodol o weithgaredd diwydiannol   *industry*
      neu fasnachol, e.e. y diwydiant ceir

Geiriadur Cymraeg Gomer

Storom eirfa – Diwydiant

Darllen 1 – Diwydiannau Cymru yn y gorffennol

arallgyfeirio   yn ei anterth

ergyd farwol   gwledig

Cyn darllen y darn, trafodwch y datganiadau isod gyda'ch partner i benderfynu ydyn nhw'n gywir neu'n anghywir.

- Caerdydd oedd un o borthladdoedd prysuraf y byd ar un adeg.
- Ar ôl yr Ail Ryfel Byd, roedd 50% o boblogaeth Cymru'n gweithio yn y diwydiant glo neu ddur.
- Rydyn ni'n defnyddio mwy o lechi na theils ar ein toeau heddiw.
- Mae ffermydd Cymru'n fwy na ffermydd Lloegr ar gyfartaledd.
- Mae ffermwyr yn **arallgyfeirio**, rhai ym maes twristiaeth.

O'r bedwaredd ganrif ar bymtheg ymlaen, roedd y diwydiannau trwm yn bwysig iawn i'r economi yng Nghymru. Caerdydd a oedd un o borthladdoedd mwyaf prysur y byd. Ond mae'r sefyllfa wedi newid erbyn hyn. Mae'r diwydiannau trwm, ffatrïoedd ac amaethyddiaeth wedi lleihau ac mae'r sector gwasanaethau wedi tyfu.

Glo

Pan oedd y diwydiant glo **yn ei anterth**, cyflogid cannoedd o filoedd o ddynion. Roedd pyllau yn y gogledd-ddwyrain, a maes glo'r de a oedd y maes glo mwyaf ym Mhrydain. Datblygodd y diwydiant yn ystod y Chwyldro Diwydiannol pan gafwyd galw mawr am lo. Ar ôl yr Ail Ryfel Byd, roedd 30% o boblogaeth Cymru'n gweithio yn y diwydiant glo neu ddur. Erbyn y 1980au, roedd llawer o'r pyllau wedi cau a'r rhaglen o gau pyllau yn dilyn streic y glowyr yn 1984-85 oedd yr **ergyd farwol**.

Llechi

Gwelwyd arafu yn y diwydiant llechi'n gynharach na'r diwydiant glo. Ardal arall o Gymru a oedd yn arwain yn y maes yma, sef y gogledd-orllewin. Chwarel y Penrhyn a Chwarel Dinorwig oedd y ddwy chwarel lechi fwyaf yn y byd ar un adeg a'u cynnyrch yn cael ei allforio o gwmpas y byd. Ond yn dilyn streic yn Chwarel y Penrhyn ar ddechrau'r ugeinfed ganrif, dechreuodd y chwareli gau. Erbyn heddiw, mae llawer mwy o deils na llechi'n cael eu defnyddio ar ein toeau.

Amaethyddiaeth

Mae llawer o ardaloedd **gwledig** yng Nghymru a dyna pam roedd amaethyddiaeth mor bwysig i'r economi. Erbyn hyn, dim ond tua 4% o boblogaeth Cymru sy'n ffermio, ond mae hyn yn ganran uwch na gweddill Prydain. Mae'r ffermydd eu hunain yn llai yma yng Nghymru. Rydyn ni'n ffermio defaid, gwartheg, moch ac ieir yn bennaf. Tyfir rhai cnydau yma ond dyw tir Cymru ddim yn addas iawn i gnydau. Mae twristiaeth yn dod yn fwy pwysig i economi cefn gwlad Cymru ac mae llawer o ffermwyr yn arallgyfeirio.

Siaradwch

- Mae llawer o bobl yng Nghymru yn gweithio mewn llywodraeth leol, iechyd ac addysg. Oes profiad gyda chi o weithio yn un o'r meysydd yma?

- Mae'r sector gwasanaethau (e.e. manwerthu a thwristiaeth) yn bwysig yng Nghymru. Beth yw'r sefyllfa yn eich ardal chi?

- Beth yn eich barn chi yw'r atyniadau mwyaf poblogaidd i dwristiaid yng Nghymru? Ydych chi wedi ymweld â rhai o'r atyniadau hyn?

Gwylio a gwrando 1 – *Cynefin* (Rondo)

Mae Heledd Cynwal yn ymweld â Dyffryn Clwyd a busnes llwyddiannus Llaeth y Llan.

Rhowch gylch o gwmpas y geiriau hyn pan fyddwch chi'n eu clywed nhw:

ffwrnais	**clymu**	**dyffryn**	**dosbarthu**
cynnyrch	**pedwar ban y byd**	**llonyddwch**	**slafio**
noswylio	**llewyrchus**	**amgylchiadau**	**cynnyrch**

1. Beth ydy arwyddocâd y rhifau yma yn y darn?

30,000 ....

14 ....

1985 ....

9 neu 10 o'r gloch ....

2. Mae Heledd Cynwal yn dweud bod yr "hen reilffyrdd....wedi hen ddiflannu". Beth ydy ystyr yr ymadrodd 'hen ddiflannu'?

....

Beth ydy *high time*? ....

Ymatebwch:

Mae hi wedi colli ei swydd hi.	Mae'n hen bryd iddi hi ddod o hyd i swydd newydd.
Mae ei arholiadau'n dechrau'n fuan.	....
Mae'r bil coch wedi cyrraedd eu tŷ nhw.	....
Rwyt ti'n edrych yn flinedig iawn.	....
Mae'r bws yn gadael mewn hanner awr.	....
Mae hi'n gobeithio prynu ei thŷ ei hun.	....
Mae fy nghefn i'n brifo eto.	....

3. Mae Owain Roberts yn dweud, "Sdim pwysau ar neb i ddod yn ôl i'r busnes". Pa eiriau sy'n gallu cael eu defnyddio gyda'r gair **pwysau**?

....

....

Siaradwch

- Ydych chi'n gallu meddwl am fwy o gwmnïau Cymreig sy'n gwneud bwydydd?
- Ydych chi'n prynu bwydydd Cymreig?
- Mae Owain Roberts yn dweud nad oedd wedi breuddwydio am bacio iogwrts pan oedd e'n blentyn. Beth oedd eich breuddwyd chi pan oeddech chi'n blentyn?

Gwylio a gwrando 2 – Myrddin ap Dafydd

Mae Myrddin ap Dafydd yn dod o ardal Llanrwst ac mae e'n ddyn busnes. Gwrandewch arno fe'n siarad am fyd busnes. Gwrandewch am y geiriau isod.

dywediad   **annibynnol**   **cydnabod**

Siaradwch

- Oes trefi marchnad yn eich ardal chi?
- Ydych chi erioed wedi rhedeg busnes? Beth am aelodau o'ch teulu neu'ch ffrindiau chi?
- Pa fath o berson ddylech chi fod er mwyn rhedeg busnes yn llwyddiannus?
- Hoffech chi redeg busnes?
- Tasech chi'n gallu dechrau busnes, beth fasai fe?

Darllen 2 – Gwenallt

Geirfa: **tirwedd**   **pwerus**   **gwrthwynebydd cydwybodol**
metel tawdd   **sgileffeithiau**

Gwenallt, neu David James Jones (1899–1968) yw'r bardd Cymraeg **a gysylltir** fwyaf â diwydiannau trwm de Cymru. Cafodd ei fagu yn yr Allt-wen, Cwm Tawe, a dyna sut cafodd ei enw barddol.

Roedd ei dad yn dod o Rydcymerau, sir Gaerfyrddin yn wreiddiol. Symudodd y teulu i Gwm Tawe i gael gwaith, ond wnaethon nhw ddim colli cysylltiad â'u gwreiddiau. Roedd Gwenallt wrth ei fodd yn mynd i aros gyda pherthnasau yn Rhydcymerau. Mae cerddi fel 'Sir Gaerfyrddin' a 'Golden Grove' yn dangos ei gariad at **dirwedd** a phobl yr ardal.

Er ei fod yn ysgrifennu cerddi **pwerus** am y byd diwydiannol, wnaeth Gwenallt erioed weithio dan ddaear na dilyn ei dad i waith tun Cwm Tawe. Buodd yn athro ysgol i ddechrau, cyn cael ei garcharu am ddwy flynedd yn ystod y Rhyfel Byd Cyntaf am fod yn **wrthwynebydd cydwybodol**. Ar ôl y Rhyfel, cafodd radd Gymraeg a Saesneg, a dod yn ddarlithydd yn Adran Gymraeg Prifysgol Aberystwyth. Ond, cafodd brofiad personol ofnadwy o berygl y diwydiannau trwm pan laddwyd ei dad gan **fetel tawdd** yn y gwaith tun. Collodd ffrindiau trwy

sgileffeithiau diwydiant hefyd, fel y gwelwn ni yn y rhan yma o'r gerdd, 'Y Meirwon'.

Y Meirwon

Bydd dyn wedi troi'r hanner-cant yn gweld yn lled glir
Y bobl a'r cynefin a foldiodd ei fywyd e',
A'r rhaffau dur a'm deil dynnaf wrthynt hwy
Yw'r beddau mewn dwy fynwent yn un o bentrefi'r De.

Wrth yrru ar feisiglau wedi eu lladrata o'r sgrap
A chwarae rygbi dros Gymru â phledrenni moch,
Ni freuddwydiais y cawn glywed am ddau o'r cyfoedion hyn
Yn chwydu eu hysgyfaint i fwced yn fudr goch.

1. "Gwenallt yw'r bardd Cymraeg a **gysylltir** fwyaf â diwydiannau trwm de Cymru."

Dilynwch y frawddeg yma fel patrwm i lenwi'r bylchau yn y brawddegau isod.

1. Y gwcw yw'r aderyn ___ _____ gyntaf yn y gwanwyn. [clywed]

2. Dyma'r dyn ___ _____ yn y llyfrgell bob dydd. [gweld]

3. Y Gymraeg yw'r iaith ___ _____ ar Radio Cymru. [siarad]

4. Coch yw lliw'r crys ___ _____ fel arfer gan dîm rygbi Cymru. [gwisgo]

5. Blawd codi ___ _____ yn y rysáit yma. [defnyddio]

2. Mae'r geiriau isod yn y darn darllen. Allwch chi feddwl am eiriau sy'n gysylltiedig â nhw?

diwydiannau ....

gwreiddiau ....

carcharu ....

perygl ....

3. "Wnaeth Gwenallt erioed weithio **dan ddaear.**" Allwch chi feddwl am ymadroddion eraill sy'n cynnwys **dan**?

....

....

4. Mae'r bardd yn dweud ei fod yn gweld yn "lled glir".
Ystyr **lled** yw *width*. Ond, mae hefyd yn gallu golygu **eithaf, braidd** neu **hanner**.

Sut byddech chi'n cyfieithu'r geiriau hyn?

lled-awtomatig ....
lled-barhaol ....
lled-ferwi ....
lled-orwedd ....
lled-gytuno ....

Siaradwch

Mae'r bardd yn sôn am "y bobl a'r cynefin a foldiodd ei fywyd e".
Beth a phwy sydd wedi 'moldio' eich bywyd chi? Siaradwch â'ch partner.

Gwrando – 'Melinydd oedd fy nhaid'

Byddwch chi'n gwrando ar Plethyn yn canu'r gân werin, 'Melinydd oedd fy nhaid'.
Mae hi'n sôn am bobl sy'n gweithio mewn gwahanol ddiwydiannau (melinydd,
chwarelwr a physgotwr). Mae brawddegau pwyslais yn y gân; llenwch y bylchau â
berfau addas.
*pan ddelo fo = pan ddaw o/e

Melinydd .... fy nhaid,
Melinydd .... fy nhad,
Melinydd .... innau, y gorau yn y wlad;
Melinydd .... y baban pan ddelo fo i'r byd,
On'd ydyw yn beth rhyfedd bod ni'n felinyddion i gyd?

Chwarelwr .... fy nhaid,
Chwarelwr .... fy nhad,
Chwarelwr .... innau, y gorau yn y wlad;
Chwarelwr .... y baban pan ddelo fo i'r byd,
On'd ydyw yn beth rhyfedd bod ni'n chwarelwyr i gyd?

Pysgotwr .... fy nhaid,
Pysgotwr .... fy nhad,
Pysgotwr .... innau, y gorau yn y wlad;
Pysgotwr .... y baban pan ddelo fo i'r byd,
On'd ydyw yn beth rhyfedd bod ni'n bysgotwyr i gyd?

Rhestr wirio

Dw i'n gallu...

defnyddio cymalau 'a'.	
siarad am ddiwydiant yng Nghymru.	

Uned 8 – Chwaraeon

Nod yr uned hon yw...

- Ymarfer defnyddio cymalau negyddol (na/nad)
- Trafod chwaraeon
- Dysgu geirfa ac idiomau newydd

Geirfa

buddugoliaeth(au)	*victory (victories)*
dadl(euon)	*argument(s); debate(s)*
ysgol fonedd (ysgolion bonedd)	*public school(s)*

cydlynu	*to coordinate*
gwirfoddoli	*to volunteer*
pwyllgora	*mynd i bwyllgorau*

rhyfeddol	*amazing*

adolygiad(au)	*review(s)*
anabledd(au)	*disability (disabilities)*
cyfartaledd	*average*
cyfarwyddwr (-wyr)	*director(s)*
gorfoledd	*elation*
llysgennad (llysgenhadon)	*ambassador(s)*
noddwr (-wyr)	*sponsor(s)*
rhagair	*foreword*
rhagolwg (rhagolygon)	*forecast(s)*
twrnamaint (twrnameintiau)	*tournament(s)*

ar draul	*at the expense of*
ar fin	*about to*
heb os nac oni bai	*without a shadow of a doubt*
i bob pwrpas	*to all intents and purposes*
llwyddiant ysgubol	*a resounding success*
o blith	*from amongst*
pob cwr o'r byd	*pob rhan o'r byd*
Y Gamp Lawn	*The Grand Slam*

Geiriau pwysig i mi...

Adolygu cymalau 'a'

Unwch ddau hanner y frawddeg gan ddefnyddio **a**:

Dyma'r adnodd...	Cafodd yr adnodd ei gyfieithu i'r Gymraeg.
Dyma'r car...	Llogodd fy nhad y car i fynd ar wyliau.
Dw i'n adnabod rhywun...	Bydd e'n symud i fyw yn Rhufain.
Maen nhw'n mynd i gyfarfod undeb...	Cynhelir y cyfarfod yn Ystafell Bwyllgor 5.
Mae'n adolygiad pwysig...	Bydd yr adolygiad yn helpu'r gwaith cynllunio yn y dyfodol.
Welaist ti'r rhagair?	Ysgrifennodd yr awdur y rhagair yn y llyfr.
Glywoch chi'r ddadl?	Cynhaliwyd y ddadl ar y teledu neithiwr.
Dyma'r ysgol fonedd...	Roedd hi yn y newyddion y mis diwetha.
Maen nhw'n cynnal arolwg...	Bydd yr arolwg yn eu helpu nhw i ysgrifennu polisi.
Daeth dyn i mewn i'r banc bwyd.	Bydd e'n gwirfoddoli yma yn y dyfodol.
Darllenais i am y cwmni...	Buddsoddodd y cwmni yn y busnes.

Storom eirfa — Chwaraeon

Ysgrifennwch o leia ddeg gair sy'n ymwneud â chwaraeon yn y blwch:

Gwylio a gwrando

Geirfa: **llwyddiant ysgubol**   **anabledd/au**

Byddwch chi'n gweld clip fideo gyda Rhodri Gomer Davies yn mynychu digwyddiad chwaraeon anabledd yng Nghyncoed ar ran rhaglen *Heno* yn ystod Gemau Paralympaidd Rio 2016.

1.   Ar ddechrau'r clip, mae Rhodri'n dweud bod tîm Prydain wedi cael **llwyddiant ysgubol** yn y gemau Paralympaidd yn Llundain bedair blynedd ynghynt. Ydych chi'n gallu meddwl am rywbeth rydych chi wedi'i wneud, neu ddigwyddiad rydych chi wedi bod ynddo, oedd yn **llwyddiant ysgubol**?

2.   Tua diwedd y clip, byddwch chi'n clywed siaradwr arall yn dweud **'o'n i wastad yn meddwl…'** i siarad am y ffordd roedd yn meddwl am bethau yn gyson pan oedd yn ifanc. Meddyliwch am rywbeth roeddech chi'n arfer ei wneud yn gyson ar ryw gyfnod yn y gorffennol:

(R)o'n i wastad yn….

Meddyliwch hefyd am rywbeth rydych chi'n ei wneud yn gyson nawr. Gallwch chi ddefnyddio'r amser presennol i drafod hynny, neu mae'r amser dyfodol yn cael ei ddefnyddio'n aml wrth siarad am rywbeth rydyn ni'n ei wneud yn gyson:

Dw i wastad yn…
neu: Bydda i wastad yn…

3.   Edrychwch ar y clip unwaith a cheisiwch gofio cymaint ag y gallwch chi o wahanol gampau/chwaraeon sydd i'w gweld.

Ar ôl gweld y fideo eto, atebwch y cwestiynau canlynol:

4. Sut newidiodd agwedd pobl at athletwyr ag anableddau ar ôl Gemau Paralympaidd Llundain, yn ôl Steffan Hughes?

5. Beth roedd Lois wedi mwynhau ei wneud? (dau beth)

6. Sawl gwaith roedd y digwyddiad wedi cael ei gynnal o'r blaen?

7. Tua faint o blant a phobl ifanc fynychodd y digwyddiad?

8. Beth ydy cysylltiad Phil Pratt â'r digwyddiad yng Nghyncoed?

9. Yn ôl James Lusted, sut mae pethau wedi newid o safbwynt pobl anabl a chwaraeon ers pan oedd e'n ifanc?

10. Mae'r tri dyn sy'n siarad ar y clip yn dod o dair rhan wahanol o'r wlad. Pwy sy'n dod o ba un o'r ardaloedd canlynol?

Sir Conwy   Sir Gaerfyrddin   ardal Caernarfon

Enw	O ba ardal?
Steffan Hughes	
Tom Rogers	
James Lusted	

Pam gwnaethoch chi roi'r atebion hyn? Beth glywoch chi yn iaith y siaradwyr sy'n eich helpu chi i wybod o ba ardal maen nhw'n dod?

Siaradwch

- Ydych chi'n cymryd rhan mewn unrhyw fath o chwaraeon neu weithgaredd corfforol y dyddiau yma?
- Beth fyddwch chi'n ei wneud, a pha mor aml?
- Oeddech chi'n mwynhau chwaraeon neu ymarfer corff pan oeddech chi yn yr ysgol?
- Sut mae eich arferion chi wedi newid dros y blynyddoedd?
- Oes digon o gyfleoedd i bobl o bob oed a chefndir, yn wrywaidd a benywaidd, abl ac anabl, i gymryd rhan mewn chwaraeon yn eich ardal chi?
- Ydych chi wedi gwirfoddoli i helpu clwb neu grŵp chwaraeon mewn rhyw ffordd?

Darllen 1 – Chwaraeon a'r iaith Gymraeg

0 (x3)	3	2016 (x2)	350,000	miloedd

Ewros _____: Cymru _____ Rwsia _____. Tra oedd _____ o Gymry yn dawnsio mewn gorfoledd yn y stadiwm ac o flaen sgriniau teledu, roedd cwmni o Gaerdydd yn paratoi un o'r ymgyrchoedd marchnata mwyaf llwyddiannus erioed yn y Gymraeg.

Yn ystod Pencampwriaeth Euro _____ roedd cwmni Mela yn un o bartneriaid Cymdeithas Bêl-droed Cymru ac yn cydlynu rhan o'u gwaith cyfathrebu.

Gyda Chymru ar fin trechu Rwsia, ac yn edrych fel eu bod am ennill y grŵp, cysylltodd tîm marchnata cwmni chwaraeon Adidas ag Ashok Ahir, cyfarwyddwr Mela.

"Adidas oedd un o brif noddwyr y gystadleuaeth ac fel ro'dd hi'n digwydd, y nhw hefyd oedd yn cynhyrchu gwisgoedd tîm Cymru ac ro'dd Gareth Bale yn llysgennad iddyn nhw," meddai Ashok Ahir.

"Gan fod sgôr gêm Lloegr a Slofacia'n gyfartal (_____ - _____), roedd yn edrych fel bod Cymru am ennill y grŵp ac ro'dd y cwmni am adlewyrchu llwyddiant tîm Cymru ar y cyfryngau cymdeithasol. Fe ofynnon nhw i ni gyfieithu y slogan hysbysebu roedden nhw wedi bod yn ddefnyddio i hyrwyddo ymgyrch Cymru yn ystod y gystadleuaeth i'r Gymraeg."

Roedd beth ddigwyddodd wedyn yn rhyfeddol yn ôl Ashok.

"Wedi i'r neges Gymraeg gael ei hanfon o gyfrif Twitter Adidas, yn fuan ar ôl y chwiban olaf, fe gafodd hi ei rhannu yn gyflym ac fe gyrhaeddodd yr iaith Gymraeg bob cwr o'r byd mewn byr amser. Gwelodd dros _____ o bobl y neges", meddai.

(Addasiad o erthygl ar *Cymru Fyw*)

Sut mae dweud?

marketing campaigns	_____
communication work	_____
sports company	_____
social media	_____
advertising slogan	_____
final whistle	_____

Nesa, meddyliwch am o leiaf 3 enghraifft arall ar gyfer y geiriau yma.

ymgyrchoedd	_____
cwmni	_____
gwaith	_____

Siaradwch

- Ydych chi'n cofio Ewros 2016? Os ydych chi, pa fath o atgofion sy gyda chi?
- Ydych chi'n gwylio chwaraeon ar S4C?
- Oes rhywun sy'n llysgennad dros y Gymraeg yn y byd chwaraeon yng Nghymru ar hyn o bryd?
- Os ydych chi'n defnyddio'r cyfryngau cymdeithasol, faint o Gymraeg rydych chi'n ei gweld arnyn nhw? Ydych chi'n defnyddio'r Gymraeg?

Help llaw – Cymalau 'na/nad'

Mae llawer o ffyrdd gwahanol o ffurfio **cymalau cadarnhaol** mewn brawddegau, e.e. cymalau enwol yn defnyddio **bod**, neu **y**:

Dwedodd rhywun **ei bod hi**'n byw yn Llanarthur.
Dw i'n siŵr **fy mod i** wedi gweld popeth.
Dw i'n gwybod **y byddwch** chi'n gweithio.

neu gymalau **a**:

Dyma'r grŵp **a** enillodd y sioe dalent.

neu gymalau enwol gyda phwyslais – cymalau **mai/taw**:

Mae hi'n gwybod **mai** ti wnaeth.
Clywais i **taw** Dafydd enillodd y ras.

Ar gyfer pob un o'r patrymau uchod, gallwch chi ffurfio **cymalau negyddol** trwy ddefnyddio **na** (neu **nad** o flaen llafariaid):

Dwedodd rhywun **nad** ydy hi'n byw yn Llanarthur.
Dw i'n siŵr **nad** ydw i wedi gweld popeth.
Dw i'n gwybod **nad** oes dosbarth yr wythnos nesaf.
Clywais i **nad** oedd hi yn y dosbarth neithiwr.
Dyma'r grŵp **nad** enillodd y sioe dalent.
Dw i'n gwybod **na** fyddwch chi'n gweithio.

Byddwch chi'n gweld nad oes rhaid i chi ddefnyddio'r gair **ddim** pan fyddwn ni'n defnyddio **na** neu **nad**. Fel gyda phopeth arall yn y negyddol, mae **na** yn achosi treiglad llaes/treiglad meddal.

Nad sy'n cael ei ddefnyddio hefyd i droi cymalau enwol gyda phwyslais (cymalau **mai/taw**) yn negyddol:

Mae hi'n gwybod mai ti wnaeth. > Mae hi'n gwybod **nad** ti wnaeth.
Clywais i taw Dafydd enillodd y ras. > Clywais i **nad** Dafydd enillodd y ras.

Dysgwch:
nad ydw i	**nad ydyn ni**
nad wyt ti	**nad ydych chi**
nad yw/ydy Sam	**nad ydyn nhw**

Ymarfer

Cysylltwch ddau hanner y brawddegau isod, gan ddefnyddio **na** neu **nad**:

1. Roedd y rhagolygon yn dweud...
Fydd hi ddim yn bwrw glaw heddiw.

2. Clywais i...
Does dim rhagor o arian gyda hi/ganddi hi.

3. Dych chi'n siŵr?
Dyw e/Dydy o ddim yn bwyta cig.

4. Cyhoeddodd Undeb Rygbi Cymru...
Fydd Steff Jones ddim yn y tîm i chwarae yn erbyn Lloegr.

5. Dywedodd y rheolwr...
Nid yn Wrecsam bydd y gêm nesaf.

6. Dw i'n gobeithio...
Fyddwn ni ddim yn colli'r gêm.

7. Roedd yr hyfforddwr yn gwybod...
Doedd yr amddiffyn ddim yn gadarn iawn.

8. Roedd Siân yn benderfynol...
Fyddai hi ddim yn rhoi'r gorau i redeg.

9. Cofiwch...
Dyw/Dydy'r amgueddfa ddim ar agor ar ddydd Llun.

10. Dw i wedi dweud...
Dw i ddim yn hoff iawn o bwyllgora.

11. Gwnest ti'n dda iawn o ystyried...
Dwyt ti ddim wedi bod wrthi'n hir iawn.

12. Mae'r arolwg yn dangos...
Nid nofio yw'r gweithgaredd mwyaf poblogaidd.

Byddwch chi hefyd yn clywed **nad** yn troi yn **nag** ar lafar mewn rhai ardaloedd. A chofiwch hefyd fod y ffurfiau isod yn gyffredin ar lafar.

fy mod i ddim/bo fi ddim	ein bod ni ddim/bo ni ddim
dy fod ti ddim/bo ti ddim	eich bod chi ddim/bo chi ddim
ei fod e/o ddim/bo fe ddim	eu bod nhw ddim/bo nhw ddim
ei bod hi ddim/bo hi ddim	

Ymatebwch i'r brawddegau isod gan ddefnyddio **Gobeithio na/nad**...

e.e. Dw i ddim eisiau i Siôn fynd.   Gobeithio na fydd e/o'n mynd.

1.   Dw i ddim eisiau i'r Scarlets golli.   Gobeithio na...

2.   Dw i ddim eisiau i chi wylltio.

3.   Dw i ddim eisiau i Megan weld.

4.   Dw i ddim eisiau i Dewi anghofio.

Ymatebwch i'r brawddegau canlynol gyda chwestiwn yn dechrau gyda **Pam na wnei di...?**

e.e. Dw i eisiau colli pwysau.   (bwyta)   Pam na wnei di fwyta llai?

Hoffwn i wella fy handicap.   (ymarfer)

Mae rhaid i fi arbed arian.   (aros i mewn)

Does gen i ddim amser i baratoi swper.   (prynu pryd parod)

Dw i eisiau bod yn fwy ffit.   (cymryd rhan yn y *Parkrun*)

Mae gormod o stwff yn y tŷ.   (gwerthu pethau ar *ebay*)

Defnyddiwch **Pam nad ewch chi...?** neu **Pam na ddewch chi...?** i ymateb i'r brawddegau nesaf:

e.e. Mae'r gêm ar *Sky*.   (mynd i'r dafarn)   Pam nad ewch chi i'r dafarn?

'Dyn/Dan ni ddim wedi gweld eich tŷ newydd chi.	(dod draw nos Wener)
'Dyn/Dan ni erioed wedi bod yn Sbaen.	(mynd ar eich gwyliau nesa)
'Dyn/Dan ni wedi teithio yma mewn dau gar eto.	(dod gyda/efo fi y tro nesa)
'Dyn/Dan ni eisiau gwella ein Cymraeg.	

Darllen 2 – Y Gêm Genedlaethol

Bydd eich tiwtor yn gofyn i chi ddarllen un o'r darnau isod. Cyn gwneud hynny, edrychwch ar yr ymadroddion yma sy'n cael eu defnyddio yn y ddau ddarn:

1.   o blith

Rydyn ni'n defnyddio **o blith** (o + plith) wrth siarad am un neu fwy o bobl neu bethau sy'n rhan o grŵp mwy, e.e. Cymru yw'r orau **o blith** holl wledydd y byd.

Gyda **ni**, **chi** a **nhw**, mae'n dilyn yr un patrwm ag **o gwmpas,** h.y. o'n cwmpas ni, o'ch cwmpas chi, o'u cwmpas nhw. Llenwch y bylchau yn y brawddegau isod â'r ffurf gywir ar **o blith**:

- "Dim ond un neu ddau _____ _____ chi fydd yn llwyddo yn yr arholiad yma", meddai'r athro.
- Aeth deg o ffrindiau ar y daith i Baris, ond dim ond un _____ _____ nhw oedd yn siarad Ffrangeg.
- Bydd un _____ _____ ni'n mynd ymlaen i'r rownd derfynol.

2.   heb os nac oni bai

Os ydych chi'n gwbl sicr o rywbeth (ffaith neu farn), mae modd defnyddio **heb os nac oni bai** i ddweud bod dim amheuaeth o gwbl, e.e. Heb os nac oni bai, Haf yw'r athletwraig orau yn ei blwyddyn.

Meddyliwch am ddwy ffaith neu farn y byddech chi'n eu cyflwyno â **heb os nac oni bai**:

Darn 1 – Y Gêm Genedlaethol?

i bob pwrpas **Y Gamp Lawn** **buddugoliaeth**
o blith **heb os nac oni bai**

Pa un yw gêm genedlaethol Cymru? Rygbi wrth gwrs! Pan welwch chi faint o bobl sydd ar strydoedd Caerdydd ar ddiwrnod gêm rygbi ryngwladol, mae'n amlwg i bawb. Mae'r Cymry'n cefnogi eu tîm rygbi cenedlaethol bob amser. Ar 15 Hydref 2011 daeth 60,000 o bobl i Stadiwm y Mileniwm i wylio Cymru'n chwarae yn erbyn Ffrainc. Does dim byd yn anarferol yn hynny, meddech chi, ond roedd hi'n 8 o'r gloch y bore a'r gêm yn cael ei chwarae 11,500 o filltiroedd i ffwrdd yn Seland Newydd! Dim ond sgrin oedd yn y stadiwm. Mae hynny'n dangos pa mor bwysig yw rygbi i'r Cymry.

Mae tîm rygbi Cymru yn un o'r timau gorau yn y byd hefyd. Er nad ydyn ni wedi ennill Cwpan y Byd eto, mae ein tîm ni yno'n cystadlu yn y twrnamaint bob pedair blynedd. Rydyn ni wedi ennill Pencampwriaeth y Chwe Gwlad (sy'n golygu bod yn bencampwyr Ewrop i **bob pwrpas**) sawl gwaith, ac wedi ennill Y **Gamp Lawn** bedair gwaith rhwng 2005 a 2019, sef ennill pob gêm yn y bencampwriaeth. Hefyd, mae gemau'n cael eu cynnal yn erbyn prif dimau'r byd yn rheolaidd. Mae Cymru wedi cael sawl **buddugoliaeth** yn erbyn timau fel Awstralia a De Affrica. Yr unig dîm **o blith** y goreuon yn y byd nad ydyn ni wedi llwyddo i'w drechu'n ddiweddar yw Seland Newydd. **Heb os nac oni bai**, nhw yw'r tîm cryfaf yn y byd ac mae Cymru wedi cael sawl gêm agos yn eu herbyn nhw.

Mae mwy o hwyl i'w gael wrth gefnogi rygbi. Does dim angen cadw cefnogwyr y timau ar wahân, fel sy'n digwydd mewn gemau pêl-droed. Mae pawb yn ffrindiau, yn cefnogi eu tîm ond eto'n gyfeillgar â phawb arall. Gall y cefnogwyr weiddi dros bob chwaraewr sy'n gwisgo'r crys coch dros Gymru, hyd yn oed os yw'n chwarae i dîm nad ydyn nhw'n ei gefnogi ar adegau eraill.

Dyna pam mai rygbi yw'r gêm genedlaethol a pham mae'r wlad yn dod i stop pan fydd ein tîm cenedlaethol yn chwarae.

Darn 2 – Y Gêm Genedlaethol?

ysgol fonedd   **cyfartaledd**   **o blith**   **heb os nac oni bai**

Mae pobl, am ryw reswm, yn meddwl mai rygbi yw gêm genedlaethol Cymru. Dim o gwbl! Cerddwch chi drwy'r parc, ar gae ysgol amser cinio neu ar stryd hyd yn oed, pêl-droed mae'r Cymry yn ei chwarae, nid rygbi. Yn Lloegr dechreuodd rygbi, wrth i William Webb-Ellis afael yn y bêl a rhedeg, a hynny ar ganol gêm bêl-droed mewn **ysgol fonedd**.

Mae'r Cymry'n hoffi cael rheswm i fynd i Gaerdydd ar ddiwrnod gêm rygbi ryngwladol ond mae'r ffigurau'n dangos nad oes cymaint o gefnogaeth i rygbi drwy'r flwyddyn. Ar **gyfartaledd,** bydd 8,863 o gefnogwyr yn mynd i weld Gleision Caerdydd yn chwarae rygbi tra bydd 23,194 yn mynd i weld Dinas Caerdydd yn chwarae pêl-droed; mae 8,265 yn mynd i weld y Gweilch ond 15,558 yn mynd i weld Clwb Pêl-droed Dinas Abertawe. Mae'n amlwg pa un ydy'r gêm genedlaethol.

A phwy all anghofio llwyddiant anhygoel tîm pêl-droed Cymru yn cyrraedd rownd gyn-derfynol pencampwriaeth Ewro 2016? Tra oedd miloedd o gefnogwyr wedi teithio i Ffrainc i ddilyn y tîm drwy'r twrnamaint, roedd yr awyrgylch gartref ym mhob rhan o Gymru yn wych hefyd. Efallai eich bod yn cofio'r croeso anhygoel a gafodd y pêl-droedwyr wrth ddychwelyd o Ffrainc. Daeth degau o filoedd o bobl i lenwi strydoedd Caerdydd i longyfarch y tîm. Dychmygwch sut basai hi wedi bod tasai Cymru wedi ennill y gystadleuaeth!

Rhaid cofio nad ydy hi mor hawdd i Gymru lwyddo mewn pencampwriaethau pêl-droed mawr fel yr Ewros a Chwpan y Byd. Gan fod y gêm yn cael ei chwarae ym mhob gwlad ledled y byd, mae llawer mwy o gystadleuaeth nag sydd gan y tîm rygbi ac roedd cyrraedd y pedwar olaf **o blith** holl wledydd Ewrop yn dipyn o gamp – llawer mwy o gamp nag ennill pencampwriaeth sydd â dim ond chwe gwlad yn cystadlu ynddi bob blwyddyn!

Heb os nac oni bai felly, pêl-droed ydy ein gêm genedlaethol.

Ar ôl darllen un o'r darnau uchod, trafodwch yn eich grŵp a rhowch bedwar rheswm yn y tabl isod pam mai rygbi/pêl-droed ddylai gael ei hystyried yn gêm genedlaethol Cymru. Wedyn holwch rywun sydd wedi darllen y darn arall i gael dadleuon o blaid y gamp arall:

Rygbi	Pêl-droed
1.	1.
2.	2.
3.	3.
4.	4.

Siaradwch

- Ydych chi'n mwynhau gwylio pêl-droed neu rygbi neu'r ddwy gamp – yn fyw neu ar y teledu?
- Oes un ohonyn nhw'n haeddu'r teitl 'Y Gêm Genedlaethol' yn eich barn chi?
- Ydy rygbi a/neu bêl-droed yn cael gormod o sylw ar draul campau neu ddiddordebau eraill?

Rhestr wirio

Dw i'n gallu...

defnyddio cymalau 'na/nad'.	
siarad am chwaraeon.	

Uned 9 – Papurau bro

Nod yr uned hon yw...
• Adolygu Unedau 1–8
• Dysgu a defnyddio geirfa ac idiomau newydd

Geirfa

aelodaeth	membership
cymdogaeth(au)	neighbourhood(s)
gwenynen (gwenyn)	bee(s)
rhinwedd(au)	virtue(s)

gwatwar	to mock, to ridicule (through imitation)
gweddu (i)	to suit, to befit
swyno	to charm
tystio	to testify, to witness

colofnydd (colofnwyr)	columnist(s)
golygydd(ion)	editor(s)
hanfod(ion)	essence(s), nature, essentials
llywydd(ion)	president(s)
rhifyn(nau)	issue(s), instalment(s)
trysorydd(ion)	treasurer(s)

addysgiadol	educative, educational
cymunedol	community
gwadd	guest, i.e. guest speaker
misol	monthly
newyddiadurol	journalistic
teilwng (o)	deserved, deserving, worthy (of)

Geiriau pwysig i mi...

....

....

Storom eirfa – Papurau newydd a chylchgronau

Nodwch o leia 6 gair sy'n gysylltiedig â'r rhain yn y blwch hwn.

Gwylio a gwrando 1 – Papurau bro

Byddwch chi'n gwylio fideo sy'n trafod papurau bro, a sut mae'r broses o greu papur bro wedi newid dros y blynyddoedd. Mae tri siaradwr ar y fideo, sef Mari Emlyn yn gyntaf, Penri Williams yn ail, a Dylan Iorwerth yn drydydd.

Yn gyntaf, rhowch gylch o gwmpas y geiriau hyn pan fyddwch chi'n eu clywed nhw.

golygydd	**colofnydd**	**misol**	**rhifyn**
gwatwar	**newyddiadurol**	**gweddu**	**hanfod**
ymwneud (â)	**rhinwedd**		

1. Beth ydy atgofion **Mari Emlyn** o'r cyfnod pan oedd ei mam yn gweithio ar bapur bro *Y Dinesydd?*

   ....

   ....

2. Gwrandewch yn ofalus ar Mari Emlyn a llenwch y bylchau hyn:
   "_____ Mam yn olygydd ac yn gyd-olygydd."
   "Mi fuodd hi'n golofnydd _____ am o leia pymtheg _____."

3. Yn ôl **Penri Williams**, beth sy'n bwysig wrth roi papur bro at ei gilydd?

   ....

   ....

4. Beth ydy barn **Dylan Iorwerth** am steil newyddiadurol papurau bro?

   ....

   ....

5. Beth ydy arwyddocâd y rhifau hyn yn y fideo?
   1973 ....
   1978 ....
   50,000 ....

6. Gyda'ch partner, trafodwch yr ymadroddion hyn ac ysgrifennwch frawddeg sy'n defnyddio pob un.

   byth ers hynny ....

   o nerth i nerth ....

   tan berfeddion ....

   rhoi'r papur i'w wely ....

   oes aur ....

Siaradwch

Ar ddiwedd yr eitem, mae Dylan Iorwerth yn poeni am effaith technoleg ar bapurau bro: "Mae 'na **rinwedd** mewn pobl yn dod at ei gilydd i blygu papur".

- Oes pobl yn dod at ei gilydd yn eich cymuned chi i wneud rhywbeth?
- Allwch chi feddwl am enghraifft arall o dechnoleg yn effeithio ar sut mae pobl yn cymdeithasu?

Darllen – Newyddion Merched y Wawr, *Papur Fama*

Geirfa:

llywydd	trysorydd	gwadd
cymdogaeth	gwenyn	addysgiadol
aelodaeth	tystio	teilwng
swyno		

Dewiswch y berfenwau cywir o'r rhestr isod a llenwch y bylchau, gan eu troi nhw'n **ferfau amhersonol** (y terfyniad **-wyd**). Er enghraifft, cyflwyno → cyflwynwyd.

cyflwyno	diolch (x2)	croesawu	atgoffa
rhoi	cynnal (x2)	llongyfarch	dweud

_____ ein cyfarfod misol yng Nghapel Bethel ar nos Fawrth, Ebrill y 10fed. _____ pawb gan ein **llywydd**, Anwen Edwards. _____ ni am ginio'r Rhanbarth yng Nghae Cymro ar Fehefin yr 8fed, ac am daith y gangen i Ysbyty Ifan ar Fehefin y 12fed. _____ ein **trysorydd**, Menna Evans, achos mai ei merch Elin Angharad fydd golygydd newydd cylchgrawn *Y Wawr*.

Ein siaradwraig **wadd** oedd Carys Edwards o Ganllwyd, Dolgellau. _____ hi gan Anwen. _____ ei bod yn wraig hynod o brysur yn ei **chymdogaeth**. Mae'n rheolwr llwyfan mewn theatrau – yn aelod o Theatr Maldwyn, ac yn feirniad ac yn enillydd cenedlaethol gyda mêl. Mae ganddi 80 o gychod **gwenyn** ar hyn o bryd, ond ei nod yw cael 200 i 250 ohonyn nhw. _____ yn gynnes iawn iddi am noson ddiddorol ac **addysgiadol**. _____ hefyd i Enid ac Eluned am y baned.

Ar Ebrill yr 21ain, aeth rhai ohonon ni i ginio'r **llywydd** yn y gogledd. _____ yr achlysur yng Ngwesty Meifod, Caernarfon. Roedd yn dywydd bendigedig ac roedd yn dipyn o her bwydo 180 o aelodau, a hynny gyda phryd poeth o fwyd, ond gallwn ni **dystio** iddyn nhw lwyddo. _____ yr ail wobr i'n cangen ni am y cynnydd mewn **aelodaeth** drwy ogledd Cymru, gyda changen Golan yn gyntaf, a Phorthmadog yn drydydd. I roi clo **teilwng** i ddiwrnod bendigedig, cawson ni ein **swyno** gan ddawn arbennig Dylan Cernyw ar y delyn.

Siaradwch

- Ydych chi'n aelod o glwb neu gymdeithas leol? Beth rydych chi'n ei wneud? Neu efallai nad yw clybiau fel hyn yn apelio atoch chi. Os felly, esboniwch pam.

Llenwi bylchau – ansoddeiriau

syfrdanol
crefftus
pwerus **rhyfeddol**
moethus **deheuol**
achlysurol credadwy
cyflogedig **dawnus**

Dewiswch ansoddeiriau addas o'r cwmwl geiriau uchod i lenwi'r bylchau yn y brawddegau. Cofiwch fod angen **treiglo ansoddair ar ôl gair benywaidd** ac ar ôl **yn**.

1. Magwyd Lisa ym Mhontypridd felly roedd ganddi hi acen _____.
2. Wnes i ddim mwynhau'r ffilm. Do'n i ddim yn meddwl bod y stori'n _____ o gwbl.
3. Mae Sam a Lyn yn ennill cyflogau da, felly maen nhw bob amser yn aros mewn gwestai _____.
4. Clywais i newyddion _____ bore 'ma – mae'r ferch drws nesaf wedi ennill y loteri!
5. Saer o Wlad Belg wnaeth Gadair Ddu Hedd Wyn. Mae hi'n gadair _____ iawn.
6. Roedd gweld dyn yn cerdded ar y lleuad am y tro cynta yn brofiad _____.
7. Yn _____, dw i'n prynu dillad o siop ddrud yn Llundain.
8. Mae llais _____ iawn gan y canwr opera yma – mae e bron â chodi'r to!
9. Roedd llawer o berfformwyr _____ iawn yn y cyngerdd gwych a welais i ar y teledu neithiwr.
10. Mae llawer mwy o fenywod yn _____ heddiw nag yn y 1950au.

Gwrando 2

Gwrandewch ar y ddeialog a llenwch y bylchau yn y sgript isod. Yna, darllenwch y ddeialog gyda'ch partner, gan gymryd tro i wneud y ddwy ran.

A: _____ti yn y sêl cist car ar gae yr ysgol _____ Sadwrn?

B: Naddo. _____ rhaid i mi wneud tipyn o waith tŷ. _____ti?

A: Do. _____ hi'n un dda. _____ i yno erbyn chwech.

B: Chwech y bore?

A: Ie. _____ i lwyth o fargeinion. _____ i ddwy bunt am hen record Elvis sy'n werth cannoedd o bunnau ar-lein!

B: Waw, da iawn ti!

A: Roedd dillad hyfryd yno hefyd. Pethau o safon. _____ ti wedi mwynhau edrych o gwmpas.

B: _____, siŵr o fod. Ond _____ hi'n well i mi gadw draw. Ti'n gwybod sut _____ i pan mae 'na fargeinion. _____ i wedi dod adre â llond tŷ o bethau newydd.

A: Mae'r tŷ dan ei sang yn barod.

B: Ydy... Pryd _____ nhw'n gwneud y sêl nesa?

A: Bydd un arall _____ y mis, dw i'n credu.

B: O? Falle _____ i gyda ti.

A: I edrych o gwmpas, ie?

B: Ie. Dim ond i edrych.

Adolygu gramadeg

Gorfennwch y brawddegau hyn, trwy gyfieithu'r geiriau yn y cromfachau:

1. Hi yw'r ferch (*who took*) y lluniau i'r papur bro.

2. Dw i'n credu (*I bought*) y ffrog o siop ail-law.

3. Weloch chi'r person (*who scratched*) fy nghar i?

4. Ro'n nhw'n dweud (*it won't*) bwrw glaw fory.

5. Chawson ni ddim lle yn y bwyty neithiwr achos (*we arrived*) yn hwyr.

6. Pam (*don't you come*) am dro heno?

7. Dyma'r band (*who performed*) ar y teledu neithiwr.

8. Cafodd y babi ei alw'n Hefin achos (*he was born*) ym mis Mehefin.

Aralleirio

Ailysgrifennwch y brawddegau isod, gan aralleirio'r gair neu'r geiriau sy wedi'u tanlinellu.

e.e.   Does dim angen i chi dacluso'r gegin - dw i wedi gwneud hynny <u>yn barod</u>.
       Does dim angen i chi dacluso'r gegin - dw i wedi gwneud hynny eisoes.

1. Mae ysbryd yn y tŷ yma, <u>mae pobl yn dweud</u>.

....

2. Wnaeth fy hen daid ddim ymladd yn y <u>Rhyfel Byd Cyntaf</u>. Roedd o'n <u>anghytuno â'r syniad o rhyfel</u>.

....

3. Byddwn ni'n cael gwybod pwy yw'r enillydd <u>cyn bo hir</u>.

....

4. Mae hi <u>wedi bod yn gwneud ei gwaith yn brysur</u> drwy'r dydd. Rhaid iddi hi orffwys nawr.

....

Gwaith grŵp

1.   Bydd pob grŵp yn cael erthygl i'w thrafod. Gwnewch nodiadau, a chadwch eich nodiadau'n ddiogel. Byddwch chi'n defnyddio'r nodiadau i wneud eich gwaith cartref. Yna, gyda'ch grŵp, rhowch **grynodeb** o'r erthygl ar lafar i weddill y dosbarth.

2.   Paratowch eitem i'ch papur bro lleol chi. Cewch chi ysgrifennu am newyddion eich ardal, portread o gymeriad lleol, rysáit, adolygiad neu unrhyw beth a fyddai o ddiddordeb i ddarllenwyr eich papur bro lleol chi.

Rhestr wirio
Dw i'n gallu...

defnyddio geirfa a phatrymau gramadegol Unedau 1–8 yn hyderus.	
trafod papurau bro a mentrau cymunedol eraill.	

Uned 10 – Gwlad y Menig Gwynion?

Nod yr uned hon yw...

• Ymarfer ffurfiau benywaidd a lluosog ansoddeiriau

• Dysgu am droseddwyr enwog o Gymru, a thrafod trosedd a chosb yn ein bywydau heddiw

Geirfa

caseg (cesig)	*mare(s)*
cigfran (cigfrain)	*raven(s)*
dirwy(on)	*fine(s)*
sgìl (sgiliau)	*skill(s)*
gast (geist)	*bitch(es)*
trosedd(au)	*crime(s)*

caniatáu	*to allow, to permit, to let*
cofnodi	*to minute, to note, to record, to register*
dienyddio	*to execute*
dodwy (wyau)	*to lay*
dogni	*to apportion, to ration, to share*
llechu (rhag)	*to hide (from), to lurk, to skulk*
ymbil (ar)	*to beg, to entreat, to plead*
ymddiddori	*to take interest in*

dryll(iau)	*gun(s)*
drysni	*perplexity, confusion*
gwrthryfel(oedd)	*rebellion(s), revolt(s)*
harddwch	*beauty*
herwr (-wyr)	*outlaw(s)*
rheithgor(au)	*jury (juries)*
swllt (sylltau)	*shilling(s)*
twrnai (twrneiod)	*attorney(s), lawyer(s) (Gogledd Cymru)*
ustus(iaid)	*magistrate(s),*

ariannol	*financial*
digrif	*amusing, funny, humorous*
ffug	*false, fake*
heddychlon	*peaceful*
ieithyddol	*linguistic*
nodweddiadol	*characteristic, typical*

cyfraith a threfn	*law and order*
fatha	*yr un fath â, fel*
y Gorllewin Gwyllt	*the Wild West*
mynd i'r afael â	*to deal with something, to get to grips with something*
oherwydd	*achos*

Geiriau pwysig i mi...

....

....

....

Defnyddio ansoddeiriau

Dewiswch y gair mwya addas o waelod y blwch i'w roi yn y bylchau:

1. Mae tafodiaith _____ iawn yn sir Benfro.
2. A'r _____ flaenoriaeth eleni fydd marchnata gwell.
3. Roedd brwydr _____ rhwng y ddwy ochr.
4. Mae llawer o offer newydd yn y gampfa _____ .
5. Mae'n bwysig bod pawb yn gwybod lle mae'r ddihangfa _____ .
6. Maen nhw'n cau'r ysgol _____ yn y pentre oherwydd diffyg plant.
7. Mae ymgyrch _____ ar y gweill i wella sgiliau pobl ifainc.
8. Yn 1920 roedd yr Ymerodraeth _____ yn ymestyn dros 24% o holl dir y byd.
9. Cyflwynodd y darlithydd ddarlith _____ iawn.
10. Mae llawer o ddisgyblion talentog yn y dosbarth ond mae un ferch _____ yn eu plith.

cenedlaethol	**cynradd**	**diddorol**	**disglair**	**gwaedlyd**
modern	**pert /del**	**Prydeinig**	**tân**	**trydedd**

Help llaw – Ffurfiau benywaidd a lluosog ansoddeiriau

Ansoddeiriau benywaidd

Fel y gwelwn ni yn yr ymarfer uchod, rydyn ni'n treiglo ansoddeiriau sy'n disgrifio geiriau benywaidd, e.e.

Hi yw'r ferch **d**ala.	ond	Fe yw'r bachgen tala.
merch **dd**a	ond	bachgen da

Hefyd, mae **ffurfiau benywaidd** gan lawer o ansoddeiriau, yn enwedig y **lliwiau**.

gwyn	gwen	cath wen	Sylwch fod yr **y** yn yr ansoddeiriau'n troi'n **e**. Meddyliwch am yr enwau – Gwyn (bachgen) a Gwen (merch).
gwyrdd	gwerdd	deilen werdd	
melyn	melen	ffrog felen	

Erbyn heddiw, does dim llawer o ffurfiau benywaidd eraill yn cael eu defnyddio'n gyson, ond dyma rai o'r enghreifftiau mwyaf cyffredin.

crwn	cron	y bêl gron = pêl-droed	
hirgrwn	hirgron	y bêl hirgron = rygbi	
dwfn	dofn	afon ddofn, argraff ddofn	
bychan	bechan	gardd fechan	Eto, sylwch fod yr **y** yn y geiriau'n troi'n **e**.
byr	ber	stori fer, ffilm fer	
llyfn	llefn	carreg lefn	
cryf	cref	iaith gref, dadl gref	
llym	llem	beirniadaeth lem	

Ansoddeiriau lluosog

Fel mewn llawer o ieithoedd eraill, mae ffurfiau lluosog gan ansoddeiriau, sy'n cael eu defnyddio i ddisgrifio mwy nag un peth. Erbyn heddiw, dim ond rhai ffurfiau lluosog sy'n cael eu defnyddio'n aml. Yr un mwyaf cyffredin, siŵr o fod, ydy ffurf luosog **arall,** sef **eraill**.

Fel arfer, mae angen ychwanegu **-on** neu **-ion** at ddiwedd y gair i greu'r ffurf luosog. Os yw gair yn cynnwys **an**, mae'r **an** yn troi'n **ain**, e.e. bychain, ifainc.

byr	byrion	storïau/straeon byrion
poeth	poethion	danadl poethion
garw	geirwon	stormydd geirwon
dwfn	dyfnion	dyfroedd dyfnion
ifanc	ifainc	pobl ifainc
bychan	bychain	pethau bychain

Mae **ffurfiau lluosog** y lliwiau'n cael eu defnyddio'n aml iawn.

    Y Coed-duon   mwyar duon   cregyn gleision

Gwelwch chi hyn yn arbennig **ym myd chwaraeon**, e.e.

    Y Crysau Cochion   Y Crysau Duon   Y Gleision

Rydyn ni hefyd yn ychwanegu **–ion** at ansoddeiriau er mwyn cyfeirio at grŵp arbennig o bobl. Byddwch chi siŵr o fod wedi gweld y geiriau hyn:

    mawrion, e.e. "mawrion y genedl"   cyfoethogion
    enwogion   tlodion

Ymarfer

Gyda'ch partner, llenwch y bylchau yn y tabl yma.

Ansoddair	Benywaidd	Lluosog
bychan		
glas	Dim ffurf fenywaidd	
gwyrdd		
byr		
dwfn		
gwyn		
melyn		
coch	Dim ffurf fenywaidd	
llyfn		
cryf		

Cymru – Gwlad y Menig Gwynion?

Roedd pobl yn meddwl am Gymru fel lle perffaith. Roedd y barnwr yn gwisgo menig gwynion pan doedd dim troseddwyr ger ei fron.

Storom eirfa – Trosedd a chosb

Nodwch o leiaf 6 gair ar y thema yma.

Siaradwch

Ydych chi wedi torri'r gyfraith? Trafodwch y pethau hyn.

1. Prynu tocyn bws neu drên plentyn pan oeddech chi'n hŷn nag un ar bymtheg.
2. Cymryd rhan mewn *sweepstake* yn y gwaith.
3. Prynu alcohol cyn eich bod chi'n ddeunaw.
4. Seiclo ar y pafin/palmant.
5. Mynd i bysgota heb drwydded bysgota.
6. Parcio ar linellau melyn dwbl.
7. Bwyta wrth yrru.
8. Defnyddio ID ffug i fynd i mewn i ddigwyddiad 18+.
9. Hedfan barcud mewn parc.
10. Cadw'r newid pan oedd rhywun wedi rhoi gormod i chi trwy gamgymeriad.
11. Prynu sigaréts cyn eich bod chi'n un ar bymtheg.
12. Gwylio'r teledu heb drwydded deledu.
13. Curo ar ddrws rhywun a rhedeg i ffwrdd.
14. Newid CD yn y car wrth yrru.
15. Mynd â'ch plentyn ar wyliau yn ystod y tymor ysgol heb ofyn am ganiatâd pennaeth yr ysgol.
16. Rhoi colur ar eich wyneb wrth yrru.
17. Defnyddio WiFi rhywun heb iddyn nhw wybod.
18. Gwylio ffilm 18 yn y sinema cyn eich bod chi'n ddeunaw oed.
19. Parcio ar y pafin/palmant.
20. Seiclo yn y nos heb oleuadau ar y beic.

Gwrando – Troseddau hanesyddol

Byddwch chi'n gwrando ar Aled Hughes yn holi Lowri Ifor, sy'n arbenigo ar hen droseddau.

1. I ddechrau, rhowch gylch o gwmpas y geiriau hyn pan fyddwch chi'n eu clywed nhw:

dirwy	ymddiddori	cofnodi	nodweddiadol	digri'
fatha	dogni	swllt	caniatáu	

2. Troseddau o ba ardal yng Nghymru mae Lowri Ifor yn sôn amdanyn nhw i ddechrau?

3. Pa drosedd roedd 'pasio pres' yn ei disgrifio?

4. Beth fuodd tri bachgen yn ei wneud yn Nhonypandy?

5. Beth oedd trosedd Blodwen Jones o Flaenclydach?

6. Pam cafodd Thomas William Abraham ddirwy?

7. Pam roedd llawer o droseddau'r cyfnod yn ymwneud â bwyd?

8. Gyda'ch partner, trafodwch beth yw ystyr yr ymadroddion hyn, yn eich barn chi.
   o gwmpas eu pethau
   creu miri
   o flaen ei gwell

Darllen – Gwylliaid Cochion Mawddwy

Geirfa:	**harddwch**	**heddychlon**	**y Gorllewin Gwyllt**
	cyfraith a threfn	**llechu**	**herwyr**
	gwrthryfel	**mynd i'r afael â**	**ymbil**

Wrth yrru trwy **harddwch heddychlon** Mawddwy heddiw, mae'n anodd dychmygu bod y lle fel y **Gorllewin Gwyllt** yn yr unfed ganrif ar bymtheg. Roedd Mawddwy ar y ffin, rhwng y Mers a Meirionnydd, felly doedd dim modd cadw **cyfraith a threfn**. Yn **llechu** yn y coedwigoedd, byddai Gwylliaid Cochion Mawddwy yn barod i ymosod – a'ch lladd, tasai'n rhaid.

Criw o **herwyr** oedden nhw, a gafodd eu henw achos gwalltiau cochion llawer o'r aelodau.

Teulu John Goch ap Gruffudd ap Huw oedd y Gwylliaid enwocaf. Roedd llawer o'r aelodau eraill yn bobl a gefnogodd **wrthryfel** Owain Glyndŵr. Ar ôl i'r **gwrthryfel** ddod i ben, collon nhw eu cartrefi, eu heiddo a'u hawliau, felly doedd dim dewis ond llochesu yn y coed.

Penderfynodd y Barwn Lewys ab Owain – Siryf Sir Feirionnydd – geisio **mynd i'r afael â**'r Gwylliaid. Ar noswyl Nadolig 1554, cafodd wyth deg o'r Gwylliaid eu crogi o ganghennau'r deri ger Rhos Goch.

Roedd un ohonyn nhw'n ifanc iawn, ac **ymbiliodd** ei fam arnyn nhw i arbed ei fywyd. Lowri ferch Gruffudd Llwyd oedd ei henw hi. Ond, cafodd y bachgen ifanc ei grogi yn y fan a'r lle. Wedi hynny, yn ôl y stori, agorodd Lowri ei chrys i ddangos ei bronnau, gan ddweud ei bod hi wedi bwydo meibion eraill a fyddai'n ymolchi yng ngwaed y Barwn. Does dim tystiolaeth bod hyn wedi digwydd, ond gallwch chi ddarllen y stori yn llyfr taith Thomas Pennant a ysgrifennwyd tua 1770.

Tua deg mis yn ddiweddarach, daeth cyfle i'r Gwylliaid ddial. Roedd y Barwn a'i ddynion yn teithio'n ôl o'r Trallwng. Yn sydyn cwympodd dwy dderwen – un o'u blaenau a'r llall y tu ôl iddyn nhw. Cafodd y Barwn ei saethu ddeg ar hugain o weithiau.

Daeth y felltith yn wir wrth i feibion Lowri ymolchi yng ngwaed y Barwn.

1. **Beth ydy arwyddocâd y rhifau hyn yn y darn darllen?**

    16 ....

    1554 ....

    80 ....

    1770 ....

    10 ....

    2 ....

    30 ....

2. **Yn y darn, mae 'Gwylliaid Cochion' a 'gwalltiau cochion'.**

    Rhowch y lliwiau cywir (yn y lluosog) yn y brawddegau hyn:

    Bwyd môr poblogaidd yw cregyn _____ .

    Ar lan y môr mae rhosys _____ .

    Os ewch chi i Barc Dinefwr, fe welwch chi'r gwartheg _____ unigryw.

    Mynachod oedd y Brodyr _____ .

    Enw arall ar dîm rygbi Seland Newydd yw'r _____ _____ .

    Enw tîm rygbi Caerdydd yw _____ _____ .

3. Yn y tabl isod, mae disgrifiadau o eiriau sy'n ymddangos yn y darn darllen. Ysgrifennwch y geiriau yn y golofn dde.

Symud car neu anifail.	
Llinell sy'n gwahanu dau le neu ddau beth.	
Llefydd lle mae llawer o goed a phlanhigion yn tyfu.	
Pethau mae'r gyfraith yn caniatáu i ni eu gwneud.	
Dyma sut roedd pobl yn cael eu dienyddio ym Mhrydain tan y 1950au.	
Rhoi bwyd i berson neu i anifail.	
Mae pobl fel arfer yn gwneud hyn bob dydd, fel arfer yn y bore a chyn mynd i'r gwely.	
Defnyddio dryll i anafu neu i ladd.	

Siaradwch

- Mae llawer o droseddwyr, e.e. Twm Siôn Cati, Robin Hood a'r Gwylliaid yn cael eu gweld fel arwyr mewn llawer o storïau. Ydych chi'n credu bod hyn yn iawn? Beth am ddihirod y cyfnod modern? Oes perygl i ni ramantu eu hanesion nhw?
- Ydych chi wedi bod ar reithgor erioed? Sut brofiad oedd e?
- Oes digon o blismyn ar ein strydoedd ni? Sut mae'r sefyllfa wedi newid dros y blynyddoedd?
- Ydych chi'n gwybod pa fath o droseddau sy'n gyffredin yn eich ardal chi?

Gwylio a gwrando – 'Hanes y Sesiwn yng Nghymru'

Byddwch chi'n gwylio fideo o'r canwr gwerin Gwilym Bowen Rhys yn cyflwyno ac yn perfformio'r gân 'Hanes y Sesiwn yng Nghymru' gan Jac Glan y Gors. Mae e'n disgrifio'r llysoedd yng Nghymru rhwng 1542 ac 1830. Sefydlwyd y Llys fel rhan o'r Ddeddf Uno yn 1542. Cynhaliwyd y Llys ddwywaith y flwyddyn ym mhob sir, ac roedd popeth yn Saesneg. O'r 217 o farnwyr oedd wedi gwethio yn y llysoedd, dim ond 30 oedd yn Gymry a llond llaw oedd yn gallu siarad Cymraeg. Does dim angen i chi ddeall pob gair – ceisiwch fwynhau'r stori!

Geirfa: drysni   ieithyddol   twrnai (twrneiod)   ustus
                   dodwy   gast   caseg   cigfran

1.   Mae'r gân yn dweud bod y twrneiod yn **chwarae'r ffon ddwybig**.
       Gyda'ch partner, ceisiwch ddyfalu beth yw ystyr hynny.

2.   'A'r ustus **ar ddodwy** wrth wrando (a)r y ddadl.'
       Rydyn ni'n aml yn defnyddio **ar** i ddweud bod rhywbeth yn mynd i
       ddigwydd cyn hir. Fan hyn, mae'n golygu bod yr ustus yn edrych
       fel tasai'n mynd i ddodwy ŵy unrhyw eiliad! Yr ymadrodd mwyaf cyffredin
       yw **ar fin,** sy'n golygu *just about to*.

       Er enghraifft:
       Ro'n i **ar gychwyn** pan ganodd y ffôn.
       Mae canolfan siopa newydd **ar fin** cael ei hagor yn y dref.

       Gyda'ch partner, trafodwch sut byddech chi'n cyfieithu:

       He was about to leave the field when he got injured.

       She was just about to confess when someone walked into the room.

       The book is about to be published.

       Ydych chi'n gallu meddwl am dair brawddeg arall sy'n cynnwys **ar fin**?

       1.
       2.
       3.

Rhestr wirio

Dw i'n gallu...

defnyddio ffurfiau benywaidd a lluosog ansoddeiriau.	
trafod trosedd a throseddwyr.	

Uned 11 – Hiwmor

Nod yr uned hon yw...
- Ymarfer deall ystyr geiriau
- Siarad am hiwmor
- Dysgu a defnyddio geirfa ac idiomau newydd

Geirfa

celfyddyd(au)	*art(s)*
deuoliaeth(au)	*dualism(s)*

seilio	*to base*
treiddio	*to penetrate*

anghysurus	*uncomfortable*
celfyddydol	*artistic*
cyfarwydd	*familiar*
cyferbyniol	*contrasting*
cyntefig	*primitive*
dychmygus	*imaginative*
hurt	*stupid, silly*
maleisus	*malicious*
rheibus	*predatory*

dan warchae	*under siege*
synnwyr digrifwch	*sense of humour*
testun sbort	*laughing stock*

categori (categorïau)	*category (-ies)*
comedïwr (-wyr)	*comedian(s)*
digrifwch	*amusement, fun, humour*
dirgelwch (dirgelion)	*mystery (mysteries)*
drewdod	*stink, stench*
endorffin(au)	*endorphin(s)*
grym(oedd)	*power(s)*
rhyddhad	*relief, liberation, release*
seiciatrydd(ion)	*psychiatrist(s)*
seicolegydd (seicolegwyr)	*psychologist(s)*
ymennydd (ymenyddiau)	*brain(s)*

Geiriau pwysig i mi...

....

....

....

Help llaw – Adnabod ystyr geiriau

Byddwn ni'n edrych ar dri rhagddodiad (rhywbeth sy'n dod o flaen gair arall) a thri ôl-ddodiad (terfyniad sy'n dod ar ôl gair arall) i'n helpu ni i ddeall ystyr geiriau.

Rhagddodiaid

gwrth- (yn erbyn), e.e.	gwrthwynebydd	gwrthdaro	gwrth-gloc
di- (heb), e.e.	diofal	diweithdra	diniwed

Bydd cysylltnod (-) pan fydd gair unsill yn dilyn **di-**, e.e. tâl – di-dâl

an- (rhoi ystyr negyddol)	anfantais	anghofio	anhapus

Sylwch ar y treigladau:
gwrth- treiglad meddal
di- treiglad meddal
an- treiglad trwynol gyda t, c, p, d

teg	annheg	cytuno	anghytuno
perffaith	amherffaith	difyr	annifyr

(Sylwch fod **nn** pan fydd **an** yn rhagddodiad o flaen **t** a **d** (ac eithrio'r gair anhrefn).

an- treiglad meddal gyda b, g, m

bodlon	anfodlon	gobeithiol	anobeithiol
mantais	anfantais		

Beth yw ystyr?

di-waith	gwrthryfel ....
anghyffredin	annibynnol ....
dieuog	gwrth-blaid ....

Sut basech chi'n cyfieithu?

to oppose	*homeless* ....
disabled	*incorrect* ....
collision	*free of charge* ....

Ôl-ddodiaid

-gar (yn hoff o neu gyda'r nodweddion (*characteristics*) sy yn y bôn)

ariangar	amyneddgar

-lon (gyda'r nodweddion sy yn y bôn – mae'n dod o'r ansoddair llawn)

ffyddlon	ffrwythlon

-us (gyda'r nodweddion sy yn y bôn, yn aml iawn i ddisgrifio pobl)

hapus	gwybodus

Beth yw ystyr?

prydlon .... goddefgar ....

cyffrous .... adnabyddus ....

cyfeillgar .... heddychlon ....

Sut basech chi'n cyfieithu?

colourful .... *lawful* ....

faithful .... *romantic* ....

keen .... *patient* ....

Llenwch y bylchau. Gwrandewch ar y bwletin newyddion a llenwch y bylchau.

Carcharwyd troseddwr .... iawn am gyfanswm o ugain mlynedd heddiw. Cyflawnodd Ffred John nifer o droseddau .... iawn yn y ddinas.

Bydd yr .... yn cynnig pleidlais o ddiffyg hyder yn y Prif Weinidog heddiw. Maen nhw'n dweud bod y Prif Weinidog yn hollol .... erbyn hyn, ar ôl yr holl ddigwyddiadau .... o fewn ei blaid ei hunan yn ddiweddar.

Arestiwyd bachgen pymtheg oed am werthu cyffuriau .... y tu allan i ysgol yng ngorllewin Cymru brynhawn ddoe. Tabledi bach .... yw'r cyffuriau hyn sydd wedi'u creu er mwyn apelio at blant a phobl ifainc.

Hiwmor

Pryd mae'r ddafad yn cael ei phen-blwydd?
Ym mis Meeeehefin.

Pryd mae'r ddafad arall yn cael ei phen-blwydd?
Ym mis Meeeedi.

Pa gi yw'r canwr gorau?
Corgi.

Pa bysgodyn mae'r plismon eisiau ei ddal?
Yr eog!

Beth wyt ti'n galw mwy nag un dyn?
Dai.

Siaradwch: Allwch chi ddweud jôc yn Gymraeg? Ysgrifennwch eich jôc chi neu jôc eich partner fan hyn.

....

....

....

Darllen – Pam rydyn ni'n chwerthin?

Geirfa: seiciatrydd   seicolegydd   dirgelwch   cyntefig
dan warchae   rheibus   rhyddhad   ymennydd
endorffinau   synnwyr digrifwch   comedïwyr   deuoliaeth
cyferbyniol

Mewn cyfweliad ar Radio Cymru yn 2007, dyma ddwedodd y **seiciatrydd**,
Dr Dafydd Huws:

"Does 'na ddim un **seicolegydd** na **seiciatrydd** yn y byd yn gwybod pam rydyn
ni'n chwerthin. Mae'n gymaint o **ddirgelwch** ag erioed. Mae rhai wedi dweud ei
fod e'n dod o gyfnod **cyntefig** iawn pan oedd dyn yn byw **dan warchae** ac ofn
o hyd … ofn gelynion ac ofn anifeiliaid **rheibus**. Pan oedd e'n cael buddugoliaeth
dros elyn neu dros anifail **rheibus**, roedd y **rhyddhad** hwnnw'n gollwng cemegau
yn yr **ymennydd** – **endorffinau** – cemegau sy'n gwneud i ni deimlo'n hapus ac yn
wych, a hynny wedyn yn arwain at chwerthin.

Rydyn ni'n nabod rhai pobl sydd â **synnwyr digrifwch** cryf. Maen nhw'n gweld
ochr ddoniol bron pob sefyllfa. Ac mae 'na bobl eraill – maen nhw fel pwdin – yn
gweld dim byd yn ddoniol. A'r peth arall dw i'n meddwl sy'n ddiddorol ydy'r dyn
neu'r ddynes sy'n troedio'r ffin rhwng **digrifwch** a thristwch: nhw ydy'r bobl
â'r **synnwyr digrifwch** mwya. Rydyn ni'n gwybod am **gomedïwyr** fel Tony
Hancock, y ddau Ronnie, a Tudur Owen: pobl sy'n gallu gweld y **ddeuoliaeth**."

1.   "Mae'n gymaint o ddirgelwch ag erioed," meddai Dr Dafydd Huws.
Gyda'ch partner, ysgrifennwch ddwy frawddeg yn defnyddio **erioed**,
a dwy frawddeg yn defnyddio **byth**.

....

....

....

....

2.   Mae cyfuniadau o eiriau diddorol yn y darn yma: , **synnwyr digrifwch**,
dan warchae ac **anifeiliaid rheibus**. Allwch chi feddwl am eiriau eraill
sy'n cyd-fynd ag **anifeiliaid, synnwyr** a **dan**?

anifeiliaid	synnwyr	dan

3. Mae **digrifwch a thristwch** yn eiriau **cyferbyniol**. Allwch chi feddwl am eiriau cyferbyniol eraill? Beth yw geiriau cyferbyniol y geiriau isod?

cul		amddiffyn	
deheuol		caeth	
gwirionedd		esgeulus	
hardd		gorffennol	
gwrthod		diog	

Siaradwch

- Ydych chi'n cofio tro pan nad oeddech chi'n gallu stopio chwerthin?
- Allwch chi feddwl am gomedïwyr eraill sy'n "troedio'r ffin rhwng digrifwch a thristwch"?

Gwylio a gwrando 1 - Gŵyl Ffrinj Caeredin

Byddwch chi'n gwylio ffilm am Tudur Owen a Steffan Alun yn perfformio yng Ngŵyl Ffrinj Caeredin. Gwnewch nodiadau yn y blwch ac yna ysgrifennwch o leiaf dri chwestiwn.

Cwestiynau:

....

....

....

....

Ceisiwch gwblhau hanner arall yr ymadrodd sy'n cael ei ddefnyddio yn y ffilm:

....gelfyddydol   ....gyfarwydd

enwau ....   canol ....

.... y byd   gwerthu ....

mis ....   llawn ....

Siaradwch

- Ydych chi erioed wedi bod yng Nghaeredin?
- Ydych chi wedi bod mewn lleoedd eraill yn yr Alban?
- Oes gennych chi hoff ddinas?

Gwahanol fathau o hiwmor

Chi eich hunan yw'r jôc Dyma'r math o hiwmor a welwch chi mewn llawer o sioeau stand-yp. Maen nhw'n gwneud eu hunain yn **destun sbort**.	**Corfforol** Ers dyddiau Charlie Chaplin, mae'r math yma o hiwmor yn boblogaidd mewn ffilmiau (baglu, cwympo, ac ati).	**Swreal** Sefyllfaoedd rhyfedd, abswrd a **hurt**.
Byrfyfyr Does dim sgript ac mae'r perfformwyr yn creu'r **digrifwch** wrth fynd ymlaen.	**Chwarae ar eiriau** Hiwmor **ffraeth**, lle mae pobl yn defnyddio geiriau mewn ffordd glyfar a **dychmygus**.	**Amserol** Hiwmor wedi'i seilio ar y newyddion a digwyddiadau **cyfoes**. Mae'n rhaid i chi wybod beth sy'n digwydd yn y byd i fwynhau hiwmor fel hyn.
Bywyd pob dydd Comedi sy'n dod o hyd i **ddigrifwch** mewn sefyllfaoedd cyffredin, bob dydd.	**Tŷ bach** Mae plant bach yn hoff o hiwmor fel hyn: toiledau, **drewdod** amheus ac ati.	**Tywyll** Fel arfer, mae themâu tywyll a digalon o dan yr wyneb, sy'n gwneud i bobl deimlo'n **anghysurus** yn ogystal â chwerthin.

Siaradwch

- Beth sy'n gwneud i chi chwerthin?
- Pwy yw eich hoff berfformwyr comedi, ac i ba gategori maen nhw'n perthyn?
- Ydych chi wedi bod mewn gŵyl gomedi neu ŵyl gelfyddydol arall?
- Pa fath o berfformiadau byw sy'n apelio atoch chi?

Gwylio a gwrando 2 – 'Y Wers Gymraeg'

Byddwch chi'n gwylio fideo o'r opera sebon 'Y Wers Gymraeg', oedd ar *Hwb*, y rhaglen i ddysgwyr.

Mae camddealltwriaeth yn codi yn y wers rhwng **ti** a ***tea***. Oes sefyllfa ddoniol wedi codi yn eich dosbarth Cymraeg chi o'r blaen? Siaradwch â'ch partner am hyn.

Rhestr wirio
Dw i'n gallu...

defnyddio rhagddodiaid ac ôl-ddodiaid.	
trafod hiwmor, rhaglenni comedi a pherfformwyr comedi.	

Uned 12 – Cefndryd Celtaidd

Nod yr uned hon yw...

- Ymarfer ffurfiau lluosog
- Dysgu am y gwledydd Celtaidd
- Dysgu a defnyddio geirfa ac idiomau newydd

Geirfa

asiantaeth(au)	*agency (-ies)*
Brythoneg	*Brittonic*
Cernyweg	*Cornish*
hunaniaeth(au)	*identity (-ies)*
Llydaweg	*Breton*
mamiaith	*mother tongue*
perchnogaeth	*ownership*
pobl(oedd)	*people(s)*

atgyfodi	*to revive, to resurrect*
beirniadu	*to judge, to adjudicate*
cyfeilio	*to accompany (cerddoriaeth)*
cymharu	*to compare*
gwahanu	*to separate*
ymrannu	*to divide*

Cernyw	*Cornwall*
clamp o ...	*giant, whopper*

albwm (albymau)	*album(s)*
arholwr (-wyr)	*examiner(s)*
Brython(iaid)	*Briton(s)*
bwrlwm	*activity and excitement, buzz*
cyfeilydd(ion)	*accompanist(s)*
degawd(au)	*decade(s)*
hwb	*boost*
tlws (tlysau)	*trophy (trophies)*
ymfudwr (-wyr)	*emigrant(s)*
ysgrifennydd (ysgrifenyddion)	*secretary (-ies)*

blaenorol	*former; previous*
breintiedig	*privileged*
brwd	*enthusiastic*
corawl	*choral*
Celtaidd	*Celtic*
cynyddol	*increasing*
lleiafrifol	*minority*
unigol	*individual*
ymwybodol	*conscious; aware*

Geiriau pwysig i mi...

....

....

Deall ystyr geiriau – adolygu

Ychwanegwch o leiaf un rhagddodiad (e.e. di-) neu ôl-ddodiad (e.e. –gar) i greu geiriau newydd:

grym ....   deall ....

rhyfel ....   gwaith ....

ffydd ....   trefn ....

Adolygu ffurfiau lluosog

Beth ydy ffurfiau lluosog y creaduriaid hyn? Beth ydy'r patrwm?

cath ....

cwningen ....

cranc ....

gwylan ....

buwch ....

morfil ....

Beth ydy ffurfiau lluosog y geiriau hyn?

dant ....   amgueddfa ....

cant ....   swyddfa ....

punt ....   mynedfa ....

diwydiant ....   allanfa ....

Cyfieithwch:

toothpaste ....   *bacon* ....

pencil case ....   *book quiz* ....

student flats ....   *dishcloth* ....

Trafodwch:

Ydyn ni'n defnyddio'r unigol neu'r lluosog gyda **sawl**?

Ydyn ni'n defnyddio'r unigol neu'r lluosog gyda **faint**?

Pryd rydyn ni'n defnyddio **rhif + enw unigol**? Pryd rydyn ni'n defnyddio **rhif + o + enw lluosog**?

Help llaw

Rydych chi wedi dysgu rhai o reolau a phatrymau'r lluosog yn Uwch 1. Ond mae'r lluosog yn gymhleth iawn yn Gymraeg, ac mae llawer o batrymau eraill – ac eithriadau (*exceptions*) i'r rheolau!

-iaid

Rydyn ni'n defnyddio'r terfyniad yma wrth sôn am **bobloedd** neu grwpiau o bobl (a rhai anifeiliaid). Er enghraifft, Gwyll**iaid** Cochion Mawddwy, Celt**iaid**, y Brython**iaid**, y Rhufein**iaid**. Gallwn ni ddefnyddio'r terfyniad hwn wrth sôn am **deuluoedd** hefyd, er enghraifft y Tudur**iaid**, y Sior**iaid**. Byddwch chi'n clywed pobl yn gwneud hyn gyda theuluoedd modern hefyd, er enghraifft 'Y Tomosiaid' neu 'Y Jonesiaid' (ond mewn ffordd ysgafn fel arfer).

-iaid sy'n cael ei ddefnyddio yn y ffurfiau lluosog Hindŵ**iaid** a Mwslim**iaid**. **Ond:** Cristnog**ion** a Bwdhydd**ion** yw ffurfiau lluosog Cristion a Bwdhydd.

-wyr

Mae'r terfyniad **-wyr** hefyd yn cael ei ddefnyddio gyda **phobloedd**, er enghraifft Sbaen**wyr**, Almaen**wyr**, Llyda**wyr**. Mae eithriadau sydd ddim yn dilyn y patrwm, er enghraifft: **Saeson**, **Cymry**, **Gwyddelod**. Hefyd, mae Ffranc**wyr** neu Ffranc**od** yn gywir i ddisgrifio pobl o Ffrainc.

Newid llafariaid

Mae llafariaid rhai geiriau'n newid wrth ffurfio'r lluosog.

cloch → clychau	castell → cestyll	tŷ → tai	oen → ŵyn
cwlwm → clymau	pabell → pebyll	bwthyn → bythynnod	gŵr → gwŷr

Tafodiaith

Byddwch chi'n clywed ffurfiau lluosog eraill ar lafar mewn gwahanol ardaloedd. Er enghraifft, **ll'gada** yn lle **llygaid** mewn rhai rhannau o Wynedd, a **perci** a **cathe** yn lle **parciau** (caeau) a **cathod** yn sir Benfro.

Ymarfer

Llenwch y bylchau yn y tabl isod, gan ddefnyddio'r ffurfiau unigol neu luosog cywir.

unigol	lluosog
Cymro	
Albanwr	
llygad	
bys	
blewyn	
braich	
dafad	
llwynog	
ci	
iaith	
bwrdd	
cadair	
cyfrifiadur	
llechen	

unigol	lluosog
	coed
	dail
	cnydau
	gwenyn
	nadroedd
	ŵyn
	traed
	dwylo
	Saeson
	Brythoniaid
	chwarelwyr
	gwleidyddion
	sêr
	porthladdoedd

Defnyddiwch bedair o'r ffurfiau yma mewn brawddegau – un yn yr amser presennol, un yn y gorffennol, un yn y dyfodol ac un yn yr amodol.

....

....

....

....

....

....

....

....

Yr Ieithoedd Celtaidd

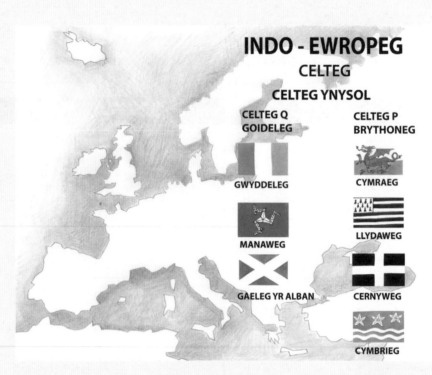

Wrth edrych ar y llun, gallwch chi weld fod ieithoedd Celtaidd Prydain ac Iwerddon wedi'u rhannu'n ddwy gangen, sef Goedeleg a Brythoneg. Enwau eraill ar y ddwy gangen yw 'Celteg Q' a 'Celteg P'. Y rheswm am hyn yw bod sŵn **kw** Celteg wedi troi'n **c** mewn Celteg Q (Goedeleg) ac yn **p** mewn Celteg P (Brythoneg), er enghraifft **ceathoir** (Gwyddeleg) a **pedwar** (Cymraeg).

Dyma'r gair am **beth** yn yr ieithoedd eraill. Dyfalwch ba iaith:

Cad ....

Dé ....

Petra ....

Beth ....

Cre ....

Byddwch chi nawr yn gwylio fideo am yr ieithoedd Celtaidd. Nodwch ddwy ffaith rydych wedi'u dysgu. Pa ieithoedd oedd yn swnio'n debyg i'w gilydd yn eich barn chi?

....

....

....

....

Darllen 1 – Chwaer-ieithoedd y Gymraeg

Geirfa:	Brythoneg	ymrannu	Llydaweg
	ymfudwyr	Cernyweg	Brythoniaid
	Cernyw	Eingl-Sacsoniaid	ynysu
	mamiaith	atgyfodi	

Pan ddaeth y Rhufeiniaid i Brydain, roedd y **Frythoneg** yn cael ei siarad trwy Brydain i gyd, heblaw am rai ardaloedd yn yr Alban. Credir bod y **Frythoneg** wedi **ymrannu**'n ieithoedd gwahanol erbyn ail hanner y chweched ganrif.

Llydaweg

Cyflwynwyd y **Llydaweg** i Lydaw (yng ngogledd-orllewin Ffrainc) gan **ymfudwyr** o dde-ddwyrain Prydain rhwng y bedwaredd a'r chweched ganrif. Mae gan Lydaw draddodiadau ac arferion gwahanol iawn i weddill Ffrainc. Ond, does dim statws swyddogol gan y Llydaweg, ac ers y 1950au, does dim llawer o rieni wedi trosglwyddo'r iaith i'w plant. Er hynny, mae nifer y plant sy'n mynd i ysgolion dwyieithog Ffrangeg-Llydaweg yn cynyddu 15% bob blwyddyn ac mae *Ofis ar Brezhoneg* (Bwrdd yr Iaith Lydaweg) yn hyrwyddo'r iaith ac yn datblygu ei defnydd.

Cernyweg

Cafodd y **Brythoniaid** eu trechu gan yr **Eingl-Sacsoniaid** ym mrwydr Deorham, 577. Wedi hynny, gwthiwyd Brythoniaid y de-orllewin yn bellach i lawr i'r de. Datblygodd eu hiaith nhw'n wahanol i'r Gymraeg oherwydd eu bod nhw wedi'u **hynysu** yng **Nghernyw** erbyn 810. **Cernyweg** yw ei henw hi.

Yn ôl y chwedl, y person olaf i siarad **Cernyweg** fel **mamiaith** oedd Dolly Pentreath, a fu farw yn 1777. Ond, mae tystiolaeth fod pobl yn siarad yr iaith wedi hynny.

Heddiw, mae'r Gernyweg wedi cael ei **hatgyfodi**, a thua mil o bobl yng Nghernyw yn ei siarad hi. Diolch i'r we, mae'n haws dysgu ac ymarfer y **Gernyweg**. Mae'r gantores Gwenno, sy'n canu yn Gymraeg ac yn **Gernyweg**, wedi gwneud llawer i godi ymwybyddiaeth o'r iaith.

Cymbrieg

Defnyddir yr enw **Cymbrieg** (*Cumbric*) i ddisgrifio iaith yr Hen Ogledd, sef tiroedd y **Brythoniaid** yn ne'r Alban a gogledd Lloegr. Roedd yr iaith yn perthyn yn agos i Hen Gymraeg, ac os edrychwch chi ar enwau lleoedd yr ardal, gallwch chi weld adlewyrchiad o'r Gymraeg: Pebyll (*Peeblesshire*) ac Aeron (*Ayrshire*).

Bu farw'r **Gymbrieg** tua'r drydedd ganrif ar ddeg. Ond, tan ddechrau'r ganrif ddiwetha, byddai rhai o fugeiliaid yr Hen Ogledd yn defnyddio rhifau gwahanol i gyfri defaid. Mae rhai ohonyn nhw'n debyg iawn i rifau Cymraeg, er enghraifft pimp (pump) a dec (deg).

1. Dewch o hyd i'r ffurfiau lluosog yn y darn, a rhowch nhw yn y categori cywir yn y tabl isod. Yna, yn y rhes waelod, rhowch enghreifftiau eraill o eiriau lluosog sydd â'r un terfyniadau.

-oedd	-iaid	-wyr	-au	Ffurfiau anghyffredin

2. Gyda'ch partner, ceisiwch feddwl beth yw ystyr yr ymadroddion hyn, sy'n cynnwys y gair **iaith**.

iaith pob dydd
iaith arwyddion
iaith ffurfiol
iaith y nefoedd
yr iaith fain
iaith anweddus

Pwynt pwysig: cofiwch fod iaith yn **fenywaidd**. Felly, rydyn ni'n treiglo 'y Gymraeg' ac 'y Gernyweg.' Dydyn ni ddim yn treiglo **ll** a **rh** ar ôl **y** felly 'y Llydaweg' sy'n gywir. Hefyd, er bod 'y Gymraeg' yn fenywaidd, dydyn ni ddim yn treiglo ar ei hôl hi, e.e. Cymraeg cywir.

3. Mae'r ymadrodd **nifer y plant** yn y darn. Sylwch ar y gwahaniaeth:
nifer y plant – *the number of children*; nifer o blant – *a number of children*.

Cyfieithwch:
the number of resources ....
a number of resources ....

the number of collections ....
a number of collections ....

the number of factories ....
a number of factories ....

Siaradwch

- Ydych chi wedi bod yn un o'r gwledydd Celtaidd: Cernyw, Llydaw, Iwerddon, yr Alban neu Ynys Manaw?
- Ydych chi wedi clywed iaith Geltaidd arall yn cael ei siarad?

Gwylio a gwrando 1

Geirfa: brwd corawl degawd bwrlwm clamp o ...
breintiedig tlws cyfeilio beirniadu
cyfeilydd/cyfeilyddes

1. Yn gyntaf, rhowch gylch o gwmpas y geiriau uchod pan fyddwch chi'n eu clywed nhw.

2. Beth sy'n digwydd yn yr Ŵyl Ban Geltaidd? Ticiwch y pedwar dewis cywir.

adloniant stryd	
chwaraeon	
ffair	
hwyl yn y tafarndai	
cystadlu	

3. Enillodd y Brodyr Magee gystadleuaeth y grŵp gwerin. Faint oedd yn cystadlu?

....

4. Enillodd Gwilym Bowen Rhys yr unawd gwerin. Pryd roedd e ar y llwyfan?

....

5. Enillodd Anni Llŷn ar y gân wreiddiol orau. Ym mha gystadleuaeth arall buodd hi'n cystadlu?

....

Gyda'ch partner, trafodwch yr ymadroddion hyn sydd yn y fideo. Allwch chi esbonio eu hystyr nhw yn Gymraeg?

"clamp o gystadleuaeth"

"wrth reswm"

"dod i'r brig"

"er mwyn cadw'r ddysgl yn wastad"

"dan deimlad"

"dw i'n rhacs!"

Gwylio a gwrando 2 – Y Llydaweg a'r Gernyweg

Byddwch chi'n gwylio fideo o Aneirin Karadog ac Ani Saunders yn siarad am y tebygrwydd rhwng y Llydaweg a'r Gernyweg.

Atebwch y cwestiynau hyn:

1. Pam mae'n rhaid bod yn ofalus wrth ofyn am win koc'h (coch) yn Llydaw, yn ôl Aneirin?

....

2. Pan oedd Ani'n fach, beth oedd ymateb pobl pan oedden nhw'n clywed ei bod hi'n siarad Cernyweg?

....

3. Beth sy'n "ddadl dda" ym marn Aneirin?

....

4. Yn ôl Aneirin, pam does dim llythyren **k** yn Gymraeg?

....

5. Pa eiriau Cernyweg sy'n cael eu defnyddio fwyaf ar *Twitter*, yn ôl Ani?

....

6. Pa sant fuodd yn Llydaw ac yng Nghymru?

....

Siaradwch

- Mae Aneirin yn dweud ein bod ni'n defnyddio rhan arall o'n hunain wrth siarad iaith wahanol. Ydych chi'n cytuno? Ydy'ch personoliaeth chi'n wahanol wrth siarad Cymraeg? Ym mha ffordd?

Darllen 2 – Mwy'n astudio'r Gernyweg wedi llwyddiant albwm Gwenno

arholwyr	cymharu	blaenorol	ysgrifennydd
asiantaethau	lleiafrifol	hunaniaeth	hwb
ymwybodol	cynyddol	perchnogaeth	

Mae Gwenno Saunders yn gantores sy'n canu yn Gymraeg ac yn Gernyweg. Dyma erthygl ymddangosodd ar *Cymru Fyw*. Darllenwch yr erthygl a llenwch y bylchau.

Safodd nifer uwch nag .... arholiadau Cernyweg yn 2018 a hynny, yn .... **arholwyr**, achos llwyddiant y gantores o Gymru, Gwenno Saunders. Dywedodd Bwrdd yr Iaith Gernyweg .... 77 o bobl wedi sefyll arholiad yn 2019 – cynnydd o 15% o'i **gymharu** â'r flwyddyn **flaenorol**. Mae'r cynnydd, medd yr **ysgrifennydd** arholiadau Tony Hak, yn rhannol oherwydd llwyddiant yr albwm Cernyweg, Le Kov.

Mae'r Gernyweg ar restr UNESCO, un o **asiantaethau'r** Cenhedloedd Unedig, o .... a allai ddiflannu ac mae'n cael ei chydnabod fel iaith **leiafrifol** gan Gyngor Ewrop.

Hunaniaeth

"Mae albwm Gwenno yn **hwb** ardderchog i'r iaith," .... Mr Hak. "Mae cymaint o bobl yn ei gweld yn amlach .... cwmpas ac maen nhw wedi dangos diddordeb." Ychwanegodd fod pobl Cernyw hefyd yn dod yn .... **ymwybodol** o'u **hunaniaeth** ac o le maen nhw'n dod," meddai.

'Synnwyr o le' yw ystyr Le Kov - ail albwm Gwenno, a .... ei magu yn Gymraeg a Chernyweg. .... Wobr Albwm Cymraeg y Flwyddyn a'r Wobr Gerddoriaeth Gymreig yn 2015 gyda'i halbwm unigol cyntaf, Y Dydd Olaf.

Dywedodd fod defnydd **cynyddol** o'r Gernyweg mewn bywyd o ddydd i .... yn "gyffrous".

Perchnogaeth

"Mae'n eitha' anhygoel bod yr iaith yn fyw," meddai. "Mae hynny'n dangos pa
.... wydn ydy hi achos dydy hi ddim wedi cael llawer o gefnogaeth."
Dywedodd fod yr iaith yn ffordd berffaith o gyflwyno hanesion Cernyw "sydd
â hanes cyfoethog ac anferthol nad ydy llawer o bobol yn ymwybodol ohono".
Mae'n cynnig perspectif arall... mae'n rhywbeth y mae poblogaeth Cernyw yn
teimlo **perchnogaeth** drosto," meddai. "Mae pobl yn dweud 'gadewch i ni ei
defnyddio mewn ffordd ddiddorol neu sy'n gwneud synnwyr i ni".

Siaradwch

- Ydych chi wedi sefyll arholiadau Cymraeg i oedolion? Os ydych chi, ydyn nhw wedi eich helpu chi? Hoffech chi sefyll arholiad Uwch?

- Ydych chi'n hapus i wrando ar ganeuon mewn iaith dydych chi ddim yn ei deall?

- Oes digon o bethau cyffrous yn digwydd yn Gymraeg?

Rhestr wirio
Dw i'n gallu...

deall a defnyddio ffurfiau lluosog amrywiol.	
deall y berthynas rhwng yr ieithoedd Celtaidd.	

Uned 13 – Gwnewch y pethau bychain

Nod yr uned hon yw...

- Defnyddio ffurfiau *for* (ar gyfer, i, dros, er mwyn, am)
- Dysgu am Dewi Sant, a siarad am bobl gymwynasgar a charedig
- Dysgu a defnyddio geirfa ac idiomau newydd

Geirfa

amheuaeth (amheuon)	*doubt(s)*
mynachlog(ydd)	*monastery (monasteries)*

clochdar	*to cackle, to crow, to boast*
darfod	*to end*
enwi	*to name*
gwerthfawrogi	*to appreciate*
gwobrwyo	*to reward*
pryderu	poeni

ar fy marw	*honestly, upon my word*
ar ran	*on behalf of*
coroni'r cyfan	*to crown it all*
diolch o galon	*thank you very much*
halen y ddaear	*salt of the earth*
yma ac acw	*here and there*
yn gefn (i ni)	*supportive (of us)*

cadeirydd(ion)	*chairperson(s)*
creadur(iaid)	*creature(s)*
cyfandir(oedd)	*continent(s)*
dyfyniad(au)	*quotation(s)*
llywodraethwr (-wyr)	*governor(s)*
mynach(od)	*monk(s)*
nawddsant (nawddsaint)	*patron saint(s)*

annisgrifiadwy	*indescribable*
anrhydeddus	*honourable*
cymwynasgar	*helpful*
dall	*blind*
dibynadwy	*dependable*
diwyd	*industrious*
dyfal	*diligent*
eithriadol	*exceptional*
haeddiannol	*worthy*
paganaidd	*pagan*

Geiriau pwysig i mi...

Help llaw – Cyfieithu *for*

Beth yw'r ffurfiau hyn yn Saesneg? Ai *for* neu *about*?

Cymraeg	Saesneg	Cymraeg	Saesneg
ysgrifennu am		siarad am	
pryderu am		edrych am	
disgwyl am		gobeithio am	
cyfnewid am		chwilio am	

Mae sawl ffordd o gyfieithu *for* i'r Gymraeg. Gallwn ni ddefnyddio arddodiaid syml (un gair), e.e. **i**, **dros**, **at** neu **am**, neu arddodiaid cyfansawdd (mwy nag un gair) e.e., **er mwyn** neu **ar gyfer**. Rhaid cofio nad *for* yw ystyr yr arddodiaid hyn bob tro.

am

Weithiau, mae **am** yn cael ei ddefnyddio gyda berfau lle rydyn ni'n defnyddio *for* yn Saesneg, e.e. **chwilio am**. Byddwn ni hefyd yn defnyddio **am** gydag amser ac arian, e.e. Dw i'n **mynd am** dair noson, Ces i'r sgert **am bum punt** yn y sêl. Weithiau byddwn ni'n ei ddefnyddio gyda berfau lle rydyn ni'n defnyddio *about* yn Saesneg, e.e. **dysgu am**.

i

Mae **i** yn cael ei ddefnyddio gyda phobl, e.e. **i fi**, i'r **plant**. Hefyd, byddwn ni'n defnyddio **i** i ddisgrifio ein prydau bwyd, e.e. **i ginio**.

dros

Mae **dros** fel arfer yn awgrymu bod symud yn digwydd (*over*), e.e. **'cerdded dros y caeau'**. Ond, weithiau, byddwn ni'n defnyddio **dros** i gyfieithu *for*, e.e. **chwarae dros Gymru**, **dadlau dros achos**, **ateb dros ffrind**, **gwneud y gwaith cartref drosto fe** (yn ei le fe).

ar gyfer

Byddwn ni'n defnyddio **ar gyfer** pan fyddwn ni'n golygu 'yn baratoad at' (*to prepare for*), e.e. 'Mae'n bwysig adolygu **ar gyfer yr arholiad**'. Hefyd, rydyn ni'n defnyddio **ar gyfer** pan fyddwn ni'n golygu 'i'w roi i', e.e. Bydd angen digon o fwyd **ar gyfer dau gant**.

er mwyn

Ystyr **er mwyn** fel arfer yw pan fydd rhywbeth yn cael ei wneud 'er daioni' (*for the benefit of*), e.e. Mae e'n dysgu Cymraeg **er mwyn y plant**. Dydy e ddim bob tro yn cyfieithu '*for*'; mae'n gallu golygu 'gyda'r bwriad' (*in order to*), e.e. Cododd yn gynnar **er mwyn dal y trên**.

Lluniwch frawddegau gan ddefnyddio'r geiriau isod:

e.e. prynu, ar gyfer > Prynais i ddigon o fwyd ar gyfer pawb.

1. ateb, dros > ....

2. coginio, i > ....

3. chwarae, dros > ....

4. cael, am > ....

5. adeiladu, ar gyfer > ....

6. ymgyrchu, dros > ....

7. gwneud, er mwyn > ....

8. siarad, dros > ....

9. agor, er mwyn > ....

10. agor, ar gyfer > ....

Gwrando – Eitem 'Diolch o galon', Radio Cymru

1. Rhowch gylch o gwmpas y geiriau hyn pan fyddwch chi'n eu clywed nhw:

    creadur   clochdar   cydnabod   haeddiannol   anrhydeddus   eithriadol

2. Gyda pha ddigwyddiad mae J R Owen wedi bod yn weithgar iawn?

    ....

3. Beth yw rhinweddau John?

_____

_____

4. Sut mae John yn cyfrannu at y digwyddiad bob blwyddyn?

_____

_____

5. Beth wnaeth i bobl sylweddoli cymaint oedd cyfraniad John?

_____

_____

6. Beth oedd swydd John a pha mor hir fuodd e yn y swydd honno?

_____

_____

7. Beth yw'r berfenw sy'n cael ei ddefnyddio wrth siarad am y rhinweddau y mae John wedi eu cael oddi wrth ei dad?

_____

_____

Darllen – Dewi Sant

Geirfa:

nawddsant	mynach	cyfandir	mynachlog
dall	dylanwadol	paganaidd	cadeiriol
enwi	gosod	dyfyniad	amheuaeth
dibynadwy			

Dewi Sant yw **nawddsant** Cymru ac rydyn ni'n dathlu ei fywyd ar ddydd Gŵyl Dewi, 1 Mawrth, bob blwyddyn. Ond pwy yn union oedd Dewi?

Roedd yn **fynach** Celtaidd a oedd yn byw yng Nghymru yn ystod y chweched ganrif. Yn ôl yr hanes, Sant, Tywysog Ceredigion oedd ei dad, ac roedd Non, ei fam, yn ferch i bennaeth tiroedd lleol. Bu Non farw yn Llydaw.

Ganwyd Dewi ger Capel Non, sydd heb fod ymhell o Dyddewi. Cyn iddo deithio Cymru a'r **cyfandir** yn pregethu, cafodd ei addysg mewn **mynachlog** yn Hen Fynyw gan fynach **dall** o'r enw Pawliniws.

Tyfodd Dewi yn un o aelodau mwyaf **dylanwadol** Eglwys Geltaidd y cyfnod, gan ledu neges Cristnogaeth ymysg y llwythau **paganaidd**.

Sefydlodd fynachlog yn y porthladd Rhufeinig, Menevia, yn sir Benfro. Yn ddiweddarach, daeth y lle hwn yn ddinas **gadeiriol** wedi ei **henwi** ar ei ôl – Tyddewi.

Un o'r straeon mwyaf adnabyddus amdano yw pan aeth i gyfarfod yn Llanddewibrefi. Gan fod cymaint o dorf yno, doedd llawer ddim yn gallu ei glywed. **Gosododd** Dewi hances ar y llawr cyn sefyll arni, ac yn sydyn, cododd bryn bach o dan ei draed gan ei godi fel y gallai pawb ei weld.

Yn ôl yr hanes, roedd Dewi dros 100 oed pan fu farw ar 1 Mawrth 589. Mae ei bregeth olaf yn cynnwys ei **ddyfyniad** enwocaf:

"Arglwyddi, frodyr a chwiorydd, byddwch lawen a chedwch eich ffydd a'ch cred, a gwnewch y pethau bychain a welsoch ac a glywsoch gennyf i."

Mae llawer o'r hyn rydyn ni'n ei wybod am Dewi yn dod o waith Rhigyfarch ap Sulien, awdur o'r 11eg ganrif a ysgrifennodd *Buchedd Dewi*. Gan iddo ysgrifennu dros 500 mlynedd wedi i Dewi farw, mae **amheuaeth** ynglŷn â pha mor **ddibynadwy** yw rhai o'r hanesion amdano.

1. Nodwch unrhyw eiriau newydd rydych chi wedi eu dysgu wrth ddarllen y darn hwn.
   Allwch chi eu cysylltu â geiriau tebyg sy'n perthyn iddyn nhw?

Geiriau newydd	Geiriau tebyg

2. **Ansoddeiriau lluosog**

   Yn y clip sain, clywon ni fod JR Owen yn "gwneud y pethau bach". Ffurf **unigol** yr ansoddair sy'n cael ei defnyddio, er bod yr enw'n lluosog, **pethau**. Dyma yw'r arfer cyffredin erbyn heddiw, ond mae Dewi Sant yn enwog am y dyfyniad 'Gwnewch y pethau bychain', lle defnyddir ffurf luosog yr ansoddair, **bychain**. Beth am droi rhai o'r enwau unigol yn y darn yn lluosog gan ddewis ansoddair lluosog addas i fynd gyda'r enw? Mae un wedi'i wneud i chi.

Enw lluosog	Ansoddair lluosog
hancesi	gwynion

3. Beth yw arwyddocâd y llefydd hyn yn y darn darllen?

   Tyddewi ....

   ....

   Llanddewibrefi ....

   ....

   Capel Non ....

Gwylio a gwrando – 'Halen y ddaear' – Jean Huw Jones

Byddwch chi'n gwylio clip fideo sy'n dangos Jean Huw Jones yn derbyn gwobr 'Halen y ddaear' am ei gwaith fel llywodraethwraig yn Ysgol Gynradd Rhydaman.

Ar ôl gwylio'r ffilm, nodwch y prif bwyntiau yn y darn yma (o leiaf tri):

1. ....

2. ....

3. ....

Yna, cyfieithwch y brawddegau hyn:

1. *She was the chairwoman of the board of governors for twenty years.*

   ....

2. *Her friends and family came to the school for a celebration.*

   ....

3. *She was stunned when she was given an award for her work.*

   ....

4. *Her friends and staff at the school nominated Jean for the award.*

   ....

5. *Jean enjoyed her work because she did it for the children.*

   ....

Siaradwch

- Ydych chi'n nabod rhywun tebyg i John Owen neu Jean Huw Jones?

- Pa ansoddeiriau fyddech chi'n eu defnyddio i'w disgrifio nhw?

- Ydych chi'n credu y dylai pobl gael eu gwobrwyo fel hyn am eu gwaith? Fyddech chi'n derbyn gwobr am waith cyflogedig neu wirfoddol rydych chi wedi ei wneud?

- O'i gymharu â'r gorffennol, oes llai o bobl fel John a Jean sy'n gwneud y 'pethau bychain' yn ein cymdeithas heddiw? Pam, yn eich barn chi?

Rhestr wirio

Dw i'n gallu...

defnyddio arddodiaid yn gywir wrth gyfieithu *for*.	
siarad am bobl sy'n haeddu clod am fod yn weithgar a chymwynasgar.	

Uned 14 – Llyfrau

Nod yr uned hon yw...
- Deall y gwahaniaeth rhwng **a**, **ac**, **â**, **ag**, **gyda/efo** ac ymarfer eu defnyddio
- Trafod llyfrau ac arferion darllen

Geirfa

cyfrol(au)	*volume(s)*
gwyddbwyll	*chess*

benywaidd	*female, feminine*
bratiog	*tattered, frayed, shoddy*
destlus	*neat, tidy, trim*
di-baid	*ceaseless, non-stop*
hunangynhaliol	*self-supporting, self-sufficient*
trawiadol	*striking, impressive*

cywirdeb	*accuracy, correctness*
dilyniant (dilyniannau)	*follow-up; sequence, progression*
dymuniad(au)	*wish(es)*
eildro	*second time*
gwyddonias	*science fiction*
ychwanegiad(au)	*addition(s), enhancement(s)*

addysgu	*to teach, to educate*
ail-greu	*to recreate*

bellach	erbyn hyn
dal ati	*to keep at it, to persevere*
droeon	*time and again*
mynd â bryd	cadw eich diddordeb a'ch sylw

Geiriau pwysig i mi...

....

....

....

Deialog

Gogledd	De
A: Sut aeth y gwyliau? Gaethoch chi amser da?	**A:** Sut aeth y gwyliau? Gawsoch chi amser da?
B: Gwych. Mi fues i **ac** Eryl yn ne Ffrainc. Dyma lun o'r traeth **a** dynnes i cyn gadael.	**B:** Gwych. Bues i **ac** Eryl yn ne Ffrainc Dyma lun o'r traeth **a** dynnais i cyn gadael.
A: Waw, hyfryd! Arhosoch chi mewn gwesty?	**A:** Waw, hyfryd! Arhosoch chi mewn gwesty?
B: Naddo. Mi aethon ni **â'r** garafán er mwyn i Jac y ci ddod **efo** ni.	**B:** Naddo. Aethon ni **â'r** garafán er mwyn i Jac y ci ddod **gyda** ni.
A: Sut oedd y tywydd?	**A:** Sut roedd y tywydd?
B: Ddim mor braf **â** hynny, a deud y gwir. Ond mi arhosodd hi'n sych ar y cyfan **ac** mi fuon ni'n ymweld **ag** amgueddfeydd **ac** eglwysi.	**B:** Ddim mor braf **â** hynny, a dweud y gwir. Ond arhosodd hi'n sych ar y cyfan **a** buon ni'n ymweld **ag** amgueddfeydd **ac** eglwysi.
A: Mi gaethoch chi fwyd **a** gwin da, mae'n siŵr.	**A:** Cawsoch chi fwyd **a** gwin da, siŵr o fod.
B: Do – bwyd, gwin **a** choffi da. Mi fuon ni'n coginio ar y barbeciw bron bob nos. Roedd 'na farchnad dda yn y dref **a** oedd yn gwerthu cig lleol. Weithiau roedd Eryl yn pysgota **â'i** wialen yn yr afon.	**B:** Do – bwyd, gwin **a** choffi da. Buon ni'n coginio ar y barbeciw bron bob nos. Roedd marchnad dda yn y dre **a** oedd yn gwerthu cig lleol. Weithiau roedd Eryl yn pysgota **â'i** wialen yn yr afon.
A: Pa mor fawr oedd y dre?	**A:** Pa mor fawr oedd y dre?
B: Reit fawr. Tua'r un maint **â** Chaernarfon, ella.	**B:** Eitha mawr. Tua'r un maint **â** Chaerfyrddin, falle.
A: Oedd 'na bobl glên yn y maes carafanau?	**A:** Oedd pobl ffein yn y maes carafanau?
B: Oedd, wrth gwrs. Mi wnaethon ni gyfarfod Cymry hefyd. Maen nhw ym mhobman! Sut mae pethau wedi bod yma?	**B:** Oedd, wrth gwrs. Cwrddon ni **â** Chymry hefyd. Maen nhw ym mhobman! Sut mae pethau wedi bod yma?
A: Yr un peth **ag** arfer **ac** mae hi wedi bwrw galw bob dydd. Dach chi heb golli dim.	**A:** Yr un peth **ag** arfer **ac** mae hi wedi bwrw glaw bob dydd. Dych chi heb golli dim.

Trafodwch y defnydd o **a**, **ac**, **â**, **ag**, **gyda/efo** yn y ddeialog. Bydd esboniad yn **Help llaw.**

Help llaw – a, ac, â, ag, gyda/efo

a/ac

Cysylltair yw **a/ac**, sy'n golygu **and**. Rydyn ni'n defnyddio **ac** cyn llafariaid, ac o flaen rhai geiriau: e.e. mae, roedd, felly, fel, mewn. Ar ôl yr **a** yma, mae **treiglad llaes**, e.e. te a **ch**offi, cerddwyr a **th**eithwyr, plant a **ph**obl ifanc.

> Cawsoch chi fwyd **a** gwin da
> **a** buon ni'n ymweld/**ac** mi fuon ni'n ymweld
> Bues i **ac** Eryl yn ne Frainc/Mi fues i **ac** Eryl yn ne Ffrainc
> amgueddfeydd **ac** eglwysi
> gwin **a** choffi da

a

Fel gwelon ni yn Uned 6, gall **a** heb y to bach fod yn **rhagenw perthynol,** sy'n golygu **which** neu **who**. **Treiglad meddal** sy'n digwydd ar ôl y **rhagenw perthynol** yma. Dydy'r **a** yma ddim yn newid o gwbl o flaen llafariaid.

> Dyma lun o'r traeth **a** dynnais i cyn gadael./Dyma lun o draeth **a** dynnes i cyn gadael.
> Roedd marchnad dda yn y dre **a** oedd yn gwerthu cig lleol./
> Roedd 'na farchnad dda yn y dre **a** oedd yn gwerthu cig lleol.

â/ag

Weithiau, mae **â/ag** yn **arddodiad**. Rydyn ni'n ei ddefnyddio i esbonio sut mae rhywbeth yn digwydd (**by means of**) ac mae'n dilyn nifer o ferfau. **Treiglad llaes** sydd ar ôl yr **arddodiad** yma. Mae'n troi'n **ag** o flaen llafariaid.

> Roedd Eryl yn pysgota **â**'i wialen.
> Aethon ni/Mi aethon ni **â**'r garafán.
> Buon ni/Mi fuon ni'n ymweld **ag** amgueddfeydd.
> Cwrddon ni **â** Chymry (yn ne Cymru).

Mae **â/ag** hefyd yn gallu bod yn **gysylltair**.
> ddim mor braf **â** hynny
> yr un peth **ag** arfer

Wrth gymharu – mor ysgafn **â** phluen; mor swnllyd **ag** anifeiliaid gwyllt. Yma, **as** yw'r ystyr yn Saesneg. Gyda'r berfau **mynd/dod** mae'n golygu **to take/to bring**, er enghraifft:

> Dewch **â** phecyn bwyd efo chi ar y daith.
> Ewch **â**'r sbwriel i'r bin, os gwelwch chi'n dda.

Gyda/gydag

Arddodiad yw **gyda/gydag**, sy'n golygu *with.* Weithiau rydyn ni'n defnyddio **gydag** o flaen llafariaid. Mae **treiglad llaes** ar ôl **gyda**, e.e. "Maen nhw wedi mynd i'r theatr gyda **ch**riw o ffrindiau newydd."

Yn y gogledd, mae **efo** yn cael ei ddefnyddio yn yr un ffordd â **gyda**. Ond, does dim treiglad ar ôl **efo**.

er mwyn i Jac y ci ddod **gyda** ni/er mwyn i Jac y ci ddod **efo** ni.

A

Weithiau, mewn Cymraeg ffurfiol a hefyd ar lafar mewn rhai ardaloedd, byddwch chi'n gweld **A** ar ddechrau cwestiwn, er enghraifft, '**A** glywaist ti'r sŵn mawr neithiwr?'. **Geiryn gofynnol** yw enw'r **A** yma, ac mae **treiglad meddal** yn ei ddilyn. Os ydych chi wedi bod yn un o seremonïau'r Orsedd yn yr Eisteddfod, byddwch chi wedi clywed cwestiwn enwog iawn sy'n dechrau â'r **A** yma, sef "**A oes heddwch?**" Does dim enghraifft yn y ddeialog achos nad ydyn ni fel arfer yn dweud yr **A** yma wrth siarad yn anffurfiol, **ond** mae'r **treiglad meddal** wedi aros ar ddechrau cwestiwn.

Gest ti amser da?

Ymarfer

Llenwch y bylchau yn y brawddegau isod â'r gair cywir.

a   ac   â   ag   gyda/efo

1. .... llaw, dwedwch wrth Ifan mod i'n cofio ato fo.

2. Sam .... Jo sy'n gwneud te .... choffi yn y cyfarfod.

3. Mi ddes i .... anrheg iddyn nhw, i ddiolch am eu gwaith caled.

4. Dw i'n mynd am dro bob dydd .... Anna, Lynwen .... Alffi'r ci.

5. Rhaid i ni ddod .... phecyn bwyd .... ni ar y daith gerdded.

6. Aeth Lowri .... Emyr ar eu gwyliau i Dde Affrica eleni.

7. Paid .... anghofio recordio'r ffilm 'na heno!

8. Ces i anaf cas wrth dorri bara .... chyllell finiog.

9. .... fyddwch chi'n aros mewn gwesty heno?

10. Aethpwyd .... dau ddyn i'r ysbyty .... anafiadau difrifol.

Storom eirfa – Llyfrau

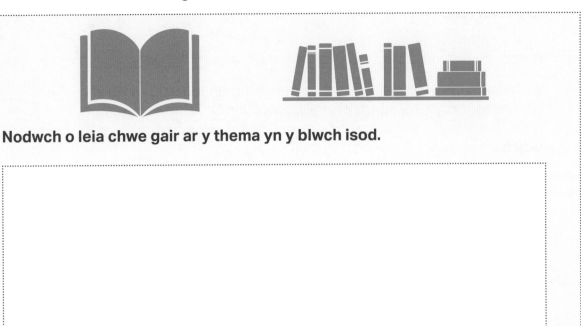

Nodwch o leia chwe gair ar y thema yn y blwch isod.

Beth yw arferion darllen pawb?

Enw	Hoffi darllen llyfrau?	Pa mor aml?	Ffuglen/ ffeithiol?	E-lyfr?

Siaradwch

- Beth oedd y llyfr diwetha i chi ei ddarllen?
- Ydych chi erioed wedi bod yn aelod o glwb llyfrau?
- Ydych chi'n defnyddio eich llyfrgell leol?
- Ydych chi'n credu bod llyfrau'n bwysig y dyddiau hyn? Oes teclyn gyda chi i ddarllen e-lyfrau?

Gwrando

Byddwch chi'n gwrando ar Eirian James, perchennog siop lyfrau yng Nghaernarfon, yn siarad am y llyfr *Straeon Nos Da i Bob Rebel o Ferch*.

Geirfa:

darlun	cyfrol	destlus	mynd â'i bryd
artist benywaidd	ychwanegiad	di-baid	

Ar ôl gwrando ar y darn, rhowch ✔ yn y blychau cywir i gwblhau'r brawddegau.

1. Mae Eirian James yn esbonio bod *Straeon Nos Da i Bob Rebel o Ferch*...

yn llyfr gwreiddiol Cymraeg.	
ar fin cael ei gyfieithu o'r Gymraeg i'r Saesneg.	
wedi cael ei gyfieithu o'r Saesneg i'r Gymraeg.	

2. Yn y llyfr, mae...

hanes 60 o artistiaid benywaidd.	
hanes 100 o ferched pwysig yn hanes y byd.	
hanes 60 o ferched pwysig yn hanes y byd.	

3. Mae'r llyfr Cymraeg yn wahanol achos bod...

Lowri Morgan yn lle Margaret Thatcher yn y fersiwn Gymraeg.	
Lowri Morgan a Margaret Thatcher yn y fersiwn Gymraeg.	
Lowri Morgan a Margaret Thatcher wedi eu tynnu allan o'r fersiwn Gymraeg.	

4. Beth roedd Lowri Morgan yn ei wneud "yn ddi-baid" pan oedd hi'n blentyn?

actio	
rhedeg	
canu	

5. Yn y darlleniad o'r llyfr, mae'r ferch yn dweud am Lowri Morgan...

"... nid yw'n un i adael i neb na dim ei rhwystro rhag cyrraedd y brig." Ydych chi'n gallu meddwl am berson arall fel hyn? Trafodwch gyda'ch partner.

6. "... maes gwahanol iawn aeth â'i **bryd** pan dyfodd yn hŷn." Ystyr **bryd** yw **bwriad** neu **ddymuniad**. Os yw rhywbeth yn 'mynd â'ch bryd', mae'n golygu bod rhywbeth yn cadw eich diddordeb a'ch sylw.

Os ydych chi'n **rhoi eich bryd** ar rywbeth, mae'n golygu eich bod chi'n bwriadu gwneud rhywbeth (yn Saesneg, *to set one's mind on something*.)

Mae **unfryd/unfrydol** yn golygu bod pobl yn cytuno â rhywbeth a'u bod nhw'n credu'r un peth, sef *unanimous* yn Saesneg.

Gyda'ch partner, llenwch y bylchau yn y brawddegau isod,
gan gofio treiglo'n gywir ar ôl y rhagenwau (fy, dy, ei, ac yn y blaen).

i. Pan o'n i'n blentyn, actio oedd yn mynd â .... , ond dechreuais i fwynhau mathemateg yn yr ysgol uwchradd.

ii. Penderfynodd y pwyllgor .... roi caniatâd cynllunio i'r ysgol newydd.

iii. Roedd fy mab wedi rhoi .... ar fynd i'r brifysgol, ond chafodd o mo'r graddau angenrheidiol, yn anffodus.

iv. Gwyliau yn Sbaen sy'n mynd .... nhw. Maen nhw eisiau torheulo!

v. Gemau cyfrifiadurol yw'r unig beth sy'n mynd .... hi y dyddiau hyn.

vi. Rwyt ti wedi rhoi .... ar yr esgidiau 'na, ond cofia fod gen ti filiau i'w talu!

vii. Setiau trenau bach sy'n mynd .... e, felly mae cwt i gadw'r trenau yn yr ardd.

viii. Doedd y beirniaid ddim ...., felly roedd dewis enillydd yn benderfyniad anodd.

Siaradwch

- Beth oedd yn mynd â'ch bryd chi pan oeddech chi'n blentyn?

Darllen

Enillodd *Llyfr Glas Nebo* Fedal Ryddiaith Eisteddfod Genedlaethol Caerdydd yn 2018. Mae'n adrodd stori Rowenna a'i mab Siôn, sydd wedi goroesi trychineb ofnadwy a elwir 'Y Terfyn'. Mae'n rhaid i'r ddau ddysgu byw'n **hunangynhaliol**, heb drydan a thechnoleg y byd modern. Un cysur i'r ddau yw llyfrau – er nad oedd Rowenna yn darllen llyfrau cyn Y Terfyn, fel y gwelwch chi yn y darn isod.

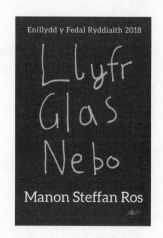

Geirfa:

hunangynhaliol	eildro	bratiog	droeon	cywirdeb
bellach	diffygion	hawlio		

Doedd 'na ddim llawer o lyfrau i blant yn y tŷ, felly dechreuais ddarllen y nofelau allan yn uchel i Siôn gyda'r nos, er nad oedd o'n eu deall nhw i gyd i ddechrau. Ond doedd o ddim yn hir yn dod. Erbyn ei fod o'n ddeg, roedd o'n darllen *Cysgod y Cryman* am yr **eildro** ac yn gwybod darnau o *Mochyn Gwydr* ar ei gof. Dyna ddigwyddodd pan mai unig addysg fy mab oedd trin y tir a darllen llyfrau Cymraeg. Roedd Siôn yn darllen popeth ac yn gallu edrych ar ôl ei hun erbyn yr oed y byddai wedi dechrau yn yr ysgol uwchradd yn yr hen fyd. Gwyddai gymaint yn fwy nag y byddai'r ysgol wedi'i ddysgu iddo.

A finnau, wrth gwrs. Yr un dwp, anweledig o set isaf yr ysgol, yr un oedd yn defnyddio geiriau Saesneg ac yn torri gormod o reolau gramadeg i wneud yn dda. Yr un y dywedodd Miss Elis Cymraeg amdana i yn fy adroddiad Blwyddyn 8: *Iaith* **bratiog**, *lafar ac anghywir sydd i'w gweld yng ngwaith Rowenna fel arfer.* Wel, dwi wedi darllen y llyfrau i gyd **droeon**, a dwi'n dallt beth ydy **cywirdeb** rŵan. Dwi'n nabod T.H. Parry-Williams a Kate Roberts a Ceiriog. Dwn i ddim lle mae Miss Elis Cymraeg **bellach** – wedi marw, mae'n siŵr – ond dwi'n dal yn flin efo hi am ei **diffygion**. Petai'r Terfyn heb ddigwydd, byddwn i'n dal i feddwl nad rhywbeth i fi oedd y llyfrau yma, nad oeddwn i'n ddigon da i'w **hawlio** nhw.

1. Mae Rowenna yn dweud bod Siôn yn 'trin y tir'. Allwch chi a'ch partner feddwl am eiriau neu ymadroddion eraill sy'n cynnwys **trin**? Nodwch nhw fan hyn.

2. Ystyr **gwyddai** yw 'Roedd e/o/hi'n gwybod.' **Gwydd-** yw bôn y ferf yn yr Amser Presennol a'r Amser Amherffaith. Er gwybodaeth, dyma rediad y berfau:

Amser Presennol	Amser Amherffaith
Gwn i	Gwyddwn i
Gwyddost ti	Gwyddet ti
Gŵyr e/o/hi	Gwyddai e/o/hi
Gwyddon ni	Gwydden ni
Gwyddoch chi	Gwyddech chi
Gwyddan nhw	Gwydden nhw

Mae **dwn i ddim** yn ymadrodd yn y darn. Edrychwch ar yr ymadroddion eraill sy'n defnyddio'r ferf gwybod.

Am wn i./Hyd y gwn i.
Wyddoch chi ...?
Wn i ddim. / Dwn i ddim.
Pwy a ŵyr? / Duw a ŵyr.
Yr hen a ŵyr, yr ifanc a dybia.
Ac yn y gogledd: **Wyddost ti be?** sydd weithiau yn troi'n **(W)sti be?**

Gyda'ch partner, ailysgrifennwch y brawddegau isod gan ddefnyddio Cymraeg llai ffurfiol.

i. Ni wn pwy a ysgrifennodd *Cysgod y Cryman*.

....

ii. Wyddost ti pwy a enillodd Llyfr y Flwyddyn eleni?

....

iii. Gwydden ni fod y llyfr ar gael yn y llyfrgell.

....

iv. A wyddoch chi pwy yw awdur *Mochyn Gwydr*?

....

v. A wyddech chi fod clwb llyfrau yn y pentref?

....

3. Beth dych chi'n feddwl oedd diffygion yr athrawes?

....

....

Siaradwch

- Oeddech chi'n mwynhau darllen pan oeddech chi'n blentyn?
- Pa lyfrau sy wedi aros yn eich cof ers dyddiau'r ysgol?
- Ydych chi wedi datblygu diddordeb mewn rhywbeth doeddech chi ddim yn ei hoffi yn yr ysgol?
- Pa mor bwysig yw addysg y tu allan i'r ysgol?

Gwylio a gwrando – Y Lolfa

Byddwch chi'n gwylio fideo am Wasg y Lolfa, ac yn dysgu am y broses o wneud llyfr.

1. Wrth wylio am y tro cyntaf, ysgrifennwch unrhyw eiriau byd llyfrau rydych chi'n eu clywed. Byddwch chi'n gweld rhai o'r geiriau hyn ar y sgrin.

2. Beth sy'n cysylltu Manon Steffan Ros â Nigel Owens?

....

....

....

3. Mae'r Lolfa hefyd yn gwmni argraffu. Enwch o leia dri pheth maen nhw'n eu hargraffu i bobl eraill.

4. Beth yw arwyddocâd y rhifau hyn yn y fideo?

1967 ....

6 ....

4 ....

15,000 ....

100 ....

5. Mae Paul yn dod o Geredigion, ac mae'n defnyddio rhai geiriau tafodieithol diddorol. Gwrandewch yn ofalus. Beth mae e'n ei ddweud yn lle...?

eisiau - .... gyda - .... cyllell - ....

Siaradwch

- Ydych chi wedi darllen unrhyw lyfrau sy'n cael eu henwi yn y fideo?
- Ydych chi wedi darllen unrhyw lyfrau gan Y Lolfa, yn Gymraeg neu yn Saesneg?
- Mae Paul yn dweud bod rhai llyfrau yn y warws ers hanner can mlynedd. Oes 'na rai llyfrau ar eich silffoedd chi ers blynyddoedd, heb eu darllen? Pam nad ydych chi wedi'u darllen?
- Ydych chi erioed wedi rhoi llyfr yn anrheg i rywun?

Darllen

Llenwch y bylchau gydag **a/ac, a, gyda/efo.**

Geirfa:

dilyniant	amrywiaeth	gwyddonias
gwyddbwyll	ail-greu	trawiadol

Islwyn Ffowc Ellis
1924–2004

Roedd Islwyn Ffowc Ellis yn awyddus i ysgrifennu nofelau ysgafn ....chyffrous .... fyddai'n apelio at bobl ifanc. Ef yw awdur y nofel Gymraeg sydd wedi gwerthu orau erioed, sef *Cysgod y Cryman* .... gyhoeddwyd yn 1953.
Ysgrifennodd **ddilyniant** iddi, sef *Yn ôl i Leifior*, ...
amrywiaeth o weithiau llenyddol, gan gynnwys y nofel **wyddonias**, *Wythnos yng Nghymru Fydd*. Islwyn Ffowc Ellis oedd y person cyntaf erioed i fod yn awdur Cymraeg amser llawn.

Kate Roberts
1891–1985

Magwyd Kate Roberts mewn bwthyn o'r enw Cae'r Gors ym mhentref Rhosgadfan yng Ngwynedd. Ei phlentyndod yw cefndir llawer o'i nofelau .... 'i chyfrolau o straeon byrion cynnar, fel *O Gors y Bryniau, Deian a Loli* .... *Traed Mewn Cyffion*. Buodd Kate Roberts yn athrawes yn Nolbadarn, Ystalyfera .... Aberdâr. Ar ôl priodi, symudodd i Ddinbych lle'r oedd hi'n rhedeg Gwasg Gee .... gŵr. Roedd gweithiau olaf Kate Roberts yn fwy tywyll .... unigrwydd yn thema amlwg ynddyn nhw.

T. Llew Jones
1915–2009

Cyhoeddodd T. Llew Jones dros hanner cant o lyfrau. Nofelau anturus i blant yw llawer ohonyn nhw, ... maen nhw'n aml yn cynnwys cymeriadau hanesyddol fel Harri Morgan (*Trysor y Môr-Ladron*) .... Twm Siôn Cati (*Y Ffordd Beryglus, Ymysg Lladron, Dial o'r Diwedd*).

Enillodd gadair yr Eisteddfod Genedlaethol ddwywaith. Ei ddiddordeb mawr arall oedd **gwyddbwyll**, ... buodd yn rheolwr Tîm **Gwyddbwyll** Cymru yn 1974. Yn 2012, agorwyd ysgol gynradd newydd ger Llandysul o'r enw Ysgol T. Llew Jones.

Matthew Rhys
Geni: 1974

Actor o Gaerdydd yw Matthew Rhys, sydd wedi actio mewn ffilmiau mawr yn Hollywood. Yn 2018, enillodd Emmy am ei ran yn y gyfres deledu, *The Americans*. Yn 2010, cyhoeddodd Matthew Rhys lyfr dwyieithog o'r enw *Patagonia: Croesi'r Paith*. Mae'r llyfr yn gofnod o daith 700 km .... wnaeth ar gefn ceffyl yn 2005 .... grŵp o ddynion o'r Wladfa. Roedden nhw eisiau **ail-greu** taith .... wnaed yn 1885, i ddod o hyd i dir gwell yn yr Andes. Mae'r llyfr yn cynnwys lluniau **trawiadol** .... disgrifiadau byw o'r teithwyr.

Rhestr wirio
Dw i'n gallu...

deall y gwahaniaeth rhwng **a, ac, â, ag, gyda/efo**.	
trafod llyfrau ac arferion darllen.	

Uned 15 – Garddio

Nod yr uned hon yw...

- Dysgu ac ymarfer patrymau sy'n defnyddio'r arddodiad **i**, (e.e. oes modd i ti, gwell i ti, erbyn i ti, croeso i ti, mae'n iawn i ti, eisiau i ti)
- Trafod garddio a gerddi arbennig

Geirfa

betysen (betys)	*beetroot*
iarlles(au)	*countess(es)*
panasen (pannas)	*parsnip(s)*
ywen (yw)	*yew(s)*

cylchdroi	*to rotate*
uniaethu (â)	*to identify (with)*

chwynnyn (chwyn)	*weed(s)*
gwreiddlysiau	*root vegetables*
iarll (ieirll)	*earl(s), count(s)*
perlysieuyn (perlysiau)	*herb(s)*
pla (plâu)	*pest(s) (yn yr ardd)*

cynhenid	*inherent, innate, inborn*
gwyrthiol	*miraculous, remarkable*

Geiriau pwysig i mi...

....

....

....

....

....

Deialog

Gogledd	De
Y Bòs: Bore da Eryl, **oes modd i ti** ffonio Rhydian Jones bore 'ma?	**Y Bòs**: Bore da Eryl, **oes modd i ti** ffonio Rhydian Jones y bore 'ma?
Eryl: Mi anfona i ebost ato fo.	**Eryl**: Anfona i ebost ato fe.
Y Bòs: Na, **mae'n well i ti** ei ffonio fo. **Mae angen i ni** drafod mater reit gymhleth.	**Y Bòs**: Na, **mae'n well i ti** ei ffonio fe. **Mae angen i ni drafod** mater eitha cymhleth.
Eryl: O, mae o'n siarad am oesoedd ar y ffôn. Dw i'n meddwl **basai hi'n well i mi** anfon ebost ato fo.	**Eryl**: O, mae e'n siarad am oesoedd ar y ffôn. Dw i'n credu **byddai hi'n well i fi** hala ebost ato fe.
Y Bòs: Na fasai, Eryl. **Erbyn i ti** sgwennu'r manylion i gyd mewn ebost, bydd o wedi mynd adra i gael cinio. **Dw i isio i ti** ei ffonio fo. Rŵan, plîs.	**Y Bòs**: Na fyddai, Eryl. **Erbyn i ti** sgrifennu'r manylion i gyd mewn ebost, bydd e wedi mynd adre i gael cinio. **Dw i isie i ti** ei ffonio fe. Nawr, plîs.
Eryl: Iawn.	**Eryl**: Iawn.
Y Bòs: **Mae croeso i ti** ddefnyddio fy swyddfa i, **er mwyn i ti** gael ychydig o lonydd.	**Y Bòs**: **Mae croeso i ti** ddefnyddio fy swyddfa i, **er mwyn i ti** gael tamed bach o lonydd.
Eryl: Iawn, diolch.	**Eryl**: Iawn, diolch.
Y Bòs: Ac Eryl? Gan dy fod di ar dy draed... **oes modd i ti** wneud coffi i mi, plîs? **Mae'n iawn i ti** gael un hefyd, wrth gwrs.	**Y Bòs**: Ac Eryl? Gan dy fod di ar dy draed... **oes modd i ti** wneud coffi i fi, plîs? **Mae'n iawn i ti** gael un hefyd, wrth gwrs.
Eryl: Hmff.	**Eryl**: Hmff.

Ymarferion

Oes modd i ti...?

Mae fy nghyfrifiadur i wedi torri.

Mae fy mheiriant golchi i wedi torri.

Mae fy ffeil i wedi torri.

Mae fy meic i wedi torri.

Mae fy nghadair i wedi torri.

Mae fy ffôn i wedi torri.

Mae fy allwedd/ngoriad i wedi torri.

Mae fy allweddi/ngoriadau i wedi torri.

Mae fy nghamera i wedi torri.

Oes modd i ti ei drwsio fe/fo?

Erbyn i ti...
Dw i wedi colli'r bws.

Rwyt ti wedi colli'r bws.
'Dyn/Dan ni wedi colli'r bws.
Maen nhw wedi colli'r bws.
Mae hi wedi colli'r bws.
Mae Siôn wedi colli'r bws.
Dw i wedi colli'r bws.

Erbyn i ti gyrraedd, bydd hi'n rhy hwyr.

Mae croeso i ti...
Hoffwn i ysgrifennu/sgwennu adolygiad.

Hoffai hi ysgrifennu/sgwennu adolygiad.
Hoffen nhw ysgrifennu/sgwennu adolygiad.
Hoffen nhw fuddsoddi yn y cwmni.
Hoffen ni fuddsoddi yn y cwmni.
Hoffai Jac fuddsoddi yn y cwmni.
Hoffai Jac fod yn gadeirydd.
Hoffwn i fod yn gadeirydd.
Hoffai hi fod yn gadeirydd.

Mae croeso i ti ysgrifennu/ sgwennu adolygiad.

Mae eisiau/isio i chi...
Rhaid i mi gofrestru ar gyfer y cwrs.

Dw i wedi colli fy ngherdyn debyd.
Mae sŵn rhyfedd yn y car.
Collais i'r bws eto y bore 'ma./
Mi wnes i golli'r bws eto bore 'ma.
Mae llawer gormod o waith gyda fi./
Mae gen i lawer gormod o waith.
Mae fy ffôn i wedi torri.
Mae'r ardd yn edrych fel jyngl.

Mae eisiau/isio i chi ffonio'r swyddfa.

Help llaw

• Rydyn ni'n defnyddio'r **arddodiad i** yn aml iawn mewn ffordd syml, er enghraifft i ddweud ein bod yn mynd i rywle, neu'n rhoi rhywbeth i rywun.

• Rydyn ni'n defnyddio **i** gyda llawer o **ferfenwau**, er enghraifft:

> caniatáu i / gadael i rywun wneud rhywbeth
> cynnig i
> dangos i
> gofyn i
> gorchymyn i
> diolch i
> llwyddo i

• Rydych chi eisoes wedi dysgu rhai **patrymau** sydd dan reolaeth **yr arddodiad i**, er enghraifft:

> **Rhaid i mi** fynd.
> Na, **mae'n well i ti** ei ffonio fo/fe.
> Mae **angen i ni** drafod mater reit gymhleth / eitha cymhleth.
> **Er mwyn i ti** gael ychydig o lonydd. / **Er mwyn i ti** gael tamed bach o lonydd.

Oes modd i...
Gallwn ni ddefnyddio **Oes modd i chi?** yn lle **Allwch chi/Fedrwch chi?** neu **Wnewch chi?** Byddwch chi'n clywed hyn mewn sgyrsiau ffurfiol a chwrtais.

> **Oes modd i ti** ffonio Rhydian Jones y bore 'ma?

Erbyn i...
Mae **erbyn i** yn golygu *by the time*.

> **Erbyn i ti** sgwennu/sgrifennu'r manylion...

Croeso i...
Os oes **croeso i chi** wneud rhywbeth, mae pob hawl i chi ei wneud.

> Mae **croeso i ti** ddefnyddio fy swyddfa i.

Mae'n iawn i...
Gallwch chi ddefnyddio **mae'n iawn i** mewn dwy ffordd.

> **Mae'n iawn i ti** gael un hefyd. *It's fine/alright for you to have one too.*

> Neu:

> **Mae'n iawn i ti** – rwyt ti'n cael cyflog uwch na fi. *It's alright for you – you get a higher wage than me.*

Ond, i ddweud *It's alright for some*, yr ymadrodd Cymraeg cywir yw **Braf ar rai**.

Eisiau/isio i...
Dyma enghreifftiau o **eisiau/isio i:**
Mae eisiau i ti ei ffonio fe./**Mae isio i ti** ei ffonio fo.
Dw i eisiau i ti ei ffonio fe./**Dw i isio i ti** ei ffonio fo.

Ymarfer

Dewiswch yr ymadrodd cywir i lenwi'r bylchau yn y brawddegau isod, gan dreiglo a rhedeg yr arddodiad **i** lle mae angen.

oes modd i   gwell i   erbyn i   rhaid i   croeso i x2   angen i x2

mae'n iawn i   eisiau i

1. Mae'n .... aros gartref heddiw. Rwyt ti'n edrych yn sâl iawn.

2. Dylen ni fod wedi codi'n gynnar. Bydd .... yrru i Gaerdydd.

.... gyrraedd yr orsaf, bydd y trên wedi mynd.

3. Mae hi wedi bod trwy amser anodd yn ddiweddar, felly ....

gyflwyno ei gwaith yn hwyr.

4. Dewch yma, os gwelwch yn dda. Dw i .... fy helpu i dacluso.

5. Dywedwch wrthyn nhw fod .... aros yma i ginio. Mae digon

o fwyd i bawb.

6. .... ddod i fy swyddfa i fory? Mae ....

drefnu amserlen y mis nesaf.

7. Peidiwch â phoeni – does dim .... wisgo'n smart i'r parti.

8. Mae .... ddod â'i bartner i'r cinio hefyd.

Cyfieithwch:

1. *You'd better clean your shoes before going out.*

2. *You'd better cut the lawn before going on holiday.*

3. *By the time you cook the food on the barbecue, it will be dark.*

4. *She wants you to plant more trees in the garden.*

5. *Wait here until you hear the bell ringing.*

Storom eirfa – Garddio

Nodwch o leia chwe gair ar y thema yn y blwch isod.

Disgrifio gardd

Byddwch chi a'ch partner yn cael lluniau o wahanol erddi. Byddwch chi'n disgrifio eich gardd chi i'ch partner, a'ch partner yn disgrifio ei (g)ardd i chi. Gwrandewch ar y disgrifiad, a thynnwch lun. Pa mor debyg i lun eich partner yw eich llun chi?

Siaradwch

- Oes gennych chi ardd?
- Ydych chi'n hoffi garddio?
- Oes rhaid gwario llawer o arian i fwynhau garddio?
- Beth arall dych/dach chi'n ei wneud yn yr ardd?
- Ydych chi'n mwynhau treulio amser tu allan?

Darllen – 'Y Border Bach'

Geirfa: uniaethu (â)   gwyrthiol

'Y Border Bach' yw un o gerddi Cymraeg enwocaf y ganrif ddiwethaf, ac mae'n siŵr mai dyma'r gerdd Gymraeg enwocaf am arddio. Cyfansoddwyd y gerdd gan William 'Crwys' Williams (1875 –1968), bardd o Graig Cefn Parc, Cwm Tawe. Crwys oedd ei enw barddol, ac fe enillodd goron yr Eisteddfod Genedlaethol dair gwaith. Roedd yn weinidog, a buodd yn Archdderwydd rhwng 1939 ac 1947.

Daeth 'Y Border Bach' yn boblogaidd iawn ar ôl ei chyhoeddi yn 1920. Roedd llawer o bobl yn gallu **uniaethu â**'r geiriau, a oedd yn sôn am wraig gyffredin yn gofalu'n dyner am ei gardd fach syml. Yn 1945 cyhoeddwyd cerddoriaeth i gyd-fynd â'r geiriau, ac mae'r gân hon yn dal i fod yn ddewis poblogaidd i unawdwyr mewn eisteddfodau a chyngherddau.

Y Border Bach (detholiad)

Gydag ymyl troetffordd gul
A rannai'r ardd yn ddwy,
'Roedd gan fy mam ei border bach
O flodau perta'r plwy.

Gwreiddyn bach gan hwn a hon
Yn awr ac yn y man,
Fel yna'n ddigon syml y daeth
Yr Eden fach i'w rhan.

A, rywfodd, byddai lwc bob tro,
Ni wn i ddim paham,
Ond taerai 'nhad na fethodd dim
A blannodd llaw fy mam.

Blodau syml pobol dlawd
Oeddynt, bron bob un,
A'r llysiau **gwyrthiol** berchid am
Eu lles yn fwy na'u llun.

Hawlfraint Crwys
Cyhoeddwyd yn wreiddiol gan Wasg Aberystwyth. Trwy ganiatâd Gwasg Gomer.

1. Mae'r bardd yn dweud bod ei fam yn cael 'Gwreiddyn bach gan **hwn a hon**' i'r ardd. Ystyr **hwn a hon** yw *him and her* mewn ffordd gyffredinol.

Ymadroddion tebyg yw **hwn a'r llall**, neu **hwn, llall ac arall**, sy'n golygu *this, that and the other*. Gyda'ch partner, llenwch y bylchau yn y brawddegau isod gan ddefnyddio **hwn**, **hon** neu **hyn**.

i. Mae'r tri garddwr .... yn gweithio yn yr ardd ....

ii. Dydy'r planhigion .... ddim yn blodeuo bob blwyddyn.

iii. Fy nhad-cu oedd piau'r tŷ gwydr ....

iv. Mae'r blodyn .... yn denu llawer o wenyn i'r ardd.

v. Cafodd y blodau .... eu plannu yn y gwanwyn.

vi. Mae'r gath .... yn hoffi crwydro i erddi'r cymdogion.

vii. Mae'r perlysiau .... yn dda at bob math o afiechydon.

viii. Bydd y dail .... yn troi'n goch yn yr hydref.

ix. Mae'r ddwy goeden .... wedi plygu yn y gwynt.

x. Mae'r trychfilod .... yn dipyn o broblem yn yr ardd lysiau.

2. Beth yw ystyr 'yn awr ac yn y man'? Allwch chi feddwl am ffordd arall o ddweud hynny yn Gymraeg?

....

3. Edrychwch ar y llinellau hyn:

> A'r llysiau **gwyrthiol** berchid am
> Eu lles yn fwy na'u llun.

Mae'r bardd yn dweud bod y llysiau yn cael eu parchu am eu lles (hynny yw, maen nhw'n dda i ni) yn fwy na'u llun (y ffordd maen nhw'n edrych). Allwch chi feddwl am eiriau neu ymadroddion eraill sy'n cynnwys **lles**? Nodwch nhw isod.

....

Siaradwch

- Ydych chi'n prynu blodau?
- Ydych chi'n adnabod garddwr dawnus, fel mam Crwys?
- Ydych chi'n gwybod enwau unrhyw flodau yn Gymraeg?
- Ydych chi'n defnyddio unrhyw feddyginiaethau amgen?
- Ydych chi'n hoffi mynd i ganolfannau garddio?

Cylchdroi cnydau

Mae atebion i'r cwestiynau hyn gan aelodau o'ch dosbarth. Ewch o gwmpas y dosbarth i ganfod yr atebion.

Atebwch y cwestiynau:

1. Beth yn union yw cylchdroi cnydau?

2. Sut mae cylchdroi cnydau'n helpu i reoli chwyn?

3. Sut mae cylchdroi cnydau'n helpu i reoli plâu?

4. Sut mae rhannu'r ardd er mwyn cylchdroi cnydau?

5. Enwch ddau lysieuyn sy'n perthyn i deulu'r gwreiddlysiau.

6. Dros ba gyfnod dylech chi gylchdroi'r cnydau?

7. Pa gnydau sy ddim yn cael eu cylchdroi?

Gwylio a gwrando – *Cynefin*

Byddwch chi'n gwylio eitem o'r rhaglen *Cynefin* sy'n sôn am erddi arbennig Castell Powis.

Geirfa: iarll   iarlles   cynhenid   yw

Rhowch gylch o gwmpas y geiriau uchod pan fyddwch chi'n eu clywed nhw. Yna, atebwch y cwestiynau gyda'ch partner.

1. I ba gyfeiriad o'r Trallwng mae Castell Powis?

....

2. Beth yw arwyddocâd y rhifau hyn yn y fideo?

1595 ....

400 ....

300 ....

7 ....

3. Pwy adeiladodd y castell yn wreiddiol?

....

4. Pam adeiladon nhw'r castell?

....

5. Ym mha ganrif adeiladwyd y castell?

....

6. Beth sy'n 'gynhenid' i Gastell Powis?

....

7. Pam newidiodd yr Iarlles Violet yr ardd, o fod yn 'ardd gegin' i fod yn 'ardd ffurfiol'?

....

8. Pa batrwm sy'n cael ei dorri i'r gwair eleni? Pam?

....

Siaradwch

- Mae Heledd Cynwal yn dweud bod yr olygfa o'r castell "yn mynd â d'ana'l di, bron". Pa olygfa sy'n mynd â'ch anadl chi, neu wedi mynd â'ch anadl chi?

- Ydych chi wedi ymweld â Chastell Powis, neu erddi tebyg i Gastell Powis?

- Ydych chi'n aelod o'r Ymddiriedolaeth Genedlaethol, neu unrhyw sefydliad arall sy'n rhoi mynediad i chi i erddi arbennig?

Rhestr wirio
Dw i'n gallu...

defnyddio ymadroddion **i** yn gywir.	
siarad am arddio a gerddi.	

Uned 16 – Yr Eisteddfod Genedlaethol

Nod yr uned hon yw...

- Ymarfer a defnyddio'r arddodiad **o** (yn falch o, yn benderfynol o, yn dueddol o, yn siŵr o, yn sicr o, o gymharu â, o ganlyniad i.)
- Dysgu am yr Eisteddfod Genedlaethol

Geirfa

cofrestr(i)	register(s)
coron(au)	crown(s)
llên	llenyddiaeth
rhyddiaith	prose
Yr Iseldiroedd	Netherlands

blaenllaw	prominent
coffa	memorial
llenyddol	literary
rhanbarthol	regional

cynilo	to save (arian)
llefaru	to speak

o bwys	pwysig

ansicrwydd	uncertainty, doubt
arwyddocâd	significance
croesair (croeseiriau)	crossword(s)
darlleniad(au)	reading(s)
derwydd(on)	druid(s)
difancoll	oblivion
dwrn (dyrnau)	fist(s)
maen (meini)	stone(s), rock(s)
pafiliwn (pafiliynau)	pavilion(s)
rhagbrawf (rhagbrofion)	preliminary (-ies)
teilyngdod	merit, worthiness
unawd(au)	solo(s)

Geiriau pwysig i mi...

....

....

Yr Arddodiad o

Mae hi'n gweithio'n galed iawn.

Mae hi'n ymarfer yn galed ar gyfer
y gystadleuaeth.

Mae hi'n cynilo bob wythnos.

Mae hi'n ymarfer Cymraeg bob mis.

Mae hi ar ddeiet.

Mae hi'n benderfynol o lwyddo.

Dydy'r plant ddim wedi codi eto.

Dydy'r plant ddim wedi bwyta eu llysiau.

Dydy'r plant ddim wedi gwylio'r teledu
ers tipyn.

Dydy'r plant ddim wedi gwisgo.

Dydy'r plant ddim wedi dod â'r arian/pres
i'r ysgol.

Maen nhw'n dueddol o gysgu'n hwyr.

Mae llawer o bobl yma.

Mae fy chwaer wedi cael babi.

Rhaid dy fod wedi cael taith ofnadwy
yn y tywydd 'ma.

Clywais i fod yr arholiad yn anodd iawn.

Mae tair wythnos yn yr ysbyty'n amser hir.

Dw i'n falch o weld y neuadd yn llawn.

Help llaw

Weithiau, mae'n anodd cofio pryd i ddefnyddio **i** a phryd i ddefnyddio **o** mewn
ymadroddion Cymraeg. Does dim rheolau, ond isod fe welwch chi ymadroddion
cyffredin a defnyddiol sy'n cynnwys **o**.

yn falch o
Dw i'n falch o weld y neuadd yn llawn ar gyfer y cyngerdd.
happy, pleased

yn benderfynol o
Roedd Harri'n benderfynol o orffen y croesair, er ei bod hi bron yn hanner nos.
determined, resolute

yn dueddol o
Mae pawb yn dueddol o adael y swyddfa'n gynnar ar ddydd Gwener.
inclined, liable, susceptible, tend to

yn siŵr o / yn sicr o

Roedd gwaith Morus yn ardderchog ac roedd o'n siŵr o gael marciau llawn yn y prawf.

Roedd Siân yn sicr o'i ffeithiau ac yn aelod gwerthfawr o'r tîm Cwis Tafarn.
certain, sure

Ymadrodd arall (anffurfiol) sy'n cael ei ddefnyddio'n aml ar lafar yw **bownd o**, sy'n golygu yr un peth â **yn siŵr o / yn sicr o** (*bound to* yn Saesneg)
Mae hi'n bownd o gwympo yn y sodlau uchel 'na.

Weithiau, mae **o** yn dod ar ddechrau ymadrodd hefyd:

o gymharu â

O gymharu â'r Iseldiroedd, dydyn ni ddim yn defnyddio ein beiciau'n aml yng Nghymru.
compared to

o ganlyniad i

Mae nifer o bobl wedi cyfrannu arian o ganlyniad i'r apêl.
as a result of

o ystyried

O ystyried y tywydd ofnadwy, roedd y gynulleidfa'n dda iawn.
considering

Ymarfer

Llenwch y bylchau ag un o'r ymadroddion isod. Efallai y bydd mwy nag un ymadrodd yn gwneud synnwyr mewn ambell frawddeg.

yn falch o / yn benderfynol o / yn dueddol o / yn siŵr o / yn sicr o / o gymharu â / o ganlyniad i

1. "Mae Cwmni Adeiladu Jones a Griffiths .... noddi cystadleuaeth y Goron yn yr Eisteddfod eleni."

2. .... Eisteddfod y llynedd, roedd y tywydd yn yr Eisteddfod eleni'n braf iawn.

3. Mae hi'n .... fod yn llawn yn y pafiliwn ar ddiwrnod y Cadeirio.

4. Rhedodd Alys â'i gwynt yn ei dwrn. Roedd hi'n .... gyrraedd Maes B cyn i'w hoff fand ddechrau chwarae.

5. Mae diwedd wythnos yr Eisteddfod Genedlaethol yn .... fod yn brysurach na'r dechrau.

6. Roedd rhaid cynnal y ddrama ar ddwy noson ....'r galw mawr am docynnau.

7. Mae e'n .... ennill y Fedal Ryddiaith ryw ddydd, gan ei fod e wedi dod yn agos i'r brig sawl gwaith.

8. Y côr yna wnaiff ennill – dw i'n .... hynny.

9. Dw i'n .... gael cyfle i ymarfer fy Nghymraeg yn yr Eisteddfod.

10. Roedd y plant yn .... weld eu hoff gymeriadau Cyw ar ôl y sioe ar stondin S4C.

Gyda'ch partner, lluniwch frawddegau gan ddefnyddio'r ymadroddion isod.

yn falch o	
yn benderfynol o	
yn dueddol o	
yn siŵr o	
yn sicr o	
o gymharu â	
o ganlyniad i	
o ystyried	

Geirfa eisteddfodau

Gyda'ch partner, cysylltwch y gair â'r diffiniad cywir.

rhagbrawf	Person sy'n gwneud yn siŵr bod côr neu grŵp offerynnol yn perfformio'n gywir.
eisteddfod gadeiriol	Y person yma sy'n penderfynu pwy yw'r gorau.
eisteddfota	Mae person gwahanol yn cael ei ddewis bob dydd i roi araith ar y llwyfan.
teilyngdod	Mae'n rhaid cael un o'r rhain i ddewis y tri (fel arfer) sy'n mynd i berfformio ar y llwyfan.
beirniad	Mynd i eisteddfodau.
arweinydd	Eisteddfod lle mae gwobr arbennig yn cael ei rhoi am ysgrifennu barddoniaeth.
llywydd y dydd	Mae hyn yn golygu bod person neu bobl yn haeddu'r wobr gyntaf.

Siaradwch yn eich grŵp a nodwch dair ffaith am yr Eisteddfod Genedlaethol.

Edrychwch ar y llun hwn o faes yr Eisteddfod Genedlaethol. Ysgrifennwch dair brawddeg am y llun:

1. ....

2. ....

3. ....

Siaradwch

- Os ydych chi wedi bod yn yr Eisteddfod Genedlaethol, soniwch am y profiad a dweud beth wnaethoch chi yno. Fyddwch chi'n mynd i'r Eisteddfod Genedlaethol eto? Fasech chi'n hoffi cystadlu?
- Oes eisteddfod leol yn eich ardal chi? Ydych chi wedi bod ynddi hi? Ydy eich plant chi wedi cystadlu mewn eisteddfod leol neu yn Eisteddfod yr Urdd?
- Oes Eisteddfod Dysgwyr yn eich ardal chi?

Ewch o gwmpas y dosbarth i ddysgu mwy am rai lleoliadau ar faes yr Eisteddfod Genedlaethol. Yna, llenwch y bylchau yn y tabl isod yn eich geiriau eich hun.

Maes B	
Y Pafiliwn	
Y Babell Lên	
Mudiad Meithrin	
Y Babell Wyddoniaeth	
Tŷ Gwerin	
Y Lle Celf	
Ardal y Dysgwyr	

Siaradwch

• Pa leoliad/au yn yr Eisteddfod sy'n apelio atoch chi?

Gwrando – Cofrestr cadeiriau

Byddwch chi'n gwrando ar y Prifardd Twm Morys yn siarad ag Aled Hughes am yr angen i greu cofrestr i gadeiriau eisteddfodol.

Cyn ateb y cwestiynau, rhowch gylch o gwmpas y geiriau isod pan fyddwch chi'n eu clywed nhw.

Geirfa: **rhanbarthol** **colli cof** **gwerth chweil**
difancoll

***Barddas* = enw cylchgrawn Cymraeg sy'n trafod barddoniaeth.**

1. Beth yw arwyddocâd y rhifau hyn?

1867 ....

1176 ....

2. Yn ôl Twm Morys, sut mae cadeiriau'n cael eu "colli"?

....

3. Ble rydyn ni'n dueddol o weld cadeiriau eisteddfodol?

....

4. Pam mai cadeiriau sy'n cael eu rhoi'n wobr i fardd?

....

5. Ble byddai disgyblion yn arfer eistedd?

....

6. Meddyliwch am yr ymadrodd **colli cof**. Beth rydych chi'n meddwl yw ystyr yr ymadroddion isod?

colli adnabod ....

colli blas ....

colli gafael ....

colli golwg ....

colli golwg ar ....

Byddwch chi hefyd yn clywed y gair **difancoll**.
Mae **ar ddifancoll** yn golygu bod rhywbeth ar goll yn llwyr
(*completely and utterly lost*).

7. Allwch chi feddwl am unrhyw eiriau neu ymadroddion eraill sy'n cynnwys **cof**?
Nodwch nhw fan hyn.

Siaradwch

- Oes rhywbeth gwerthfawr wedi'i gadw yn eich teulu chi?
- Oes aelod o'ch teulu chi wedi ennill medal neu wobr o bwys?
- Ydych chi'n cael gwared ar bethau'n aml, neu'n dal eich gafael ar bethau sydd o werth sentimental i chi?

Dyma'r prifardd Aneirin Karadog yn y gadair a enillodd yn Eisteddfod Sir Fynwy. Mae'r fan yn barod i'w chludo i gartref Aneirin.

Rhaglen Pafiliwn yr Eisteddfod Genedlaethol – Dydd Iau

Gweithiwch gyda'ch partner i lenwi'r bylchau yn eich amserlen.

Partner A

10:00	Llefaru Unigol Agored
10:20	
10:40	Unawd Tenor 25 oed a throsodd
11:15	
11:45	Seremoni cyflwyno'r Fedal Wyddoniaeth a Thechnoleg
12:10	
12:25	Dawns Stepio Unigol i Ferched 16 oed a throsodd
12:50	
13:05	Seremoni cyflwyno enillydd Tlws Dysgwr y Flwyddyn
13:15	
13:30	Côr Dysgwyr
14:05	
14:30	Seremoni'r Fedal Ddrama
15:15	
16:05	Unawd yr Hen Ganiadau 19 oed a throsodd
16:35	

Partner B

10:00	
10:20	Unawd Cerdd Dant 21 oed a throsodd
10:40	
11:15	Unawd Mezzo-Soprano
11:45	
12:10	Dawns Stepio Unigol i Fechgyn 18 oed a throsodd
12:25	
12:50	Triawd neu Bedwarawd Cerdd Dant Agored
13:05	
13:15	Cystadleuaeth o Adran y Dysgwyr
13:30	
14:05	Unawd *Lieder*
14:30	
15:15	Côr Merched heb fod yn llai nag 20 mewn nifer
16:05	
16:35	Gwobr Goffa Osborne Roberts

Cystadleuaeth Dysgwr y Flwyddyn

Beth sy'n gwneud Dysgwr y Flwyddyn da?

Un o'r cystadlaethau pwysicaf yn yr Eisteddfod Genedlaethol yw Dysgwr y Flwyddyn. Edrychwch ar y rhestr a dewiswch y tri pheth pwysicaf. Beth sy ddim yn bwysig o gwbl? Oes rhywbeth ar goll o'r rhestr?

• gallu siarad ag acen naturiol
• wedi dysgu'n gyflym
• hyder i siarad y tu allan i'r dosbarth
• gallu bod yn esiampl i ddysgwyr eraill
• anfon y plant i ysgol Gymraeg
• personoliaeth hoffus
• wedi dysgu mewn ardal ddi-Gymraeg
• siarad Cymraeg yn gywir – dim geiriau Saesneg
• bod yn siaradwr cyhoeddus da
• wedi pasio arholiadau
• person ifanc

Gwylio a gwrando – Myrddin ap Dafydd

Geirfa: **maen (meini)**   **derwydd(on)**

1. Beth welwch chi mewn trefi yng Nghymru lle mae'r Eisteddfod wedi ymweld?

2. Mae Myrddin ap Dafydd yn esbonio bod tair ffordd o ddod yn aelod o'r Orsedd. Enwch ddwy ohonyn nhw.

3. Beth yw arwyddocâd y rhifau hyn yn y fideo?

3,000

6

7

4. Mae Myrddin ap Dafydd yn dweud bod gwaith yr Archdderwydd yn waith "llawen". Beth yw ystyr y gair "llawen"? Pryd rydyn ni'n defnyddio'r gair yma fel arfer?

5. Mae Myrddin ap Dafydd yn defnyddio'r idiomau isod yn y fideo. Gyda'ch partner, trafodwch yr idiomau a cheisiwch feddwl am ffordd arall o gyfleu eu hystyr.

yn arw iawn

o bob cwr

6. Mae Myrddin ap Dafydd yn sôn am feini'r orsedd ar ddechrau'r fideo. Gyda'ch partner, edrychwch ar y tabl isod a chysylltwch y geiriau neu'r ymadroddion sy'n cynnwys **maen** â'r cyfieithiad cywir. Yna, dewiswch ddau air neu ymadrodd, a gwnewch frawddegau gyda nhw.

maen hir	obstruction, stumbling-block
maen gwerthfawr	millstone
maen prawf	monolith, standing stone
maen melin	precious stone
mynd â'r maen i'r wal	criterion, test
maen tramgwydd	to complete a task

i.

ii.

Siaradwch

- Yn ôl Myrddin ap Dafydd, yr hyn sy'n gwneud Eisteddfod gofiadwy yw "gwneud ffrindiau newydd". Ydych chi wedi gwneud ffrindiau newydd mewn gŵyl, neu ar eich gwyliau?

Rhestr wirio

Dw i'n gallu...

| defnyddio'r arddodiad **o** yn gywir. | |
| siarad am yr Eisteddfod Genedlaethol. | |

Uned 17 – Rhifedd

Nod yr uned hon yw…
- Dysgu termau rhifedd a mathemateg
- Siarad am y modd rydyn ni'n defnyddio rhifedd o ddydd i ddydd

Geirfa

cyfrifiannell (cyfrifianellau)	calculator(s)
eil(iau)	aisle(s)
haen(au)	layer(s); coating(s)

adio	to add
datgan	to declare, to announce
goruchwylio	to supervise
lluosi	to multiply
mwyngloddio	to mine
rhannu	to divide; to share
tynnu	to subtract

beunyddiol	daily
hunllefus	nightmarish, troubled by nightmares
perthnasol	relevant

angerdd	passion, ardour
athrylith(oedd)	genius
casineb	hatred, loathing
cysyniad(au)	concept(s)
digid(au)	digit(s)
eilrif(au)	even number(s)
hafaliad(au)	equation(s)
hafalnod(au)	equal sign(s) (=)
lluosrif(au)	multiple(s)
odrif(au)	odd number(s)
ôl-fflachiad(au)	flashback(s)
rhif(au) cysefin	prime number(s)

cyffroi'n lân	to get excited
meddwl yn feirniadol	critical thinking
yn hafal i	equals (=)

Geiriau pwysig i mi…

....

....

....

Siaradwch

- Beth yw'r gair cyntaf sy'n dod i'ch meddwl wrth i rywun ddweud y gair 'Mathemateg'?

Darllen – Mathemateg fel Marmite

Geirfa:

cyffroi'n lân	hafaliadau	ôl-fflachiadau	hunllefus
datgan	angerdd	beunyddiol	cyfoethogion
meddwl yn feirniadol		

Os clywch chi'r gair 'mathemateg' yn cael ei ddweud, byddwch chi'n siŵr o weld rhyw fath o ymateb gan bobl. Beth oedd eich ymateb chi wrth weld thema'r uned hon? Bydd rhai'n **cyffroi'n lân** ac yn gweld prydferthwch yr **hafaliadau** mathemategol. Er hyn, bydd eraill yn digalonni ac yn cael **ôl-fflachiadau hunllefus** o wersi mathemateg yn yr ysgol ac yn **datgan** eu casineb at y pwnc gydag **angerdd**. 'Dw i heb ddefnyddio mathemateg ers gadael yr ysgol, beth yw'r pwynt?' Ond, ydy hyn yn gwbl wir...? Ystyriwch am funud, ydych chi wedi defnyddio unrhyw sgiliau rhifedd heddiw?

Y gwir amdani yw ein bod yn defnyddio sgiliau rhifedd yn **feunyddiol**. Mae'n rhaid cael rhyw fath o sgiliau mathemategol er mwyn dweud yr amser. Faint o amser fydd hi'n ei gymryd i gyrraedd gwahanol lefydd a faint o danwydd fydd ei angen arnon ni i gyrraedd? Mae angen sgiliau mathemategol yng nghyd-destun arian. Faint o bres sydd gyda ni i dalu'r biliau, i siopa ac i fynd ar wyliau? Os ydych chi'n dipyn o gogydd, byddwch chi'n gwybod pa mor bwysig yw hi i bwyso cynhwysion yn gywir, gosod y tymheredd cywir a choginio'r bwyd am yr amser cywir. Wrth i ni addurno ystafelloedd yn y tŷ, pa mor dda ydyn ni am fesur faint o ddeunyddiau sydd eu hangen arnon ni? Mae'n siŵr bod nifer ohonon ni wedi gorfod rhuthro lawr i'r siop i nôl mwy o baent neu bapur wal cyn hyn! Wrth i ni wylio neu ddarllen y newyddion, rydyn ni'n dod ar draws rhifau o bob math, e.e. canrannau mewn pôl piniwn neu restr o **gyfoethogion** y byd. Mae mathemateg yn bwysig wrth i ni gasglu a dadansoddi gwybodaeth. Yn ôl y sôn, mae sgiliau mathemategol yn ein helpu i **feddwl yn feirniadol** ac i wneud penderfyniadau mawr a bach.

Felly ystyriwch, efallai nad oedd y gwersi mathemateg yna yn yr ysgol mor ddiwerth wedi'r cyfan!

Sylwch ar y gair **cyfoethogion** yn y darn. Beth yw:

pobl gyfoethog: ....

pobl dlawd: ....

pobl dros 18 oed: ....

pobl sy'n canu: ....

pobl yn yr ysbyty: ....

pobl sy'n chwarae offerynnau
ac yn cyfansoddi: ....

Siaradwch

Meddyliwch sawl gwaith dych chi wedi defnyddio sgiliau rhifedd yn ystod yr wythnos diwethaf. Nodwch pryd yma:

- Ydych chi'n meddwl ei bod hi'n bwysig dysgu mathemateg fel pwnc yn yr ysgol?

- Ydy hi'n broblem bod cymaint o bwyslais ar fathemateg a gwyddoniaeth yn ein hysgolion?

- Mae arbenigwyr yn dweud bod pobl yn cyfrif yn eu mamiaith. Ym mha iaith rydych chi'n cyfrif?

Mathemateg – Geiriau pwysig

Adio: 2+2=4

Tynnu: 8-4=4

Lluosi: 5x4=20

Rhannu: 10÷5=2

Ffactor(au) - Mae rhif yn ffactor o rif arall os yw'n rhannu'n union heb weddill, e.e. mae 3 yn ffactor o 12.

Lluosrif(au) - lluosrifau 3 yw 3, 6, 9, 12...

Eilrif(au) - Mae rhif cyfan yn eilrif os yw 2 yn ffactor o'r rhif.

Odrif(au) - pob rhif cyfan nad yw'n eilrif.

Gweithgaredd Mathemategol

Dilynwch gyfarwyddiadau'r tiwtor a chwblhau'r dasg gyda'ch partner:

1	2	3	4	5	6	7	8	9	10
11	12	13	14	15	16	17	18	19	20
21	22	23	24	25	26	27	28	29	30
31	32	33	34	35	36	37	38	39	40
41	42	43	44	45	46	47	48	49	50
51	52	53	54	55	56	57	58	59	60
61	62	63	64	65	66	67	68	69	70
71	72	73	74	75	76	77	78	79	80
81	82	83	84	85	86	87	88	89	90
91	92	93	94	95	96	97	98	99	100

Ysgrifennu a dweud rhifau

10   deg   (degau)   (gwrywaidd) felly dau ddeg; tri deg; pedwar deg...

100   cant   (cannoedd) (gwrywaidd) felly dau gant; tri chant; pedwar cant...

1,000   mil   (miloedd)   (benywaidd) felly dwy fil; tair mil; pedair mil...

1,000,000 miliwn (miliynau)   (benywaidd) felly dwy filiwn; tair miliwn; pedair miliwn...

Sut mae dweud:

987   ....

654,321   ....

102,030,405   ....

Gwylio a gwrando – Robert Recorde

Geirfa:

cyfraniad   cyfartal   cydbwysedd   hafalnod
athrylith   goruchwylio   mwyngloddio   perthnasol

Byddwch chi'n gwylio fideo am hanes y mathemategydd, Robert Recorde.
Ar ôl gwylio'r tro cyntaf, nodwch **dair ffaith** a ddysgoch chi amdano fe.

....

....

....

Gwyliwch eto, a nodwch **dair ffaith ddiddorol** arall:

....

....

....

Ysgrifennwch:

16eg ganrif: ....

17eg ganrif: ....

Siaradwch

- Pa mor bwysig oedd cyfraniad Robert Recorde i'r byd mathemategol?

- Ydy hi'n bwysig cydnabod a dathlu cyfraniadau gwyddonwyr a mathemategwyr?

- Ydych chi'n gallu enwi unrhyw fathemategwyr neu wyddonwyr enwog? Nodwch pam maen nhw'n enwog.

Prawf

Dyma i chi gyfle i weld pa mor dda y basech chi yn ei wneud tasech chi'n sefyll arholiad Mathemateg TGAU heddiw.

Mae'r cwestiynau yma wedi eu dewis o bapur 1 Haen Sylfaenol a gafodd ei osod gan CBAC yn Haf 2012. Chewch chi **ddim** defnyddio cyfrifiannell i'ch helpu!

Cwestiwn 1

Beth yw cost y beic?

Y fformiwla ar gyfer cost prynu beic ar gredyd yw

cost = tâl misol x 9 + blaendal

(a) Darganfyddwch **gost** beic pan fydd y **tâl misol** yn £15 a'r **blaendal** yn £30. [1 marc]

....

(b) Cost beic arall yw £220. Darganfyddwch y **tâl misol** pan fydd y **blaendal** yn £40. [1 marc]

....

Cwestiwn 2

Faint o seddau sydd yna ar gyfer y cyngerdd?

Mae rhywun wedi gofyn i ddisgyblion Blwyddyn 10 drefnu'r seddau ar gyfer cyngerdd yn neuadd yr ysgol.

Maen nhw'n cyfrifo y bydd 12 sedd ym mhob rhes ar y ddwy ochr i'r eil ganol. Bydd pob rhes yn cymryd 2 fetr o hyd y neuadd sy'n 18 metr. Gan ddangos eich holl waith cyfrifo, penderfynwch a fydd digon o seddau ar gyfer 200 o bobl. [6 marc]

....

....

....

Cwestiwn 3

Isod mae rhannau o ddwy amserlen trenau:

Abertawe i Fryste Parkway				
Abertawe	10:28	10:55	11:28	11:55
Castell Nedd	10:39	11:05	11:39	12:05
Port Talbot	10:47	11:12	11:47	12:12
Pen-y-bont ar Ogwr	10:59	11:25	11:59	12:25
Caerdydd	11:22	11:47	12:22	12:47
Casnewydd	11:39	12:08	12:39	13:08
Bryste Parkway	11:59	12:30	12:59	13:30

Bryste Parkway i Sheffield				
Bryste Parkway	11:40	12:40	13:40	14:40
Cheltenham	12:10	13:12	14:10	15:11
Birmingham	13:03	13:58	14:56	15:59
Derby	13:42	14:40	15:39	16:40
Sheffield	14:17	15:18	16:17	17:19

(a) Mae Sophie yn mynd ar y trên 10:55 o Abertawe ym Mhen-y-bont ar Ogwr ac mae'n gadael y trên yng Nghasnewydd. Faint o amser ddylai ei thaith gymryd? [2 farc]

(b) Mae David yn byw ym Mhort Talbot ac mae angen iddo gyrraedd Birmingham erbyn hanner awr wedi tri y prynhawn.

(i) Pa un yw'r trên hwyraf mae'n gallu ei ddal o Bort Talbot i wneud hyn? [1 marc]

(ii) Am faint o amser dylai fod rhaid iddo aros ym Mryste Parkway? [1 marc]

Cyfrif calorïau

Mae rhifedd yn bwysig os ydych chi'n cyfrif calorïau. Pa fwydydd sydd **uchaf** mewn calorïau? Siaradwch â'ch partner a phenderfynwch:

a. Banana, afal, mefus, grawnwin (tua'r un pwysau o bob un)

b. Pecyn o greision, *Kit Kat* (2 fys), *Mars* (54g), *Flake* siocled

c. Gwydraid o sudd oren (200ml), peint o lager, gwydraid o win (175ml), can o *Coca-Cola* (330ml)

ch. Pysgodyn a sglodion, *Big Mac* gyda sglodion a *cola*, pitsa 12″, cyw iâr *Tikka Masala* gyda reis *pilau*

d. Ffa pob ar dost, dau ŵy wedi'u sgramblo ar dost, brechdan gaws, brecwast llawn

dd. Myffin llus, myffin â darnau siocled, toesen jam, *croissant*

e. Taten bob gyda ffa pob, Sbageti *Bolognese*, taten bob gyda tiwna a ffa *cannellini*, cinio dydd Sul llawn

f. Bisgedi – *digestive* plaen, *digestive* siocled, *Jaffa Cake*, *cream cracker*, *custard cream*, *Hob Nob* siocled, *Hob Nob* plaen, tost melba

ff. Cwpanaid o de (llaeth sgim, dim siwgr), mwgaid o goffi du, coffi *latte* (llaeth hanner sgim), cwpanaid o de mintys

Siaradwch

- Beth yw'ch hoff fwydydd/ddiodydd yn y rhestr uchod?
- Pa rai dydych chi byth yn eu bwyta/eu hyfed?

Rhestr wirio

Dw i'n gallu...

defnyddio termau rhifedd a mathemateg.	
siarad am y modd rydyn ni'n defnyddio rhifedd bob dydd.	

Uned 18 – Y Theatr

Nod yr uned hon yw...
- Adolygu unedau 10–17
- Dysgu am ddrama a'r theatr yng Nghymru

Geirfa

moeswers(i)	*lesson(s), moral(s) (of a story etc.)*

artistig	*artistic*
dirdynnol	*agonising, harrowing*
gwaedlyd	*bloody*
hudol	*enchanting, magical*
obsesiynol	*obsessive*
penodol	*specific*
sylfaenol	*basic*

codi canu	*arwain y canu (mewn capel yn enwedig)*
hen bryd	*high time*

buarth(au)	*yard(s) (fferm)*
clasur(on)	*classic(s)*
clyweliad(au)	*audition(s)*
cyfieithiad(au)	*translation(s)*
cynhyrchiad (cynyrchiadau)	*production(s)*
dramodydd (dramodwyr)	*dramatist(s)*
golwg	*sight*
pantomeim(iau)	*pantomime(s)*

amrywio	*to vary*
diddanu	*to amuse, to entertain*
dylanwadu (ar)	*to influence*
peryglu	*to endanger*
proffwydo	*to foretell, to predict*
sicrhau	*to ensure*

Geiriau pwysig i mi...

....

....

....

Ymarfer rhagddodiaid ac ôl-ddodiaid

Rhowch gynnig ar gyfieithu'r brawddegau isod gyda'ch partner. Wedyn, meddyliwch am gymaint o eiriau â phosib yn defnyddio'r un rhagddodiad/ôl-ddodiad.

1. *The **conflict** between the two sides is evident.*

....

2. *The judge said that he was **not guilty**.*

....

3. *The decision was **unfair**.*

....

4. *The doctor is so **patient**.*

....

5. *It is important to be **punctual**.*

....

6. *She showed in the interview that she is very **intelligent**.*

....

Storom eirfa – Y Theatr

Ysgrifennwch o leiaf chwe gair ar y thema:

Cyfieithu *for*

Geirfa: dramodydd   cefndir   hen bryd

Darllenwch y sgwrs gyda'ch partner, gan gymryd tro i wneud y ddwy ran. Wedyn, edrychwch ar y geiriau mewn print trwm, ac ysgrifennwch nhw yn y blychau cywir isod. Ydyn nhw'n cyfieithu *for, about, in order to* neu *over* yn Saesneg?

De	Gogledd
A: **Beth am** fynd i'r theatr nos Wener? Dw i wedi clywed bod comedi Gymraeg yno.	A: **Be am** fynd i'r theatr nos Wener? Dw i wedi clywed bod comedi Gymraeg yno.
B: Dw i ddim yn siŵr. Bydda i wedi blino nos Wener. Dw i ddim eisiau gweld drama anodd. Ydy hi'n **addas i** ddysgwyr?	B: Dw i ddim yn siŵr. Mi fydda i wedi blino nos Wener. Dw i ddim isio gweld drama anodd Ydy hi'n **addas i** ddysgwyr?
A: Ydy. Cafodd hi ei chreu **ar gyfer** dysgwyr. Comedi am Owain Glyndŵr yw hi.	A: Ydy. Mi gaeth hi ei chreu **ar gyfer** dysgwyr. Comedi am Owain Glyndŵr ydy hi.
B: Ond dw i ddim yn gwybod **unrhyw beth am** Owain Glyndŵr...	B: Ond dw i ddim yn gwybod **unrhyw beth am** Owain Glyndŵr...
A: Paid â phoeni. Mae sgwrs gyda'r dramodydd ar y dechrau, **er mwyn i ni** gael ychydig o'r cefndir. Mae'n gyfle da **i ni ddysgu am** hanes Cymru.	A: Paid â phoeni. Mae sgwrs efo'r dramodydd ar y dechrau, **er mwyn i ni** gael ychydig o'r cefndir. Mae'n gyfle da **i ni ddysgu am** hanes Cymru.
B: Diddorol. Wel, dw i ddim yn gwneud dim byd arall **dros** y penwythnos, felly dof i gyda ti.	B: Diddorol. Wel, dw i ddim yn gwneud dim byd arall **dros** y penwythnos, felly mi ddo i efo ti.
A: Da iawn! Mae'n hen bryd **i ni** gael noson ma's.	A: Da iawn! Mae'n hen bryd **i ni** gael noson allan.

for	*about*	*in order to*	*over*

Siaradwch

- Ydych chi'n mwynhau mynd i'r theatr?

- Pryd buoch chi yn y theatr ddiwetha?

- Ydych chi wedi bod i weld drama Gymraeg yn y theatr? Siaradwch am y profiad. Beth weloch chi? Gyda phwy buoch chi? Beth oedd eich argraffiadau chi o'r profiad?

Ymarfer â, ag, a, ac, gyda/efo

Llenwch y bylchau isod â'r geiriau cywir.

1. Y tro cyntaf i mi fynd i'r theatr, es i .... fy nheulu i weld pantomeim.

2. Mae'n well gen i gomedïau .... sioeau cerdd na dramâu difrifol.

3. Anghofiodd Lisa fynd .... 'i sbectol i'r theatr, felly roedd yn anodd iddi hi weld yr actorion.

4. Mae Trystan .... Alys yn rhoi gwersi actio i blant bach.

5. Mae Gareth yn yfed dŵr .... lemwn cyn mynd ar y llwyfan.

6. .... llaw, bydd rhaid i chi fynd .... arian parod

.... chi i dalu am hufen iâ yn ystod yr egwyl.

7. Roedd gwisgoedd y ddrama wedi'u gwneud .... llaw.

8. Caewch y drysau .... rhowch bob chwarae teg i'r perfformwyr.

Ymadroddion sy'n cynnwys 'i'

1. Gwnewch frawddegau trwy gysylltu'r dechrau â'r diwedd cywir.

Mae modd i ti brynu	archebu diodydd ar gyfer yr egwyl.
Erbyn iddo fe	y sgript cyn gwylio'r ddrama.
Mae croeso iddi hi	tocynnau'r ddrama ar y we.
Gwell i ti wahodd	gyrraedd y theatr, bydd y ddrama wedi dechrau.
Mae'n iawn iddi hi ddod	Lisa i'r theatr hefyd.
Dw i eisiau i chi ddarllen	i weld y cast yn ymarfer.

2. Gyda'ch partner, ysgrifennwch dair brawddeg yn cynnwys ymadroddion **i**.

....

....

....

Eisiau/Isio

Mae **eisiau/isio** yn gyffredin iawn. Sut mae dweud yr isod, yn defnyddio **eisiau/isio**?

1. *I'm hungry.*

....

2. *I want to go.*

....

3. *I miss my own bed.*

....

4. *You need to remember.*

....

Gwylio a gwrando 1 –
Arwel Gruffydd, Cyfarwyddwr Artistig Theatr Genedlaethol Cymru

Geirfa:

artistig   cynyrchiadau   penodol   cyfieithiadau

clasuron   amrywio

Rhowch gylch o gwmpas y geiriau uchod pan fyddwch chi'n eu clywed nhw.

1. Nodwch ddau beth rydych chi wedi'i ddysgu am Arwel Gruffydd o'r fideo yma.

i. ....

ii. ....

2. Pa fath o gynyrchiadau mae'r Theatr Genedlaethol yn eu gwneud? Nodwch ddwy enghraifft.

i. ....

ii. ....

3. Mae Arwel Gruffydd yn dod o'r gogledd. Rhowch enghraifft o'i iaith ogleddol yn y blwch isod.

Darllen – Twm o'r Nant a'r Anterliwt

Geirfa:

dramodydd   moeswers   diddanu

Yn nhref Dinbych heddiw, fe welwch chi Ysgol Twm o'r Nant a Theatr Twm o'r Nant, sy'n arwydd o falchder pobl Dinbych mewn bachgen tlawd o'r fro a ddaeth yn un o ddramodwyr enwocaf Cymru. Ar ôl gwneud yr ymarfer siarad, atebwch y cwestiynau.

1. Gweithiwch gyda phartner i lenwi'r bylchau yn y brawddegau isod gan ddefnyddio'r ymadrodd cywir o'r rhestr yma: **o ganlyniad i, o gymharu â, yn dueddol o, yn falch o.**

i. .... â dramâu arferol yr Oesoedd Canol, roedd anterliwtiau'n fyr.

ii. Roedd anterliwtiau'n .... gael eu perfformio yng ngogledd ddwyrain Cymru.

iii. ....'w ddyledion, dihangodd Twm o'r Nant i'r de am gyfnod.

iv. Heddiw, byddai Twm o'r Nant .... weld bod ysgol a theatr yn Ninbych wedi'u henwi ar ei ôl.

2. Mae'r geiriau yn y tabl wedi'u tynnu o'r darn darllen. Llenwch y bylchau â'r geiriau lluosog neu unigol cywir.

Unigol	Lluosog
dramodydd	
	cymeriadau
cynulleidfa	
	ffeiriau
	tafarndai
	ffermydd
dawn	
	coed
	dyledion
bachgen	

Gwylio a gwrando 2 – Catrin Mara, actor

Gweithiwch gyda'ch partner i nodi pum peth rydych chi wedi'u dysgu am Catrin Mara o'r fideo yma.

1. ....

2. ....

3. ....

4. ....

5. ....

Siaradwch

- Mae Catrin Mara yn dweud bod canu, actio a chystadlu mewn eisteddfodau'n bwysig iawn i bentref Llanuwchllyn. Sut mae'r lle cawsoch chi eich magu wedi dylanwadu arnoch chi?

Adolygu rhifedd a mathemateg

Prynu tocynnau theatr

Datryswch y broblem yma.

Mae tocyn i weld drama'n costio £14.00. Faint mae deg tocyn yn ei gostio?

I wneud y swm, mae'n rhaid...

rhannu ☐
lluosi ☐
tynnu ☐

Mae gostyngiad o 10% i bensiynwyr. O'r deg tocyn, mae tri thocyn i bensiynwyr.

Mae gostyngiad o 25% i fyfyrwyr. O'r deg tocyn, mae dau docyn i fyfyrwyr.

Beth yw'r cyfanswm newydd, gyda'r gostyngiadau hyn? Esboniwch sut rydych chi'n gwneud y swm yma.

Mae swper dau gwrs yn y theatr yn costio £8.00. Mae pensiynwyr a myfyrwyr yn cael gostyngiadau o 10% a 25%, fel y tocynnau. Faint yw swper i bawb?

Mynd i'r Theatr

Geirfa:
proffwydo **gwaedlyd** **codi canu** **sicrhau** **dirdynnol** **hudol**

Yn eich grwpiau, edrychwch ar y taflenni hyn sy'n hysbysebu pedair drama wahanol.
Pa ddrama sy'n apelio atoch chi? Pam?
Ydych chi'n hoffi Shakespeare?
Ydych chi wedi bod i weld pantomeim erioed?

Macbeth Ar ôl cwrdd â thair gwrach sy'n **proffwydo** y bydd e'n frenin yr Alban ryw ddydd, mae Macbeth yn cychwyn ar siwrne beryglus – a **gwaedlyd** – i ennill grym. Dyma gynhyrchiad Cymraeg newydd o glasur Shakespeare, gyda rhai o actorion gorau Cymru.	**Merched y Caffi** Comedi gan Susan Williams Y flwyddyn ydy 1958. Mae Elvis ar ei anterth ac mae Jean a Mair yn ffrindiau gorau sy'n gweini cappuccinos mewn caffi ym Mhwllheli. Pan ddaw rheolwr newydd golygus i weithio yn y caffi, mae'r ddwy'n cystadlu am ei sylw. A fydd hyn yn peryglu eu cyfeillgarwch? Comedi newydd am ddyddiau da roc-a-rôl.
Dan Ddaear gan Wil Bowen Glowyr yng Nghwm Rhondda'r 1920au yw Jim a Dai. Maen nhw'n bytis mawr, sy'n **codi canu** ac yn codi hwyliau'r glowyr eraill yn nhywyllwch y pwll. Ond mae eu bywydau'n galed, a'u cyflogau'n wael. Ar ben hynny, mae Del, gwraig Jim, ar fin cael eu seithfed plentyn. Penderfyna Dai arwain streic i **sicrhau** cyflog teg i bawb. Ond allwch chi ddim ymddiried yn eich bytis bob amser... Drama **ddirdynnol** am galedi bywyd y glowyr.	**Ulw Ela** Y tu ôl i ti! O nac ydy, dydy e ddim! O ydy, mae e! Mae Ulw Ela eisiau mynd i'r ddawns, ond mae ei llysfam gas a'i dwy chwaer hyll yn benderfynol o'i rhwystro. Tybed all ei mam fedydd **hudol** ei helpu? Pantomeim llawn hwyl a sbri i'r teulu i gyd.

Rhestr wirio

Dw i'n gallu...

defnyddio patrymau unedau 10–17.	
siarad am y theatr gan ddefnyddio geirfa newydd.	

Uned 19 – Teimlo'n falch

Nod yr uned hon yw...

• Deall y gwahaniaeth rhwng **os** ac **a**, ac ymarfer eu defnyddio
• Trafod pethau a phrofiadau sy'n gwneud i ni deimlo'n falch

Geirfa

carreg filltir	*milestone*

atgyweirio	*to repair, to restore*
dadfeilio	*to become dilapidated, to decay, to degenerate*
pendroni	*to ponder, to puzzle, to ruminate*

a ballu (Gogledd)	*and so on*
boed law neu hindda	*come rain or shine*
trwy gyfrwng y Gymraeg	*through the medium of Welsh*
unman	*nowhere*

carw (ceirw)	*deer*
cyflawniad(au)	*achievement(s); accomplishment(s)*
dyrchafiad(au)	*promotion(s), advancement(s)*
paun (peunod)	*peacock(s)*
penrhyn(nau)	*headland(s), peninsula(s)*

arbenigol	*specialist*
gwynegol	*rheumatoid*
saff	*diogel*
selog	*ardent, zealous*

Geiriau pwysig i mi

....

....

....

Deialog

De	Gogledd
A: Dw i ddim yn siŵr **a** wyt ti wedi clywed y newyddion...	**A:** Dw i ddim yn siŵr **a** wyt ti wedi clywed y newyddion...
B: Os oes rhywun wedi bod yn achwyn am y maes parcio, dw i ddim eisiau gwybod.	**B: Os** oes rhywun wedi bod yn cwyno am y maes parcio, dw i ddim isio gwybod.
A: Nac oes, paid â becso.	**A:** Nac oes, paid â phoeni.
B: Beth am y gegin? **Os** oes rhywun wedi bod yn dwgyd ein bisgedi ni 'to, bydda i'n wyllt gacwn.	**B:** Be am y gegin? **Os** oes rhywun wedi bod yn dwyn ein bisgedi ni eto, mi fydda i'n gandryll.
A: Nac oes, mae'r bisgedi'n saff.	**A:** Nac oes, mae'r bisgedi'n saff.
B: Ife'r tai bach yw'r broblem? Wyt ti'n gwybod **a** fuodd rhywun draw i drwsio'r un sy'n gollwng?	**B:** Ai'r tai bach ydy'r broblem? Wyt ti'n gwybod **a** fuodd rhywun draw i drwsio'r un sy'n gollwng?
A: Dim syniad. Gwranda: gofynnodd y bòs **a** allwn i siarad â ti heddiw...	**A:** Dim syniad. Gwranda: mi ofynnodd y bòs **a** fedrwn i siarad efo ti heddiw...
B: Fi? Pam? **Os** ydw i wedi gwneud rhywbeth o'i le, dw i eisiau gwybod.	**B:** Fi? Pam? **Os** ydw i wedi gwneud rhywbeth o'i le, dw i isio gwybod.
A: Nac wyt, siŵr. Newyddion da sy gyda fi, **os** caf i gyfle i siarad.	**A:** Nac wyt, siŵr. Newyddion da sy gen i, **os** ca' i gyfle i siarad.
B: O?	**B:** O?
A: Wyt ti ar gael i ddod i seremoni wobrwyo ddydd Gwener nesa? Ti sy wedi ennill gwobr 'Y Rheolwr Swyddfa Gorau'.	**A:** Wyt ti ar gael i ddod i seremoni wobrwyo ddydd Gwener nesa? Ti sy wedi ennill gwobr 'Y Rheolwr Swyddfa Gorau'.
B: Gad dy gelwydd! **Os** wyt ti'n tynnu 'nghoes i, dyw hyn ddim yn ddoniol!	**B:** Paid â'u deud nhw! **Os** wyt ti'n tynnu 'nghoes i, dydy hyn ddim yn ddoniol!
A: Na, wir i ti, cafodd sawl enw ei gynnig, ond dwedodd y bòs taw ti yw'r gorau. Llongyfarchiadau! Dylet ti fod yn falch iawn.	**A:** Na, wir yr, mi gafodd 'na sawl enw ei gynnig, ond mi ddeudodd y bòs mai ti ydy'r gorau. Llongyfarchiadau! Mi ddylet ti fod yn falch iawn.

Darllenwch y ddeialog uchod gyda'ch partner. Yna, sylwch ar y geiriau **os** ac **a** sydd mewn print trwm.

Help llaw

Os – cysylltair sy'n cyflwyno amod (*condition*)
Af i am dro fory **os** bydd y tywydd yn braf.
Os oes hufen iâ siocled ar ôl, mi ga' i hwnna i bwdin.
Os ydw i'n cofio'n iawn, fe yw asgellwr y Scarlets.

Peidiwch â defnyddio **os** i gyflwyno **cwestiwn anuniongyrchol** (*indirect question*).
Rhaid i ni ddefnyddio **a**. Mae'r **a** yma yr un peth â *whether* yn Saesneg.
Gofynnais i Gwen **os** oedd hi'n dod i'r cyfarfod. **X**
Gofynnais i Gwen **a** oedd hi'n dod i'r cyfarfod. **✓**
Gofynnodd hi **os** o'n i wedi gweld y ffilm Gymraeg ar y teledu neithiwr. **X**
Gofynnodd hi **a** o'n i wedi gweld y ffilm Gymraeg ar y teledu neithiwr. **✓**

Does dim treiglad ar ôl **os**.
Cofiwch: os **gwelwch** chi'n dda   os **gweli** di'n dda
               Ond mae **treiglad meddal** ar ôl **a**:
               Roedd hi eisiau gwybod a **faswn** i'n mynd i'r cyfarfod yn ei lle hi.

Ymarfer

1. Gyda'ch partner, cysylltwch golofn A â cholofn B i wneud brawddegau cywir.

Colofn A	Colofn B
Af i i weld y gêm	a oedd y dosbarth wedi gwneud y gwaith cartref.
Mae'n rhaid i ti brynu tocyn ymlaen llaw	a oedd e'n mynd y ffordd iawn.
Gofynnodd yr athro	a fyddai hi'n braf ar gyfer y daith gerdded.
Gwyliodd hi ragolygon y tywydd i weld	os bydd hi'n sych fory.
Stopiodd y gyrrwr y car er mwyn gofyn i rywun	os wyt ti eisiau sedd ar y trên.

2. Cyfieithwch y brawddegau isod, gan ddefnyddio **a** neu **os** yn gywir.

i. *She asked if you could bring a cake to the party.*

....

ii. *If the roof is open, you will need to wear a warm coat in the stadium.*

....

iii. *He likes to go running on Sundays if the weather is fine.*

....

iv. *Her parents will buy her a car if she passes her A-levels.*

....

v. *John can't decide if it would be better to buy a new car this year or next year.*

....

Balch

Yn teimlo neu'n arddangos pleser neu foddhad (oherwydd **cyflawniadau** a rhinweddau personol neu oherwydd **cyflawniadau** a rhinweddau rhywun rydych chi'n ei adnabod, neu oherwydd achos penodol).
proud, glad, pleased

Cwis – Pa mor falch ydych chi?

Geirfa:

dyrchafiad   pendroni   carw   paun

Y dyddiau hyn, mae llawer o bobl yn rhannu lluniau ar y cyfryngau cymdeithasol sy'n dangos llwyddiant personol neu lwyddiant eu plant, eu hanifeiliaid anwes neu eu ffrindiau.

Os ydych chi'n teimlo'n falch ynglŷn â rhywbeth, ydych chi'n dweud wrth bawb? Ydych chi'n rhannu lluniau o'ch *soufflé* llwyddiannus ar y cyfryngau cymdeithasol? Ydy pawb yn cael gwybod pan fydd eich plentyn wedi ennill medal aur mewn gala nofio?

Yn eich grwpiau, trafodwch y sefyllfaoedd hyn, a sut byddech chi'n ymateb iddyn nhw. Rhowch gylch o gwmpas eich atebion. Bydd eich tiwtor yn rhoi sgôr i chi ar y diwedd.

1. Dychmygwch eich bod wedi cael **dyrchafiad** yn y gwaith. Pa un o'r rhain basech chi'n ei wneud?
    a.   Ffonio ffrind neu aelod o'r teulu'n syth.
    b.   Rhannu'r newyddion ar y cyfryngau cymdeithasol.
    c.   Dweud wrth bobl, ond dim ond os byddan nhw'n holi sut mae pethau yn y gwaith.
    ch.   Cadw'r peth yn gyfrinach.

2. Rydych chi wedi ailaddurno eich cartref, ac mae'n edrych yn hyfryd. Beth rydych chi'n ei wneud nesaf?
    a.   Tynnu lluniau o'ch cartref a'u dangos i'ch teulu neu i'ch ffrindiau agosa.
    b.   Tynnu lluniau o'ch cartref a'u rhannu ar y cyfryngau cymdeithasol.
    c.   Gwahodd ffrindiau draw am swper, er mwyn iddyn nhw weld y tŷ ar ei newydd wedd.
    ch.   Dim byd – dim ond mwynhau'r tŷ yn dawel bach.

3. Rydych chi a'ch ffrind wedi ennill pryd o fwyd yn un o fwytai gorau Cymru. Ar eich ymweliad â'r bwyty, ydych chi'n...
    a.   tynnu lluniau o'r bwyd a'u rhannu'n syth ar y cyfryngau cymdeithasol?
    b.   tynnu lluniau o bopeth a gofyn am gael llun gyda'r cogydd?
    c.   mwynhau'r pryd bwyd a thynnu ambell lun i'w ddangos i deulu a ffrindiau agos?
    ch.   siarad â'ch ffrind a mwynhau'r bwyd, heb dynnu lluniau?

4. Mae rhywun rydych chi'n ei nabod yn dweud wrthoch chi eich bod chi'n edrych yn smart. Ydych chi'n...

a. cochi at eich clustiau a dweud eich bod yn anghytuno?

b. chwerthin mewn anghrediniaeth?

c. dweud "diolch yn fawr"?

ch. dweud "ydw, dw i'n gwybod"?

5. Rydych chi wedi creu rhywbeth arbennig mewn dosbarth celf. Ydych chi'n...

a. rhannu eich gwaith ar y cyfryngau cymdeithasol?

b. dangos y peth i bawb sy'n dod i'ch gweld chi?

c. anfon y gwaith celf i gystadleuaeth, heb ddweud wrth neb?

ch. dweud wrth neb?

6. Rydych chi wedi ennill gwobr gyntaf mewn cystadleuaeth arddio, am y genhinen orau. Ond, o edrych yn fanwl, rydych chi'n gweld mai ar genhinen rhywun arall mae eich enw chi a'r gair 'cyntaf'. Beth rydych chi'n ei wneud?

a. Mynd at y beirniad yn syth, i esbonio bod camgymeriad wedi digwydd.

b. **Pedroni** am amser hir, cyn penderfynu derbyn y wobr yn dawel fach (gan deimlo'n euog iawn).

c. Esgus eich bod chi heb sylwi, a derbyn y wobr yn falch. Camgymeriad rhywun arall oedd e, felly beth yw'r ots?

ch. Derbyn y wobr yn falch a rhannu'r newyddion da dros y cyfryngau cymdeithasol.

7. Mae rhaglen gwis wedi cysylltu â chi, i ofyn i chi gymryd rhan mewn cwis ar eich pwnc arbenigol. Ydych chi'n...

a. cytuno'n syth a rhoi gwybod i bawb rydych chi'n ei nabod?

b. cytuno? Mae'n gyfle da i chi ddangos i bawb pa mor glyfar ydych chi.

c. cytuno, ond dim ond achos bod gwobrau ariannol mawr i'w hennill, a bod angen carped newydd yn eich stafell fyw?

ch. gwrthod yn syth? Dydych chi ddim eisiau 'dangos eich hun' ar y teledu.

8. Rydych chi wedi gwneud rhywbeth da yn eich cymuned, ac mae rhywun yn diolch i chi ac yn eich canmol o flaen llawer o bobl. Ydych chi'n ...

a. teimlo'n falch ac yn hapus?

b. teimlo'n falch ond ychydig yn siomedig bod neb wedi ffilmio'r digwyddiad yma?

c. gwenu ond gan deimlo braidd yn anghyfforddus wrth gael cymaint o sylw?

ch. chwilio am rywle i guddio?

Beth oedd eich sgôr chi?

Rhwng 1 ac16   **Carw** yn cuddio
Rhwng 17 a 24   **Paun** yn agor ei gynffon
Rhwng 25 a 32   **Ceiliog** balch yn clochdar!

Darllen – Syrpréis i Phil yn Lido Ponty

Geirfa:

carreg filltir   gwynegol   selog   boed law neu hindda   dadfeilio

Phil Ratcliffe yn Lido Cenedlaethol Cymru, Lido Ponty
Diolch i Gyngor Rhondda Cynon Taf a Lido Ponty am eu
caniatâd i ddefnyddio'r erthygl a'r ffotograffau.

Cafodd Phil Ratcliffe syndod mawr pan ddaeth i wybod mai fe oedd y 200,000fed ymwelydd â Lido Cenedlaethol Cymru ym Mhontypridd – **carreg filltir** bwysig i'r Lido. Mae'r gweithiwr swyddfa yn ymweld â Lido Ponty bob amser cinio, bum diwrnod yr wythnos.

Meddai'r Cynghorydd Ann Crimmings: "Dw i'n falch iawn bod Lido Cenedlaethol Cymru yr un mor boblogaidd heddiw â phan gafodd ei ailagor yn 2015. Mae Rhondda Cynon Taf yn falch iawn o Lido Ponty. Mae'n atyniad i ymwelwyr sy'n dathlu'r gorffennol ond yn gyfleuster modern i'r unfed ganrif ar hugain hefyd."

Derbyniodd Mr Ratcliffe lond sach o anrhegion Lido Ponty a chafodd ei gyfweld ar y teledu. "Mae'n beth cyffrous a chwbl annisgwyl," meddai. "Dw i'n teimlo'n falch iawn mai fi oedd y 200,000fed ymwelydd.

"Hyd yn oed pan fydd y tywydd yn oer, mae'r dŵr yn dwym a'r cawodydd yn boeth. Rydyn ni'n ffodus iawn bod Lido Cenedlaethol Cymru ar garreg ein drws yn Rhondda Cynon Taf, ac yn agos at fy swyddfa ym Mhontypridd. Dw i wrth fy modd yn nofio, ac mae'n ffordd wych o gael ymarfer corff yn yr awyr agored. Does unman yn well i nofio na Lido Ponty, yn enwedig pan fydd yr haul yn gwenu; er fy mod i'n nofio ar bob math o dywydd. Mae gen i gyflwr **gwynegol**, ac mae nofio bob dydd yn help i'w reoli."

Mae Lido Cenedlaethol Cymru ym Mharc Coffa Ynysangharad, Pontypridd. Agorwyd Y Lido'n wreiddiol yn 1927, i annog plant ac oedolion i gymryd rhan mewn gweithgareddau iachus, awyr agored, mewn cyfnod lle roedd diwydiant trwm yn llethu'r dirwedd leol ac yn llygru'r amgylchedd. Caewyd y Lido yn 1991 ar gyfer gwaith atgyweirio ac adnewyddu, ond oherwydd costau mawr y gwaith, chafodd e mo'i gwblhau tan 2015.

Dyma brif atyniad dŵr awyr agored Cymru. Mae ei dri phwll nofio cynnes yn cynnig cyfleoedd gwych i deuluoedd, nofwyr **selog** a nofwyr cymdeithasol o bob oed a gallu, **boed law neu hindda**.

Lido Pontypridd yn y 1920au. Diolch i
Wasanaeth Llyfrgelloedd Rhondda Cynon
Taf am eu caniatâd i ddefnyddio'r llun hwn.

1.   Esboniwch arwyddocâd y rhifau hyn yn y darn.

200,000 ....

5 ....

21 ....

1927 ....

1991 ....

3 ....

2015 ....

2. Mae'r ymadrodd **carreg filltir** yn y darn yma. Mae dau ystyr iddo, sef yn gyntaf, carreg ar ochr ffordd sy'n nodi pellter i rywle ac yn ail, dyddiad neu ddigwyddiad pwysig yn hanes unigolyn, sefydliad neu bobl. Gyda'ch partner, cysylltwch y termau a'r ymadroddion isod, sydd hefyd yn cynnwys **carreg**, â'r diffiniadau cywir.

Term / Ymadrodd	Diffiniad
Carreg fedd	Carreg sy'n achosi adlais neu eco.
O fewn tafliad carreg	Carreg lle tân mewn tŷ, sydd hefyd yn gallu cyfeirio at y cartref cyfan.
Troi pob carreg	Llechen, neu un o gerrig arbennig y Preselau yn sir Benfro.
Carreg ateb	Carreg sy'n cael ei defnyddio i wneud i gyllell fod yn finiog.
Carreg yr aelwyd	Ddim yn bell.
Carreg hogi	Carreg i gofio am berson a gladdwyd o dani.
Carreg las	Gwneud popeth posib i ddod o hyd i rywbeth.

3. Cafodd Lido Ponty ei ailagor yn 2015. Os yw ailagor yn golygu *reopen*, beth yw'r berfenwau isod yn Gymraeg? Cofiwch fod treiglad meddal ar ôl **ail**.

to repeat .... *to repaint* ....

to remarry .... *to replay* ....

to regrow .... *to rethink* ....

4. Mae Phil Ratcliffe yn dweud "Dw i wrth fy modd yn nofio".
Llenwch y bylchau isod, gan ddilyn y patrwm.
Dw i wrth fy modd yn nofio.
Rwyt ti <u>wrth</u> <u>dy</u> <u>fodd</u> yn nofio.
Mae e/o _____ _____ _____ yn nofio.
Mae hi _____ _____ _____ yn nofio.
Rydyn ni _____ _____ _____ yn nofio.
Rydych chi _____ _____ _____ yn nofio.
Maen nhw _____ _____ _____ yn nofio.

5. Mae Lido Ponty yn atyniad dŵr awyr agored. Allwch chi feddwl am dri gair neu ymadrodd sy'n cynnwys **awyr** a thri sy'n cynnwys **agored**?

....

....

Siaradwch

- Ydych chi'n teimlo'n falch o unrhyw gyfleuster cymunedol yn eich ardal chi?
- Oes unrhyw adeilad pwysig yn eich ardal chi wedi dechrau **dadfeilio**, fel roedd Lido Ponty?
- Tasech chi'n gallu achub unrhyw adeilad sydd angen ei atgyweirio, pa un fasai hwnnw?
- Ydych chi'n mwynhau rhaglenni teledu sy'n trafod gweddnewid adeiladau a chartrefi?
- Ydych chi'n hoffi nofio?
- Sut dysgoch chi nofio?
- Pa mor bwysig yw dysgu nofio, yn eich barn chi?
- Ydych chi'n gwneud ymarfer corff yn rheolaidd, fel Phil Ratcliffe?
- Ydych chi'n gwneud rhywbeth yn yr awyr agored, **boed law neu hindda**?

Gwylio a gwrando – Beth sy'n gwneud i chi deimlo'n falch?

Byddwch chi'n gwylio chwech o bobl yn siarad am bethau neu brofiadau sy'n gwneud iddyn nhw deimlo'n falch.

Geirfa:

trwy gyfrwng y Gymraeg　　　**penrhyn**　　　**a ballu**

Wrth wylio am y tro cynta, rhowch gylch o gwmpas y geiriau uchod pan fyddwch chi'n eu clywed nhw. Yna, llenwch y bylchau yn y tabl isod.

Enw	Gwaith	Beth sy'n gwneud i'r person yma deimlo'n falch?
Alun Jones		
Huw Erith		
Alex Jones		
Gwilym Bowen Rhys		
Heledd Cynwal		
Dewi Griffiths		

Rhestr wirio

Dw i'n gallu...

defnyddio **os** ac **a** yn gywir.	
siarad am bethau a phrofiadau sy'n gwneud i mi deimlo'n falch.	

Uned 20 – Byd y Ffilmiau

Nod yr uned hon yw...

- Adolygu ac ymarfer brawddegau pwysleisiol
- Siarad am fyd y ffilmiau a ffilmiau Cymreig
- Dysgu a defnyddio geirfa ac idiomau newydd

Geirfa

croten (crotesi)	*youngster(s), lass(es) (De Cymru)*
gwyrth(iau)	*miracle(s)*
pennod (penodau)	*episode(s), chapter(s)*
realaeth	*realism*
rhwystredigaeth	*frustration*
simnai (simneiau)	*chimney(s)*
stiwdio(s)	*studio(s)*
uchelgais (uchelgeisiau)	*ambition(s)*

crwtyn (cryts, crots)	*youngster(s), lad(s) (De Cymru)*
dogn(au)	*dose(s), ration(s)*
drwgdeimlad	*ill-feeling, animosity*
enwebiad(au)	*nomination(s)*
llofrudd(ion)	*murderer(s)*
portread(au)	*portrait(s), portrayal(s)*
sgaffald(iau)	*scaffold(ing)*
uchafbwynt(iau)	*highlight(s), pinnacle(s)*

castio	*to cast*
corddi	*to churn*
gwacáu	*to empty*
gwahodd	*to invite*
gwireddu	*to realise, to fulfil*
hanu (o)	*to hail (from)*
portreadu	*to portray, to personate, to represent*

anghredadwy	*incredible*
byrfyfyr	*impromptu*
cudd	*hidden, concealed*
dwl	*silly, daft*
masnachol	*commercial*
penderfynol	*determined, insistent*

cael cam	*to suffer an injustice*
gwerth ei halen	*worth his/her salt*
mewn hwyliau da	*in good spirits*

Geiriau pwysig i mi...

....

....

....

Rhai sinemâu yng Nghymru

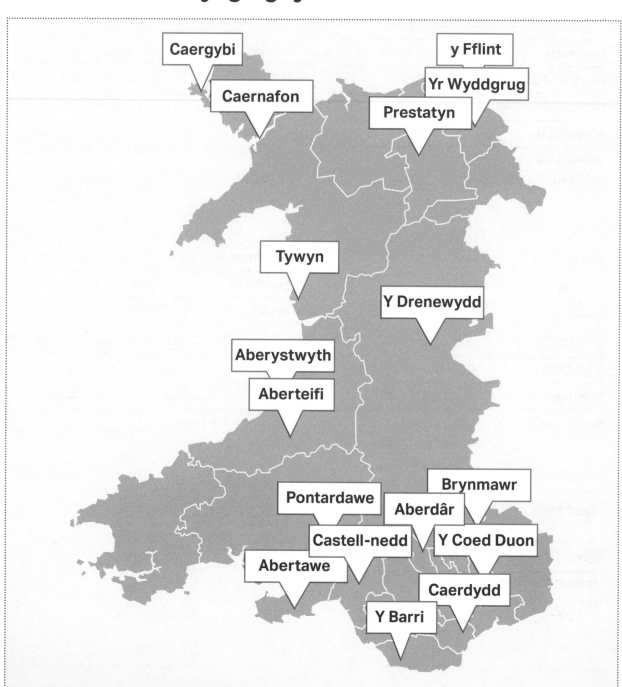

Siaradwch

- Pryd buoch chi yn y sinema ddiwetha?
- Pa un yw eich hoff ffilm?
- Trafodwch y sinema sy fwya lleol i chi fel grŵp.
- Ydych chi wedi bod i un o'r sinemâu ar y map?

Siarad am ffilmiau

Gyda'ch partner, meddyliwch am ffilm ym mhob categori.

- Ffilm arswyd
- Ffilm hanesyddol
- Ffilm ramantus
- Ffilm ffantasi
- Ffilm gomedi
- Ffilm i blant

Nesaf, ysgrifennwch ddwy frawddeg am bob ffilm, er enghraifft: 'Mae *Psycho* yn ffilm arswyd' – 'Ffilm arswyd yw *Psycho.*'

1. ....

2. ....

3. ....

4. ....

5. ....

6. ....

Gwylio a gwrando 1 – Sinema Brynaman

Byddwch chi'n gwylio clip fideo am hanes sinema Brynaman. Ar ôl gwylio'r fideo, gwnewch y tasgau canlynol.

Geirfa: crwtyn

1. Beth yw'r geiriau Cymraeg am yr isod:

volunteer(s)	....	*committee(s)*	....
secretary	....	*chairman*	....
projector	....	*projectionist*	....
collier(s)	....	*doctor's papers*	....

2. Ym mha ddyffryn mae Brynaman?

....

3. Canolbwynt pob pentref oedd y ...., ond hefyd y ....

4. Roedd sawl sinema'n arfer bod yn yr ardal, ond gwaetha'r modd, dim ond .... sydd ar ôl.

5. Ym mha flwyddyn agorodd y sinema?

....

6. Beth ddigwyddodd i'r sinema wreiddiol (a'r ail sinema!)?

....

7. Pwy fuodd yn casglu ceiniogau i agor ac i gynnal y sinema?

....

8. Mae Neuadd Gyhoeddus Brynaman wedi cael ei defnyddio fel sinema ac fel lleoliad ....

Help llaw

Y frawddeg bwysleisiol

Yn y clip fideo mae'r cyflwynydd yn dweud 'Canolbwynt pob pentref oedd y capel'.

Er mwyn pwysleisio mai'r capel oedd canolbwynt pob pentref, gellir dweud 'Y capel oedd canolbwynt pob pentref'.

I droi'r frawddeg yn **gwestiwn pwysleisiol**, gellir dweud 'i**Ai**'r/**Ife**'r capel oedd canolbwynt pob pentref?'

I droi'r frawddeg yn un **negyddol**, gellir dweud '**Nid** y capel oedd canolbwynt pob pentref.'

Ymarfer

Pwysleisiwch y gair mewn print tywyll.

1. Yr un gorau i actio'r brif ran yw **Geraint**.
Brawddeg bwysleisiol:

....

Brawddeg bwysleisiol negyddol:

....

Cwestiwn pwysleisiol:

....

2. Y ffilm waethaf a welais i erioed oedd (**pwysleisiwch enw'r ffilm**).
Brawddeg bwysleisiol:

....

Brawddeg bwysleisiol negyddol:

....

Cwestiwn pwysleisiol:

....

3. Dechreuodd hi ei gyrfa **ar lwyfan theatr y dref**.
Brawddeg bwysleisiol:

....

Brawddeg bwysleisiol negyddol:

....

Cwestiwn pwysleisiol:

....

Deialog

De	Gogledd
A: Nos Fawrth 'dyn ni'n mynd i'r sinema, ie?	**A:** Nos Fawrth dan ni'n mynd i'r sinema, ia?
B: Nos Fawrth? Nos Iau ro'n i'n meddwl! Bydda i'n mynd i wers ddringo ar nos Fawrth fel arfer...	**B:** Nos Fawrth? Nos Iau ro'n i'n meddwl! Mi fydda i'n mynd i wers ddringo ar nos Fawrth fel arfer...
A: Dringo lan y grisiau i dy sedd yn y sinema fydd yr unig ddringo byddi di'n wneud nos Fawrth yma!	**A:** Dringo fyny'r grisiau i dy sedd yn y sinema fydd yr unig ddringo byddi di'n wneud nos Fawrth yma!
B: Ha ha! Iawn – bydd rhaid i fi aildrefnu'r wers. Pa fath o ffilm hoffet ti ei gweld? Beth am ffilm arswyd?	**B:** Ha ha! Iawn – bydd rhaid i mi aildrefnu'r wers. Pa fath o ffilm liciet ti ei gweld? Be am ffilm arswyd?
A: Mae'n gas gyda fi ffilmiau arswyd! Ffilm antur hoffwn i ei gweld.	**A:** Mae'n gas gen i ffilmiau arswyd! Ffilm antur liciwn i ei gweld.
A: Maen nhw'n dweud taw ffilmiau antur yw'r mwya poblogaidd y dyddiau 'ma. Mae'n siŵr bydd rhywbeth addas.	**A:** Maen nhw'n deud mai ffilmiau antur ydy'r mwya poblogaidd y dyddiau 'ma. Mae'n siŵr bydd rhywbeth addas.
B: Grêt – gwela i di nos Fawrth.	**B:** Grêt – mi wela i di nos Fawrth.

Dril

Beth yw/ydy dy hoff ffilm?   *Gladiator* yw/ydy fy hoff ffilm.
Pwy yw/ydy dy hoff actor?
Pa un yw/ydy dy hoff sinema?
Beth oedd dy hoff ffilm yn blentyn?

Mae ffilmiau antur yn boblogaidd.   Maen nhw'n dweud **mai/taw** ffilmiau antur yw/ydy'r mwya poblogaidd.

Mae ffilmiau comedi'n boblogaidd.
Mae ffilmiau serch yn boblogaidd.
Mae ffilmiau ffantasi'n boblogaidd.
Mae ffilmiau arswyd yn boblogaidd.

Darllen 1

(O nofel Owen Martell – *Cadw dy Ffydd, Brawd*, 2000, tt. 106–7)

Geirfa: adloniant   penderfynol   clasur

...y *Plaza* oedd yr unig le posib i bobl ifainc fynd iddo... Roedd y lle wedi'i godi er mwyn cynnig **adloniant** i bobl, ac roedd y bobl yn **benderfynol** o gael **adloniant** yn y lle, hyd yn oed tase hynny'n golygu eistedd drwy ffilm Marilyn Monroe. (Mae hi hyd yn oed yn bosib mai gormod o ddewis yw'r drwg i lawer o blant heddiw.) ... Pan oedden ni'n bedair ar ddeg, aeth bois yr Angor i mewn i weld y *Godfather* – ro'dd brawd un o'r bois yn gweithio yno – ac er bod dim un ohonon ni'n deall yr iaith na'r digwydd yn iawn, eto, ro'dd y peth yn gafael rywsut. Wel, fe afaelodd yndda i, beth bynnag.

Ac o hynny ymlaen, dwy' ddim yn credu i mi fethu ffilm am flynyddoedd. Oherwydd y peth gorau ynglŷn â'r *Plaza* oedd mai dyna oedd yr unig beth i'w wneud. Ac oherwydd mai dyna oedd yr unig beth i'w wneud, bydden ni'n mynd yno erbyn wyth bob nos Wener. Ac oherwydd bod y *Plaza* ddim yn *UCI Ten-screen Multiplex*, fe fydden nhw'n dangos un ffilm yr wythnos, ac fe fyddwn i felly'n gweld yr un ffilm honno. Doedd 'na ddim dewis, ac fe weles i bob math o rybish, do, ond bob nawr ac yn y man mi fydde 'na **glasur**. Erbyn y *Godfather Part II* ro'n i'n ffyddlon i'r lle.

Siaradwch

- Pa ffilm oedd y ffilm gynta i chi ei gweld? Pa ffilmiau eraill dych chi'n cofio eu gweld pan o'ch chi'n blentyn?

- Ydych chi wedi gwylio ffilm fwy nag unwaith? Pam? Pam lai?

- Ydych chi'n gwylio ffilmiau dros wyliau'r Nadolig?

- Ydych chi'n cytuno bod gormod o ddewis ffilmiau y dyddiau hyn, a bod hynny'n ddrwg i blant?

- Oes gormod o ddewis ar y teledu hefyd? Ydych chi'n cofio pan oedd dim ond tair neu bedair sianel deledu?

Ymarfer

Ailysgrifennwch y brawddegau gyda phwyslais. Dilynwch y patrwm.

> e.e. Mae **Marlon Brando** yn serennu <u>yn *The Godfather*</u>.
> > Marlon Brando sy'n serennu yn *The Godfather*.
> > Yn *The Godfather* mae Marlon Brando yn serennu.

1. Mae **DVDs Antonio** <u>ar y bwrdd</u>.

....

....

2. Maen **nhw**'n mynd i'r sinema <u>bob nos Fawrth</u>.

....

....

3. Bydd **yr ailddangosiad** <u>yn Sinema Gwern Hywel</u>.

....

....

Darllen 2

(O *Gwyddoniadur Cymru yr Academi Gymreig*, 2008, t. 358)

Geirfa: dogn   realaeth   portread   llofrudd   portreadu

rhwystredigaeth   cudd   hanu   masnachol

Mae actorion o Gymru wedi gwneud argraff ar y sgrin fawr ers i Ivor Novello, Gareth Hughes a Lyn Harding ddod yn wynebau cyfarwydd yn y sinema fud. Y cyfnod mwyaf llewyrchus oedd canol yr ugeinfed ganrif pan ddaeth Richard Burton, Rachel Roberts a Stanley Baker â **dogn** o **realaeth** yr oedd ei fawr angen i ffilmiau Prydeinig. Yn 1945 Ray Milland oedd y Cymro cyntaf i ennill Oscar yr Actor Gorau, a hynny am ei ran fel Billy Wilder yn *The Lost Weekend*. Ers hynny, yr actor Cymreig mwyaf nodedig a welwyd ar y sgrîn yw Anthony Hopkins, a enillodd Oscar am ei **bortread** o'r **llofrudd** canibalaidd Hannibal Lecter yn ffilm Jonathan Demme, *Silence of the Lambs* (1992). Gwelir ei allu i **bortreadu'r** Sais ffurfiol a'i **rwystredigaethau cudd** mewn ffilmiau fel *84 Charing Cross Road* (1986), *Remains of the Day* (1993) a *Shadowlands* (1994). Tua diwedd yr ugeinfed ganrif daeth nifer o ddoniau newydd i'r amlwg, gan gynnwys Rhys Ifans, Matthew Rhys ac Ioan Gruffudd, sydd ymhlith y genhedlaeth gyntaf o actorion Cymraeg i gael dewis gwerth chweil o rannau yn eu gwlad eu hunain a thu hwnt. Mae Catherine Zeta Jones, sy'n **hanu** o Abertawe, wedi'i sefydlu ei hun fel un o actoresau cyfoethocaf Hollywood, gan ymddangos, er enghraifft, gyferbyn ag Anthony Hopkins yn *The Mask of Zorro* (1998), a fu'n llwyddiant **masnachol** mawr. Yn 2003 enillodd Oscar yr Actores Ategol Orau am ei rhan yn *Chicago*.

Ymarfer

Llenwch y bylchau gan ddefnyddio'r wybodaeth o'r darn darllen uchod.

1. O .... mae Catherine Zeta Jones yn dod yn wreiddiol.

2. .... oedd cyfnod mwyaf llewyrchus actorion o Gymru.

3. .... enillodd Oscar yr Actores Ategol Orau.

4. Oscar .... enillodd Ray Milland yn 1945.

5. Yn .... ymddangosodd Catherine Zeta Jones gyferbyn ag Anthony Hopkins yn 1998.

Siaradwch

- Ydy'r actorion uchod yn gyfarwydd i chi? Ydych chi wedi gweld rhai o'r ffilmiau y maen nhw'n serennu ynddyn nhw?

- Beth yw/ydy eich barn am wobrau fel yr Oscars? Oes gormod o arian yn cael ei wario ar seremonïau o'r fath?

- Ydych chi'n meddwl bod actorion yn ennill cyflogau rhy uchel?

- Ydych chi'n meddwl bod digon o ffilmiau'n cael eu cynhyrchu yn y Gymraeg ac yng Nghymru?

Gwylio a gwrando 2

Ioan Gruffudd a'r *Titanic* (*Heno* 1998)

Mae'r darn darllen uchod yn cyfeirio at Ioan Gruffudd. Byddwch chi'n gwylio fideo o Ioan Gruffudd yn cael cyfweliad ar raglen *Heno*. Llenwch y paragraff isod wrth wylio a gwrando!

Geirfa: castio   byrfyryr   sgaffaldiau

anghredadwy   gwerth ei halen   simneiau

1. .... a .... yw sêr y ffilm.

2. .... yw enw'r ffilm, ac mae Ioan Gruffudd yn actio ynddi hefyd.

3. Yn .... y cafodd Ioan gyfweliad i actio rhan yn y ffilm.

4. .... oedd enw'r person go iawn y mae'n ei actio, ac mae Ioan yn digwydd bod yn debyg iawn iddo o ran pryd a gwedd.

5. Ar .... roedd y cyfweliad i gyd yn cael ei recordio.

6. I .... y cafodd y recordiad ei anfon at y cyfarwyddwyr.

7. I .... yr hedfanodd Ioan.

8. Mae'n debyg mai/taw .... a gwynodd fod y cyfarwyddwr wedi rhoi ei bywyd mewn perygl.

9. Allan i .... aeth Ioan a Kate a'u ffrindiau ar noson agoriad y ffilm.

10. .... yw enw'r gyfres y mae Ioan yn gweithio arni ar hyn o bryd.

11. Yng .... bydd y ffilm *Solomon a Gaenor* yn cael ei ffilmio.

Rhestr wirio

Dw i'n gallu...

defnyddio brawddegau pwysleisiol.	
siarad am fyd y ffilmiau.	

Uned 21 – Kate Roberts

Nod yr uned hon yw...
• Ymarfer defnyddio **hwn**, **hon** a **hyn**
• Dysgu am fywyd a gwaith Kate Roberts

Geirfa

cesail (ceseiliau)	*armpit(s)*
ffawd	*destiny, fate, fortune*
gwasgod(au)	*waistcoat(s)*
hoelen (hoelion)	*nail(s)*

anfoddog	*unwilling*
cynhyrchiol	*productive*
direidus	*impish, mischievous, naughty*
hiraethus	*llawn hiraeth*

cecru	*to bicker, to quarrel*
cyfoethogi	*to enrich, to make rich*
estyn	*to reach, to extend*
ffrwtian	*to splutter, to sputter*

babandod	*infancy*
campwaith (campweithiau)	*masterpiece(s)*
cetyn (cetynnau)	*pipe(s)*
cyhoedd (y cyhoedd)	*(the) public*
goleuni	*light, brightness*
llidiart (llidiardau)	*gate(s), lock gate(s)*
paladr (pelydr)	*ray(s)*
teclyn(nau)	*tool(s), implement(s); gadget(s)*
tyddyn(nod)	*smallholding(s), homestead(s), croft(s)*
unfan	*same place*

drachefn	*again, afresh*
trochion	*foam, lather, suds*
ynghlwm (wrth)	*bound, tied up (with)*

Geiriau pwysig i mi...

Adolygu Uned 20 – Brawddegau pwysleisiol

**Gyda'ch partner, darllenwch y ffeithiau hyn am Kate Roberts.
Yna, pwysleisiwch yr elfennau sydd wedi'u tanlinellu.**

Ganwyd Kate Roberts <u>yn 1891</u>.

Cafodd hi ei magu <u>mewn bwthyn o'r enw Cae'r Gors yn Rhosgadfan</u>.

Mae Rhosgadfan yn <u>bentref bach ger Caernarfon, Gwynedd</u>.

Roedd ei thad yn <u>chwarelwr</u>.

Astudiodd y Gymraeg ym Mhrifysgol Bangor <u>rhwng 1910 ac 1913</u>.

Ei swydd gyntaf oedd <u>dysgu yn Ysgol Elfennol Dolbadarn</u>.

Enw ei chyfrol gyntaf o storïau oedd <u>*O Gors y Bryniau*</u>, a gyhoeddwyd yn 1925.

Priododd Kate â Morris T. Williams, argraffydd, <u>yn 1928</u>.

Roedd Kate a Morris yn rhedeg Gwasg Gee gyda'i gilydd <u>yn Ninbych</u>.

Ysgrifennodd Kate Roberts <u>chwe nofel</u>, ac mae hi'n enwog am ei storïau byrion <u>yn bennaf</u>.

Mae'r <u>nofel *Traed Mewn Cyffion*</u> wedi ei throi'n gyfres deledu.

Gwylio a gwrando 1 – Cae'r Gors

Geirfa:
tyddyn   hiraethus   campwaith (campweithiau)

1. Wrth wylio'r fideo am y tro cyntaf, rhowch gylch o gwmpas y geiriau uchod pan fyddwch chi'n eu clywed nhw.

2. Pa adeilad sydd wrth y tyddyn i gadw anifail?

3. Enwch dri pheth roedd yn rhaid i wraig y chwarelwr ei wneud.

i. ....

ii. ....

iii. ....

4. Beth ddigwyddodd yn ...

1967? ....

2007? ....

5. Beth oedd yn rhan bwysig o waith Kate Roberts?

6. Mae rhannau bylchog o sgript y fideo isod. Llenwch y bylchau gan ddefnyddio **hwn**, **hon**, **hyn** a **hynny** yn gywir.

Tyddyn bach yn Rhosgadfan ger Caernarfon ydy Cae'r Gors. Symudodd Kate Roberts a'i theulu i fyw yma pan oedd hi'n bedair oed. .... oedd ei chartref tan iddi fynd i'r brifysgol ym Mangor pan oedd hi'n ddeunaw oed.

Codwyd llawer o dyddynnod fel .... gan chwarelwyr oedd yn gweithio yn chwareli'r ardal, sef Cors y Bryniau, Moel Tryfan, Braich a Cilgwyn.

Roedd gwraig y chwarelwr yn gweithio'n galed hefyd. Roedd gwaith tŷ dipyn yn galetach bryd ....

Mae llawer o storïau Kate Roberts yn dangos mor anodd oedd bywyd i deuluoedd yr ardal .... – yn enwedig i'r mamau.

Mi fedrwch chi ddysgu llawer amdani hi yn yr ystafell ...., lle mae gwybodaeth am ei bywyd, ei gwaith a'r gymdeithas a ddylanwadodd arni hi.

Roedd Kate Roberts yn treulio oriau maith yn chwarae y tu allan, a'r profiadau .... wnaeth ysbrydoli ei gwaith enwocaf.

Yn ogystal â'r tyddyn, mae neuadd gymunedol fan .... i gynnal pob math o weithgareddau.

Mae'n werth ymweld â'r tyddyn arbennig .... i ddysgu am yr amgylchedd a'r profiadau a ffurfiodd gymeriad Kate Roberts, ac a ysbrydolodd ei **champweithiau**.

Siaradwch

- Allwch chi feddwl am gartrefi enwogion eraill sydd ar agor i'r cyhoedd?
- Ydych chi wedi ymweld â chartref person enwog? Siaradwch am y profiad.
- Ydych chi'n mwynhau ymweld ag amgueddfeydd a chartrefi hanesyddol?

Ymarfer hwn, hon, hyn...

Gyda'ch partner, lluniwch ddwy frawddeg yn cynnwys pob gair yn y tabl isod.

this / these yn Gymraeg			
hwn	hon	hyn	y rhain
1.	1.	1.	1.
2.	2.	2.	2.

that / those yn Gymraeg			
hwnnw/hwnna	honno/honna	hynny	y rheini/rheina
1.	1.	1.	1.
2.	2.	2.	2.

Defnyddwich **hwn**, **hon, hwnna**, **honna** i gymharu'r lluniau yma.

Darllen 1 – *Deian a Loli* gan Kate Roberts

Geirfa:
babandod   anfoddog   hiraethus   trachefn

hwy = nhw   rhoddi = rhoi   hoel = hoelen (*nail*)   myned = mynd   ebe = meddai

Nofel fer i blant yw *Deian a Loli*, a gyhoeddwyd yn 1927. Mae hi'n adrodd hanes dau efell direidus, Deian (sy'n fachgen) a Loli (sy'n ferch) o'u **babandod** tan ddiwedd eu plentyndod.

Yn y darn isod, byddwch chi'n cael hanes ymweliad Deian a Loli â'r ysgol am y tro cyntaf.

****

Cymerodd yr athrawes afael yn eu llaw ac aeth â hwy at y plant lleiaf, a chadwodd yn agos atynt, er mwyn tynnu eu capiau. Edrychai Loli'n **anfoddog** wrth i'r athrawes roddi ei bonnet startsh gwyn ar yr hoel, a throdd olwg **hiraethus** arno dros ei hysgwydd wrth fyned i mewn i'r ysgol.

Wedi bod yn eistedd yng nghanol y plant am dipyn galwodd Miss Gruffydd, yr athrawes, arnynt i'r llawr, a gofynnodd iddynt beth oedd eu hoed.

'Pedair,' ebe Deian.
'A chitha,' ebe hi wrth Loli.
''Run faint â Deian,' ebe Loli.
'Beth ydi'ch enw chi?' ebe'r athrawes.
'Deian a Loli,' ebe'r ddau gyda'i gilydd. Clywsai'r ddau y ddau enw ar yr un gwynt bob amser nes myned i feddwl mai'r ddau enw gyda'i gilydd oedd enw pob un ohonynt.
'Na, bedi'ch enw iawn chi?' ebe'r athrawes **drachefn**.
'Ond Deian a Loli,' ebe'r ddau.
'Ia, ond Deian beth, a Loli beth? Bedi enw'ch tad?' ebe hi'n sydyn.
'Tada ydi'i enw fo i ni,' ebe Loli, 'ond Elis fydd Mami yn 'i alw fo...'

Siaradwch

- Ydych chi'n cofio eich diwrnod cyntaf chi yn yr ysgol?
- Pwy oedd eich hoff athro neu athrawes yn yr ysgol gynradd?
- Wrth feddwl am eich amser yn yr ysgol gynradd, pa wersi neu ddigwyddiadau sy wedi aros yn eich cof?

Gwylio a gwrando 2 – *Deian a Loli* ar y teledu

Mae gan S4C raglen deledu boblogaidd i blant o'r enw *Deian a Loli* a enillodd wobr BAFTA. Yn y fideo yma, bydd Angharad Elen, cynhyrchydd *Deian a Loli*, yn trafod y rhaglen ac yn esbonio pam roedd hi eisiau gwneud y rhaglen hon.

Geirfa:

unfan	pelydr	goleuni	direidus	ynghlwm (wrth)

teclyn(nau)	cecru	ffawd	cyfoethogi

1. Wrth wylio'r fideo am y tro cyntaf, rhowch gylch o gwmpas y geiriau uchod pan fyddwch chi'n eu clywed nhw.

2. Pwy sy'n cael eu 'rhewi yn yr unfan' yn *Deian a Loli*?

....

3. Pa fath o blentyndod a gafodd Angharad Elen yn Llandwrog?

....

4. Beth sy'n ei phoeni am blant y dyddiau hyn?

....

5. Sut mae plant wedi ymateb i'r rhaglen?

....

6. Mae Angharad Elen yn defnyddio llawer o idiomau ac ymadroddion diddorol. Gyda'ch partner, ceisiwch feddwl am esboniad (yn Gymraeg) i bob un.

o fore gwyn tan nos ....

yn fwyfwy **ymwybodol** ....

rheoli eu **ffawd** eu hunain ....

yn is**ymwybodol** ....

testun balchder ....

Allwch chi feddwl am unrhyw eiriau sy'n gysylltiedig ag **ymwybodol** a **ffawd**? Nodwch nhw yn y blwch.

Siaradwch

- Mae Angharad Elen yn sôn am rai o'i hoff lyfrau pan oedd hi'n blentyn, sef *Pippi Hosan Hir (Pippi Longstocking)*, *The Chronicles of Narnia* ac *Alys yng Ngwlad yr Hud (Alice in Wonderland)*. Ydych chi wedi darllen rhai o'r llyfrau hyn?

- Beth oedd eich hoff lyfrau chi pan oeddech chi'n blant?

- Mae Angharad Elen yn dweud mai "ffantasi pob plentyn ydy byd heb oedolion". Allwch chi feddwl am lyfr, rhaglen deledu neu ffilm am blant sydd heb oedolion yn dweud wrthyn nhw beth i'w wneud?

- Mae'r rhaglen deledu'n wahanol i lyfrau Kate Roberts, ond allwch chi feddwl am gyfresi teledu sy'n addasiadau o lyfrau? Oedden nhw'n llwyddiannus?

- Ydych chi'n poeni bod plant ac oedolion yn treulio gormod o amser o flaen tabledi a theclynnau cyfrifiadurol?

- Pa mor bwysig yw chwarae yn yr awyr agored i blant, yn eich barn chi?

Darllen 2 – *Rhigolau Bywyd* gan Kate Roberts

Mae enghreifftiau o'r **amherffaith cryno** yn y darn yma. Byddwch chi'n gweld yr **amherffaith cryno** yn aml mewn llenyddiaeth Gymraeg. Does dim angen i chi ddysgu'r ffurfiau hyn eto, ond dyma esboniad o'r geiriau sydd yn y darn hwn:

clywai (x2) – roedd e/o/hi yn clywed
siaradent – roedden nhw'n siarad
âi – roedd e/o/hi yn mynd
edrychai – roedd e/o/hi yn edrych
gwrandawai – roedd e/o/hi yn gwrando

Geirfa:
**ffrwtian   trochion   cetyn   cesail
gwasgod   llidiart**

'Hylo-i,' dros y tŷ. Dafydd Gruffydd oedd yn deffro i fynd at ei waith i'r chwarel am chwech o'r gloch fore dydd ei ben-blwydd yn ddeg a thrigain oed.

Wedi iddo ateb, aeth Beti ei wraig i'r gegin a dechreuodd dorri bara ac ymenyn i'w roi yn ei dun bwyd. Torrodd wyth sleisen ar hyd y dorth a phwysodd hwynt i'w dun, a'i modrwy yn suddo i'r frechdan wrth iddi wneuthur hynny. Erbyn iddi orffen rhoi te a siwgr yn yr hen focs mwstard, yr oedd ei phriod yn y gegin bach yn ymolchi, a chlywai ei sŵn yn **ffrwtian trochion** o'i geg.

Wedi iddo fwyta ei frecwast troes ei gadair at y tân, rhoes ei goes tros ei braich ac estynnodd ei **getyn** i gael smôc. Wedyn cododd ac edrychodd allan ar y tywydd.

'Ydi hi am fwrw heddiw?' meddai wrth ei wraig.

'Na, tydw i ddim yn meddwl, ond ella y basa'n well ichi fynd â'ch côt.'

Cymerodd hi oddiar gefn drws y gegin bach a daeth i nôl ei dun bwyd a'i dun te a rhoes hwynt ym mhoced **gesail** ei **wasgod** liain.

Clywodd Beti ef yn cau'r **llidiart** a llais ei bartner Twm Min y Ffordd. 'Sut ma'r iechyd heddiw, Dafydd?'

Yna clywai'r ddau yn mynd i fyny heibio **talcen** y tŷ ac eraill yn eu dilyn gan siarad mewn tôn isel fel y gwna chwarelwyr yn y bore – tôn is o lawer na'r un y siaradent ynddi yn y nos.

Fel yna yn union yr âi Dafydd Gruffydd at ei waith bob dydd. Bu'n cyfarfod â'i bartner wrth y **llidiart** am y deuddeng mlynedd ar hugain diwethaf, ac ni fethodd yr un o'r ddau erioed gychwyn oddi wrth dŷ Dafydd Gruffydd am hanner awr wedi chwech.

Ond dyma'r tro cyntaf i'r peth daro Beti. Edrychai a gwrandawai ar bob dim heddiw fel petai yn newydd.

1. Beth yw arwyddocâd y rhifau hyn yn y darn?

6 ....

70 ....

8 ....

32 ....

2. Ystyr **talcen** yw *forehead*, ond mae **talcen y tŷ** (fel sydd yn y stori yma) yn golygu ochr neu ben y tŷ lle mae'r wal a'r to yn gwneud siâp triongl. Dyma enghreifftiau eraill o ymadroddion sy'n cynnwys **talcen**:

talcen glo	*coalface*
ei bwrw yn ei thalcen	*to hit the nail on the head*
talcen caled	gwaith caled, heb lawer o obaith llwyddo
talcen slip	cyffredin iawn, gwael
yfed (diod) ar ei dalcen	*to down in one gulp*

Gyda'ch partner, dewiswch ddau o'r ymadroddion uchod, a gwnewch frawddegau gyda nhw.

i. ....

ii. ....

3. Mae'r Gymraeg wedi newid ers cyhoeddi'r stori hon yn 1929. Ceisiwch ddod o hyd i eiriau yn y darn darllen sy'n cyfateb i'r geiriau yn y tabl.

Cymraeg diweddar	1929	Cymraeg diweddar	1929
menyn		nhw	
gwneud		roedd	
trodd		rhoddodd/rhoiodd	

Siaradwch

- Mae Dafydd Gruffydd yn dilyn yr un drefn bob bore ers blynyddoedd maith. Ydych chi'n gwneud popeth yn yr un drefn bob bore? Neu ydych chi'n mwynhau cysgu'n hwyr pan fydd cyfle?

Gwylio a gwrando 3 – *Mewn Cymeriad, Kate Roberts*

Ar ôl gwylio'r fideo, darllenwch y ffeithiau isod am Kate Roberts gyda'ch partner. Mae wyth ohonyn nhw'n gywir, a dwy yn anghywir.
Rhowch X neu ✓ yn y blychau.

Ffeithiau am Kate Roberts	Cywir?
1. Roedd dau o frodyr Kate Roberts wedi gorfod ymuno â'r fyddin.	
2. Clwyfwyd Evan, ei brawd, yn y Somme.	
3. Un deg naw oed oedd Dei, ei brawd, pan gafodd ei ladd.	
4. Dechreuodd Kate Roberts ysgrifennu ar ôl marwolaeth Dei. Roedd yn rhaid iddi ysgrifennu 'rhag mygu' (*to prevent suffocation*).	
5. Yn *Traed Mewn Cyffion*, roedd hi'n benderfynol o ddisgrifio effaith "llanastr y rhyfel" ar deulu cyffredin.	
6. Cwrddodd hi â Morris T. Williams ar drên.	
7. Roedd Morris yn dod o Aberdâr.	
8. Y cyfnod ar ôl marwolaeth Morris oedd cyfnod mwyaf cynhyrchiol Kate Roberts.	
9. Cyhoeddwyd *Te yn y Grug* yn 1960.	
10. Yn yr un flwyddyn â chyhoeddi *Te yn y Grug*, collodd Kate Roberts aelod olaf ei theulu.	

Rhestr wirio

Dw i'n gallu...

defnyddio **hwn**, **hon** a **hyn** yn gywir.	
siarad am bynciau sy'n codi o waith Kate Roberts.	

Uned 22 – Ofergoelion

Nod yr uned hon yw...

• Ymarfer defnyddio'r dyfodol i siarad am bethau rydyn ni'n eu gwneud yn gyson

• Siarad am ofergoelion ac arferion personol

Geirfa

anffawd (anffodion)	*misfortune(s) misadventure(s)*
argoel(ion)	*omen(s), sign(s)*
defod(au)	*ceremony (-ies), custom(s), rite(s)*
meillionen (meillion)	*clover(s), shamrock(s)*
ofergoel(ion)	*superstition(s)*
pioden (piod)	*magpie(s)*

dialedd (dialon)	*revenge(s), vengeance(s), reprisal(s)*
dywediad(au)	*expression(s), saying(s)*
gronyn (gronynnau)	*grain(s), granule(s); seed(s) of corn; particles (mewn Ffiseg)*
gwae(au)	*woe(s)*
llinyn(nau)	*string(s), strand(s), twine*
niwed (niweidiau)	*harm*
trawst(iau)	*beam(s), joist(s), rafter(s)*

canfod	*to discern, to percieve; to find*
cloddio	*to burrow, to dig, to quarry*
darogan	*to predict, to foretell*
dychryn (rhag)	*to be frightened; to get a fright*
stelcian	*to skulk; to stalk*

anniddig	*uneasy, irritable*
anwybodus	*ignorant*
derbyniol	*acceptable*
goleuedig	*enlightened*
ofergoelus	*superstitious*

gynt	*formerly, of yore, once*

Geiriau pwysig i mi...

....

....

....

Adolygu Uned 21

Dewiswch y geiriau cywir i lenwi'r bylchau.

hwn   **hon**   **hyn**   **hwnnw**   **honno**   **hynny**   **rhain**

1. Roedd drych yn arfer bod ar y wal, fan hyn. Torrais i'r drych .... a chael saith mlynedd o anlwc.

2. Y dyddiau ...., does dim llawer o bobl yn credu mewn ofergoelion.

3. Alla i ddim gwisgo'r siaced ...., mae'n anlwcus!

4. Ar y dydd ...., sef dydd Gwener y trydydd ar ddeg, mae llawer o bethau anlwcus yn digwydd i mi bob blwyddyn!

5. Cathod du yn lwcus? Dydw i ddim yn credu .... o gwbl.

6. Mae'r .... yn sanau lwcus – paid â'u rhoi nhw yn y bin!

7. Y gath ddu .... yw fy ffrind gorau. Bydd hi bob amser yn dod â lwc i mi.

Darllen yn uchel – Dydd Gwener y trydydd ar ddeg

Gyda'ch partner, cymerwch dro i ddarllen y darn hwn yn uchel.
Sylwch ar y defnydd o **ferfau amser dyfodol** yn y darn. Ond ydy'r person yma'n siarad am y dyfodol?

Pan **fydd** hi'n ddydd Gwener y trydydd ar ddeg, **fydda** i ddim yn gwneud unrhyw beth gwahanol i'r arfer. **Bydda** i'n codi, yn cael cawod ac yn gwisgo, cyn bwyta tamaid o dost a mynd i'r gwaith, fel **bydda** i bob dydd Gwener arall. Ond **bydd** Ceri, fy mhartner, yn siŵr o wneud tipyn o ffŷs. **Bydd** Ceri wedi estyn ei sanau coch lwcus yn barod y noson cynt. Cyn gwneud unrhyw beth arall, **bydd** rhaid bwydo Smwt, ein cath ddu, a rhoi llawer o sylw iddi hi. **Bydd** Ceri wedyn yn cael tri wy i frecwast yn lle dau, achos bod tri yn rhif lwcus! Ar ôl hynny, **bydd** Ceri'n cerdded i'w swyddfa, gan osgoi pob crac yn y pafin, pob pioden a phob ysgol ar hyd y daith.

Siaradwch

- Ydych chi'n berson ofergoelus?
- Oes dillad lwcus gyda chi?
- Fyddwch chi'n gwisgo'r un dillad ar gyfer rhai pethau, e.e. gêm rygbi, angladd, cyfweliad?
- Sut mae arferion prynu dillad wedi newid dros y blynyddoedd?

Ymarferion – driliau

Dw i'n hoffi pysgota…	ond fydda i ddim yn <u>dal llawer o bysgod</u>.
Rwyt ti'n hoffi coginio…	ond fyddi di byth yn <u>glanhau/llnau ar dy ôl</u>.
Mae Jac yn hoffi rhedeg…	ond fydd e/o byth yn <u>rhedeg rasus</u>.
Mae Elan yn hoffi canu…	ond fydd hi byth yn <u>canu karaoke</u>.
'Dyn/Dan ni'n hoffi gwersylla…	ond fyddwn ni byth yn <u>gwersylla mewn tywydd gwael</u>.
Dych/Dach chi'n hoffi siopa…	ond fyddwch chi byth yn <u>prynu unrhyw beth defnyddiol</u>.

Gyda'ch partner, gwnewch yr ymarfer hwn, gan newid y geiriau wedi'u tanlinellu wrth wneud yr ymarfer am yr ail dro.

Help llaw

Efallai eich bod chi wedi clywed pobl yn defnyddio ffurfiau dyfodol **bod** wrth siarad am bethau y maen nhw'n eu gwneud yn aml. Rydyn ni'n galw hyn yn **ddyfodol arferiadol**. Mae'n gyffredin iawn ar lafar, er enghraifft:

Ro'n i'n arfer mynd â fflasg i'r gwaith, ond **bydda i'n** prynu coffi yn Caffi Clên rŵan.
Fyddi di'n teithio tipyn ar y trên?
Bydd Alys yn gwylio ei hoff opera sebon bob nos am 8.00.
Fyddwch chi'n mynd dramor bob haf?
Byddwn ni'n talu ein biliau'n brydlon bob mis.
Byddan nhw'n dod â'r car i'r garej yma bob tro.

Cofiwch mai **dewis** yw defnyddio'r dyfodol arferiadol. Mae llawer o bobl yn defnyddio'r **presennol** hefyd.

Holiadur

Ewch o gwmpas y dosbarth a gofynnwch y cwestiwn : "Beth fyddwch chi'n wneud yn aml?" Gofynnwch i bawb ddweud **tri pheth**, gan ymarfer ffurfiau'r dyfodol wrth ateb.

Enw	1.	2.	3.

Darllen 1 – Ofergoelion

Geirfa:
goleuedig   anwybodus   defodau   gronynnau   stelcian

anniddig   dychryn

Byddai rhywun yn meddwl, yn ein hoes 'oleuedig', y byddai ofergoelion wedi hen ddarfod. Ond nid felly mae pethau. Rydyn ni'n parhau i fod yn eneidiau ofnus ac **anwybodus**, mae'n rhaid. Mae ofergoelion yn rhan o arferion a **defodau** bob dydd i mi. Os bydda i'n colli halen ar y bwrdd bwyd, bydda i'n taflu'r **gronynnau** dros fy ysgwydd chwith er mwyn dallu'r diafol sy'n **stelcian** tu ôl i mi! Bydda i'n teimlo'n **anniddig** os bydda i'n mynd i mewn trwy un drws yn nhŷ rhywun ac yn gadael trwy ddrws arall. Cofiaf fynd i weld *Blood Brothers* a **dychryn** am fy mywyd pan rybuddiodd Mrs Johnstone na ddylid rhoi esgidiau newydd ar y bwrdd, a dydw i erioed wedi gwneud hynny wedyn. Ydw i'n greadur ofnus, **anwybodus** felly? Mae'n rhaid fy mod i.

Cysylltwch y gair â'r diffiniad:

darfod	ddim yn deall pethau
anwybodus	darnau bach iawn, iawn
defod	dod i ben
gronynnau	ddim yn gyfforddus mewn sefyllfa
anniddig	seremoni

Trafodwch yr ofergoelion isod a thros y tudalen. Faint o bobl sy'n credu mewn ofergoelion fel hyn? Wedyn, soniwch am o leiaf dair ofergoel arall.

Cath ddu

Dydd Gwener y 13eg

Cerdded o dan ysgol

Taflu tusw o flodau mewn priodas

Codi llaw ar bioden

Gwylio a gwrando – Fideo ofergoelion

Byddwch chi'n gwylio saith o bobl yn siarad am ofergoelion. Wrth wylio am y tro cyntaf, rhowch gylch o gwmpas yr eirfa isod. Yna, atebwch y cwestiynau.

Geirfa:
meillionen   darogan   gwae   derbyniol

ystol = ysgol (yn y gogledd)

1. Mae **Alun Jones** yn dweud ei fod yn arfer treulio oriau yn chwilio am fath arbennig o feillionen. Pa fath?

....

2. Mae **Huw Erith** yn sôn am ddau beth sy'n anlwcus i gychod. Beth ydy'r pethau hyn?

....

....

Ydy'r pethau uchod wedi dod ag anlwc i Huw Erith?

....

....

Pa liw oedd y cwch wnaeth droi drosodd?

....

3. Dydy **Hafwen Dorkins** ddim yn ofergoelus, ond mae hi'n sôn am ddwy ofergoel. Beth ydyn nhw?

i. ....

ii. ....

4. Mae **Gwenda Parry** ychydig bach yn ofergoelus. Gwrandewch yn astud arni hi, a llenwch y bylchau:

"Wna i ddim .... o dan ystol. Mi fydda i'n meddwl, os bydd 'na gath .... yn croesi'r .... o 'mlaen i, mae hynny'n .... Dim rhoi .... ar y..............................."

5. Mae **Rhian Morgan** yn sôn am ofergoel rhywun arall. Pwy?

....

Beth oedd yn **darogan gwae** yn ôl Rhian Morgan?

meillionen   blodyn Mehefin   blodyn Mai

6. Beth oedd "ddim yn **dderbyniol**" yng nghartref **Mari Grug**?

....

7. Gwrandewch yn astud ar Aneirin Karadog, a llenwch y bylchau isod:

"Dw i ddim yn hoffi .... pobl wrth gerdded lan y stâr.
Bydda i'n trio .... mynd o dan .... Os oes
.... ddu yn dod o 'mlaen i ar y llwybr, ... i'n teimlo'n
lwcus. Os dw i wedi cael .... yn 'neud rhywbeth gyda rhyw
ddilledyn, bydda i'n trio gwisgo'r un .... eto os dw i'n moyn
.... eto."

Siaradwch

- Ydy pobl ifanc yn llai ofergoelus na phobl hŷn?
- Sut mae defodau cymdeithasol wedi newid dros y blynyddoedd?

Darllen 2 – 'Carreg â thwll' o'r gyfrol *Hen Gof* gan T. Llew Jones

Geirfa:

dialedd   anffawd   gynt   llinyn   argoel(ion)   dywediad

canfod   cloddio   niwed   trawst
(canfyddir)

Cyfrifid carreg a thwll ynddi yn garreg 'lwcus' slawer dydd. Gallai cario carreg felly eich amddiffyn rhag ysbrydion drwg, **dialedd** gwrachod, a rhag **anffawd**. Byddai pobl **gynt** yn cario carreg â thwll ynddi yn eu poced neu wrth **linyn** am eu gwddf. A hyd yn oed pan na fyddai gennych garreg felly <u>wrth law</u> – byddai'n arferiad i ddweud 'carreg â thwll' pan fyddai'n gyfyng arnoch, neu pan fyddai rhyw **argoelion** drwg yn gwneud i chi ofni'r gwaethaf; yn union fel y bydd Saeson (a Chymry hefyd) yn dweud 'touch wood', hyd yn oed pan na fydd pren <u>wrth law</u> i gyffwrdd ag ef.

Ond, am ryw reswm, does neb yn defnyddio'r **dywediad** 'carreg â thwll' yn yr ystyr yna bellach. Ond fe **ganfyddir** cerrig â thwll o hyd ac o hyd wrth **gloddio** adfeilion hen feudai ac ystablau. Fe gedwid cerrig felly gan ein hen gyndeidiau yn y beudy a'r stabl er mwyn amddiffyn yr anifeiliaid rhag **niwed**, yn enwedig yn ystod oriau'r nos pan fyddai pawb yn cysgu. Fe all fod yna bobl yn fyw heddiw sy'n cofio am garreg â thwll yn crogi wrth **drawst** mewn hen stabl.

1. Mae'r darn yma'n cynnwys dwy ferf amhersonol sy'n gorffen ag -**id**, sef

> **cyfrifid**
> **cedwid** (fe gedwid)

Beth yw'r **berfenwau**? ....
Mae'r terfyniad -**id** yn cael ei ddefnyddio pan fyddwn ni'n sôn am rywbeth oedd yn arfer digwydd yn aml yn y gorffennol. Llenwch y tabl isod â'r ffurfiau cywir.

berfenw	amherffaith	gorffennol	presennol/dyfodol
	cyfrifid		
	cedwid		
			canfyddir

2. Mae'r gair **llinyn** yn cael ei ddefnyddio mewn llawer o dermau ac ymadroddion Cymraeg, er enghraifft:

llinyn bogail	*umbilical chord*
rhoi/bwrw llinyn mesur ar rywun/rhywbeth	*to appraise, measure up* (yn ffigurol hefyd)
llinyn trôns	*wimp* (yn y gogledd)
cael deupen llinyn ynghyd	*to make both ends meet*
offeryn llinynnol	*string instrument*

Gyda'ch partner, dewiswch ddau o'r ymadroddion uchod, a gwnewch frawddeg gyda nhw.

i. ....

ii. ....

3. Mae **wrth law** yn golygu bod rhywbeth yn gyfleus ac yn agos atoch chi. Gyda'ch partner, meddyliwch am ddau ymadrodd arall sy'n defnyddio **wrth**.

....

....

4. Mae'r darn yn sôn am 'ofni'r gwaethaf'. Ansoddair yn y radd eithaf yw **gwaethaf**. Llenwch y bylchau yn y tablau hyn.

y radd gysefin	y radd gyfartal	y radd gymharol	y radd eithaf
	cynddrwg â		gwaethaf
da		gwell	
	cymaint â		mwyaf
bach		llai	

5. Roedd carreg â thwll yn cael ei defnyddio i **amddiffyn** anifeiliaid **rhag** niwed. Mae llawer o ferfenwau eraill yn defnyddio **rhag**.

Cyfieithwch:

to rescue from ....

to keep from ....

to hide from ....

to escape from ....

to shelter from ....

Beth yw **in case** yn Gymraeg? ....

6. Edrychwch ar y geiriau 'pan fyddai'n gyfyng arnoch'. Beth dych chi'n feddwl yw ystyr:

Mae'n gyfyng arna i o ran arian ar hyn o bryd.

Mae'n gyfyng arna i o ran amser ar hyn o bryd.

Rhestr wirio

Dw i'n gallu...

defnyddio'r dyfodol i siarad am bethau rydyn ni'n eu gwneud yn arferol.	
siarad am ofergoelion ac arferion personol.	

Uned 23 – Enwogion o Fri

Nod yr uned hon yw...
• Adolygu unedau 19–22
• Trafod enwogion

Geirfa

anghyfreithlon	*illegal, unlawful*
crediniol	*of (the) firm belief*
enbyd	*grievous, severe, harmful*
unigol	*individual; singular*

awydd	*desire, wish*
bri	*honour, reputation, prestige*
honiad(au)	*claim(s); allegation(s)*
llysgennad (llysgenhadon)	*ambassador(s)*

clustfeinio	*to eavesdrop*
ymdopi	*to cope*

celwydd noeth	*barefaced lie*
enwogion	pobl enwog

Geiriau pwysig i mi...

....

....

....

Adolygu – llenwi bylchau

Llenwch y bylchau yn y brawddegau canlynol. Defyddiwch **a**, **os**, **mai/taw** neu **bod.**

1. Yn ôl yr hen ofergoel, daw lwc i chi .... dewch chi o hyd i feillionen pedair deilen.

2. Bydd y pêl-droediwr Gafyn Pêl yn cael gwybod heddiw .... yw'r anaf i'w goes wedi gwella digon iddo allu chwarae dros Gymru nos Wener.

3. Maen nhw'n dweud .... Catrin Lloyd fydd yn cael rhan y prif gymeriad yn y pantomeim yn Theatr Llanaber eleni.

4. Roedd Siân yn siŵr .... ei merch fach wedi cael cam gan y beirniad yn yr eisteddfod gan .... hi oedd yn haeddu'r wobr gyntaf.

5. Wyt ti'n gwybod .... Alisha yn seiclo i'r gwaith bob dydd, boed law neu hindda?

6. Bydda i'n cerdded i'r siop i brynu bara ffres bob dydd .... na fydd hi'n bwrw.

7. Hoffwn i wybod .... gest ti dy addysg trwy gyfrwng y Gymraeg.

8. Mae Mair yn gofyn .... wnei di ei henwebu hi ar gyfer swydd y cadeirydd.

9. Beth am wahodd Bryn Terfel i ganu yn y cyngerdd? .... daw e, bydd y neuadd dan ei sang.

10. Dw i'n meddwl .... rhaglen nos Sul ydy'r bennod olaf yn y gyfres, ond dw i ddim yn siŵr .... fydd cyfres arall eto.

Adolygu – geirfa

Llenwch y bylchau yn y tabl isod gyda'r enwau a'r berfenwau sy'n perthyn i'r un bôn:

Enw	Berfenw
gwobr	
	enwebu
gwir	
portread	
	cyflawni
gwahoddiad	
	gwastraffu
triniaeth	
dialedd	
argoel	

1. Cafodd Richard Burton ei .... am Oscar saith gwaith, ond wnaeth e erioed ennill un o'r tlysau aur.

2. Roedd .... Rhys Ifans o Ebenezer Scrooge yn *A Christmas Carol* yn fythgofiadwy.

3. Bydd Ceri Tomos yn .... breuddwyd ddydd Sadwrn pan fydd yn chwarae dros Gymru am y tro cyntaf.

4. Mae'r staff yn meddwl mai .... amser fydd cynlluniau'r pennaeth newydd i newid yr ysgol.

5. Mae BAFTA Cymru yn falch o estyn .... i chi i'w seremoni ....
flynyddol a gynhelir yng Nghanolfan Mileniwm Cymru ar 14 Hydref.

6. Dywedodd y Prif Weinidog fod y Llywodraeth wedi .... llawer dros y ddwy flynedd diwethaf.

7. Mae meddygon teulu wedi croesawu cyhoeddiad Llywodraeth Cymru y bydd .... newydd ar gael i gleifion diabetes.

8. Gyda llawer o chwaraewyr ifanc disglair yn gwneud eu marc, mae'n ....'n dda i dîm pêl-droed Cymru am y blynyddoedd nesaf.

9. Does dim pwrpas ceisio ...., er i chi gael eich .... yn annheg.

Gwylio a gwrando

Enwogion o fri

"Gwlad beirdd a chantorion, enwogion o fri", medd ein hanthem genedlaethol am Gymru. Ond pwy yw ein henwogion a beth maen nhw wedi'i wneud i ennill bri?

Byddwch chi'n gweld clip fideo o nifer o bobl yn dweud pwy, yn eu barn nhw, ydy pobl enwocaf Cymru ddoe a heddiw. Ar ôl gweld y clip, nodwch enwau'r enwogion sy'n cael eu henwi:

Wedyn, mewn grwpiau, dewiswch bump o'r enwogion uchod a thrafodwch beth dych chi'n wybod amdanyn nhw. Nodwch yn y tabl isod ym mha faes maen nhw'n enwog, e.e. ffilm/theatr, chwaraeon, gwleidyddiaeth, barddoniaeth/llenyddiaeth. Yna lluniwch nodiadau amdanyn nhw – eu cefndir, beth maen nhw wedi'i gyflawni, ac ati.

Enw	Maes	Nodiadau

Darllen a siarad

100 o Arwyr Cymru

Dros fisoedd y gaeaf yn 2003–2004, cynhaliwyd pleidlais dros y we er mwyn rhoi rhestr at ei gilydd o 100 o Arwyr Cymru. Roedd cyfle i bawb gynnig pwy, yn eu barn nhw, oedd arwr pennaf Cymru erioed, a chafodd y rhestr o 100 o arwyr ei chyhoeddi ar ddydd Gŵyl Dewi. Cafodd yr enwau ar y rhestr eu gosod yn eu trefn ar sail y nifer o bleidleisiau roedden nhw wedi'u cael (roedd y math yma o beth yn boblogaidd iawn yr adeg honno ac roedd y BBC wedi gwneud rhywbeth tebyg ar gyfer cyfres *100 Greatest Britons* ryw flwyddyn ynghynt).

Dyma enwau'r rhai oedd yn y 10 uchaf ar y rhestr (ond mewn trefn wahanol i ganlyniad y bleidlais). Ydych chi'n gyfarwydd â nhw? Trafodwch mewn grwpiau a cheisiwch ddyfalu ym mha drefn roedd yr enwau hyn wedi'u gosod yn ôl y bleidlais:

Trefn yr Wyddor	Trefn y Bleidlais?
Aneurin Bevan	1.
Richard Burton	2.
Gareth Edwards	3.
Gwynfor Evans	4.
David Lloyd George	5.
Owain Glyndŵr	6.
Tom Jones	7.
Saunders Lewis	8.
Robert Owen	9.
Dylan Thomas	10.

Roedd y rhestr (a sut cafodd ei llunio) yn destun tipyn o drafod ac anghytuno ar y pryd – roedd rhai'n cyhuddo pobl o chwarae gemau gwleidyddol â'r bleidlais. Sylwch hefyd nad oes un fenyw yn y 10 uchaf. A dweud y gwir, dim ond 9 o ferched oedd yn y 100 uchaf i gyd. Catherine Zeta Jones oedd yr uchaf o'r rheiny, yn safle 13.

I bobl eraill, rhywbeth ysgafn a ffwrdd â hi i'w gymryd â phinsiad o halen oedd y rhestr. Dyma ddywedodd Lyn Ebenezer wrth adolygu llyfr a gyhoeddwyd yn rhoi portreadau o'r 100 o Arwyr Cymru:

"Mae'n gas gen i arolygon barn. Gellir eu trin mewn un o dair ffordd – eu hanwybyddu, fel y byddaf i'n ei wneud yn ddieithriad, eu trin nhw'n gwbl ysgafn, neu roi iddynt bwysigrwydd mawr."*

* Adolygiad oddi ar www.gwales.com, trwy ganiatâd Cyngor Llyfrau Cymru.

Siaradwch

- Beth yw eich barn chi am restri fel '100 o Arwyr Cymru'?
- Pwy fasai ar frig eich rhestr chi o arwyr Cymru?
- Yn eich barn chi, pwy yw'r Cymro neu'r Gymraes enwocaf heddiw a'r enwocaf mewn hanes?
- Sut mae mesur enwogrwydd a beth sy'n gwneud arwr?
- Oes rhaid i Gymry wneud enw iddyn nhw eu hunain y tu allan i Gymru er mwyn cael eu hystyried yn 'enwogion'?
- Oes 'enwogion' yn eich cymuned chi?
- Pa enwogion byd-enwog, byw neu farw, dych chi'n eu hedmygu, a pham?

Darllen

Darllenwch y darn canlynol, sy'n dod o erthygl ar wefan *BBC Cymru Fyw*:

'Sylw hunllefus' y wasg

Mae un o actorion amlycaf Cymru, Rhys Ifans, wedi cyfaddef bod sylw'r wasg wedi gwneud ei fywyd yn 'uffern' am gyfnod.

Dywedodd yr actor iddo gael gwybod gan yr heddlu fod papurau newydd wedi bod yn clustfeinio ar ei alwadau ffôn dros gyfnod o naw mlynedd. Roedd Mr Ifans yn siarad mewn cyfweliad ar BBC Radio Cymru gyda Garry Owen. Yn ystod y sgwrs, cyfeiriodd at amryw o destunau gwahanol sy'n rhan o'i fywyd a'i waith, gan gynnwys ei waith fel llysgennad Shelter Cymru a'i awydd i berfformio yng Nghymru.

'Effaith enbyd'

Wrth drafod gyda Garry Owen, dywedodd fod "cyfnod yn fy mywyd i lle o'n i'n ca'l sylw hunllefus gan y wasg. O'n i methu mynd i unman a mi wnes i ddarganfod, bum mlynedd wedyn, am gyfnod o naw mlynedd mi oedd fy ffôn i'n cael ei dapio gan y *Daily Mirror* a *News of the World*," meddai.

"O'n i'n troi fyny i lefydd ac oedd 'na paparazzi yna a doedd gen i ddim syniad. Oedd hynna am gyfnod o dair, bedair blynedd.

Garry Owen a Rhys Ifans

"O'dd fy mywyd i'n uffern, ma' rhaid fi gyfadde' – mi gafodd o effaith enbyd arna fi'n emosiynol. Ma' rhywun yn trio peidio cymryd sylw o'r peth ond pan mae o ar y lefel yna, mae o'n anodd iawn, iawn, iawn ymdopi efo bywyd normal."

'Celwydd noeth'

Daeth *News of the World*, papur newydd mwyaf poblogaidd y Deyrnas Unedig, i ben yn 2011 ar ôl honiadau o hacio ffonau symudol oedd yn ymestyn yn ôl dros flynyddoedd. Ond er gwaethaf ei brofiadau personol, mae Rhys Ifans yn grediniol bod gan y wasg rôl bwysig o hyd.

"O ddeud hynna i gyd, tasa rhaid fi ddewis rhwng rhyddid y wasg a chael poendod yn fy mywyd i am 'chydig flynyddoedd, mi fyswn i'n mynd am ryddid y wasg," meddai. "Ond dim dyna ydy'r pwynt. Oedd be' oeddan nhw'n 'neud yn hollol anghyfreithlon ac, wrth gwrs, o'dd 99.9% o'r straeon yna'n gelwydd noeth."

1. Ar ôl darllen y darn gyda'ch partner, trafodwch pa gysylltiadau rhwng Rhys Ifans a'r canlynol sy'n cael eu trafod yn y darn:

i. Shelter Cymru

ii. Y *Daily Mirror* a *News of the World*

iii. Paparazzi

2. Pa ansoddeiriau a ddefnyddiodd Rhys yn yr ymadroddion canlynol (ceisiwch lenwi'r bylchau heb edrych yn ôl ar y darn):

i. ... o'n i'n ca'l sylw .... gan y wasg ...

ii. ... mi gafodd o effaith .... arna fi'n emosiynol ...

iii. ... mae o'n anodd iawn, iawn, iawn ymdopi efo bywyd ....

iv. Oedd be' oeddan nhw'n 'neud yn hollol ....

v. ... o'dd 99.9% o'r straeon yna'n gelwydd ....

Siaradwch

- Ydych chi'n gyfarwydd â Rhys Ifans?
- Ydych chi'n cofio ei weld mewn ffilm neu ar lwyfan?
- Oes gan bobl enwog hawl i breifatrwydd?
- Ydych chi wedi cwrdd â pherson enwog erioed? Soniwch am y profiad.

Rhestr wirio

Dw i'n gallu...

defnyddio patrymau unedau 19 – 22.	
siarad am enwogion.	

Uned 24 – siarad Cymraeg ym mhedwar ban y byd

Nod yr uned hon yw...

• Ymarfer defnyddio **mae** ac **yw/ydy**

• Dysgu am gymunedau a siaradwyr Cymraeg ym mhedwar ban byd

Geirfa

ysgubor(iau)	*barn(s), granary (granaries)*

ymfudo	*to emigrate*

annisgwyl	*unexpected*
calonogol	*encouraging, heartening*
ffurfiol	*formal*
rhyngweithiol	*interactive*
urddasol	*dignified, noble, stately*

caban(au)	*cabin(s), hut(s), kiosk(s)*
capelwr (-wyr)	*chapel-goer(s)*
cymhwyster (cymwysterau)	*qualification(s)*
cynhaeaf (cynaeafau)	*harvest(s)*
daucanmlwyddiant	*bicentenary*
eglwyswr (-wyr)	*churchgoer(s)*
landlord(iaid)	*landlord(s)*
sefydlydd (sefydlwyr)	*founder(s)*
tenant(iaid)	*tenant(s)*

cyrfryngau digidol	*digital media*
cymanfa ganu	achlysur lle mae pobl yn canu emynau
noson lawen	noson gymdeithasol o adloniant Cymraeg a Chymreig (canu, dawnsio, adrodd, ac ati)
ymysg	*among, amongst; between*

Geiriau pwysig i mi...

.... | ....

.... | ....

.... | ....

Deialog

Gogledd	De
A: Pwy **ydy** hi?	**A:** Pwy **yw** hi?
B: Lisa Morris, syr.	**B:** Lisa Morris, syr.
A: Be **ydy** ei chymwysterau hi?	**A:** Beth **yw** ei chymwysterau hi?
B: Gradd ddosbarth cynta o Aberystwyth, syr, a PhD o Rydychen.	**B:** Gradd ddosbarth cynta o Aberystwyth, syr, a PhD o Rydychen.
A: Ardderchog. Lle **mae** hi'n gweithio ar hyn o bryd?	**A:** Ardderchog. Ble **mae** hi'n gweithio ar hyn o bryd?
B: Mae hi'n gweithio i gwmni Jones a Davies yn Dubai.	**B:** Mae hi'n gweithio i gwmni Jones a Davies yn Dubai.
A: Jones a Davies? Mae ganddyn nhw enw da iawn.	**A:** Jones a Davies? Mae enw da iawn gyda nhw.
B: Oes, wir.	**B:** Oes, wir.
A: Sut **mae** hi'n ymdopi â'r swydd honno?	**A:** Sut **mae** hi'n ymdopi â'r swydd honno?
B: Yn dda iawn, syr.	**B:** Yn dda iawn, syr.
A: Pam **mae** hi isio'r swydd hon, felly? Be **mae** hi isio ei gyflawni?	**A:** Pam **mae** hi eisiau'r swydd hon, felly? Beth **mae** hi eisiau ei gyflawni?
B: Mae hi isio dod yn ôl i Gymru, a chael her newydd.	**B:** Mae hi eisiau dod yn ôl i Gymru, a chael her newydd.
A: O le **mae** hi'n dŵad yn wreiddiol?	**A:** O ble **mae** hi'n dod yn wreiddiol?
B: O Abercastell.	**B:** O Abercastell.
A: Abercastell! Dw i'n nabod y lle'n dda. I bwy **mae** hi'n perthyn?	**A:** Abercastell! Dw i'n nabod y lle'n dda. I bwy **mae** hi'n perthyn?
B: Ei brawd hi **ydy** Sam Hopkins, sy'n cyflwyno'r newyddion.	**B:** Ei brawd hi **yw** Sam Hopkins, sy'n cyflwyno'r newyddion.
A: Sam Hopkins? O na, fedra i ddim diodda'r twpsyn hwnnw. Dim cyfweliad iddi hi, mae arna i ofn. Faint o'r gloch **ydy** hi?	**A:** Sam Hopkins? O na, alla i ddim diodde'r twpsyn hwnnw. Dim cyfweliad iddi hi, mae'n flin 'da fi. Faint o'r gloch **yw** hi?
B: Deg o'r gloch ar ei ben.	**B:** Deg o'r gloch ar ei ben.
A: Iawn. Rhaid i mi fynd. Mae gen i gyfarfod mewn pum munud.	**A:** Iawn. Rhaid i fi fynd. Mae cyfarfod gyda fi mewn pum munud.

Darllenwch y ddeialog uchod gyda'ch partner, gan gymryd tro i wneud y ddwy ran. Edrychwch ar y defnydd o **yw/ydy** a **mae**. Ydych chi'n sylwi ar unrhyw beth?

Help llaw – mae ac yw/ydy

Mae defnyddio **mae** ac **yw/ydy** yn y llefydd anghywir yn gamgymeriad sy'n digwydd yn aml.

Cofiwch: rydyn ni'n defnyddio **mae** gyda **sut**, **pryd** a **ble/lle** bob amser.

> **Sut mae** Siân? √
> **Lle mae'r** cyfarfod fory? √
> **Ble mae'r** tîm yn ymarfer heno? √
> **Pryd mae'r** cyfarfod? √

Rydyn ni hefyd yn defnyddio **mae** gyda **pam**.

> **Pam mae'r** drws ar agor? √
> **Pam mae** hyn yn broblem? √

Byddwch chi'n clywed llawer o bobl yn dweud **pam fod**, ac erbyn heddiw, mae hynny'n dderbyniol. Ond **pam mae** sy fwyaf cywir, yn ramadegol.

Mae **beth**, **pwy** a **faint** yn fwy cymhleth...
Os bydd enw pendant neu ragenw yn dilyn **Pwy**, **Beth** a **Faint**, rydyn ni'n defnyddio **yw/ydy**. Edrychwch ar yr enghreifftiau yma:

> Beth **yw/ydy** hwn? Gliniadur **yw** e./Gliniadur **ydy** o.
> Pwy **yw/ydy** hi? Elinor **yw/ydy** hi.
> Beth **yw/ydy** prifddinas yr Alban? Caeredin **yw/ydy** prifddinas yr Alban.
> Pwy **yw/ydy** ei hoff gantores? Elin Fflur **yw/ydy** ei hoff gantores.
> Faint **yw/ydy'r** tocyn? Pum punt **yw/ydy'r** tocyn.

Ond, os bydd **berf trydydd person** yn yr amser presennol neu'r amser perffaith, rydyn ni'n defnyddio **mae**.

> Beth **mae e'n ei** wneud? / **Mae e'n/o'n** anfon ebyst.
> Be **mae o'n ei** wneud?
> Pwy **mae** hi'n **ei** ffonio? **Mae hi'n** ffonio ei rhieni.
> Beth **mae e'n** hoffi **ei** wylio ar **Mae e'n** hoffi gwylio *Strictly*.
> y teledu?
> Faint **mae'r** tocyn yn **ei** gostio? **Mae o'n** costio pum punt.

Rheol arall i'w chofio yw ein bod ni'n defnyddio **mae** pan fydd cwestiwn yn **dechrau ag arddodiad**.

> Am faint o'r gloch **mae'r** newyddion ar S4C?
> Am faint o'r gloch **mae'r** dosbarth yn dechrau?
> I bwy **mae** John yn gweithio?
> O ble **mae** Tom Jones yn dod yn wreiddiol?

Ymarferion – mae ac yw/ydy

Llenwch y bylchau yn y brawddegau isod, gan ddefnyddio **mae** neu **yw/ydy** yn gywir.

1. Ble/Lle .... papurau'r cyfarfod? Maen nhw wedi diflannu.

2. Sut .... dy fam? Cofia fi ati hi.

3. Pwy .... rheolwr newydd y tîm?

4. Pwy ....'r rheolwr newydd wedi'i ddewis ar gyfer y gêm?

5. Beth .... e'n hoffi ei wneud ar fore Sadwrn?

6. Pam .... e'n cwyno eto?

7. Beth ....'r ateb i'r cwestiwn?

8. Sut .... injan y car yn gweithio?

9. Beth .... hi'n gobeithio ei wneud ar ôl graddio?

10. Pam .... nhw wedi diffodd y goleuadau?

11. Gofynna iddo fe/fo beth .... ei hoff liw.

12. Faint .... cost y llyfr?

13. Faint .... 'r llyfr yn ei gostio?

14. Pryd .... cyfarfod cyntaf y tymor?

15. Faint .... hi'n ei godi am wersi piano?

Cyfieithwch y brawddegau isod, gan ddefnyddio **mae** neu **yw/ydy** yn gywir.

1. *Who is the author of this book?*

....

2. *How's the weather today?*

....

3. *Where is the library in this town?*

....

4. *How do these children travel to school?*

....

5. *Why is the bell ringing?*

....

Darllen – Faint o siaradwyr Cymraeg sydd yn y byd?

Erthygl o wefan *BBC Cymru Fyw.*

Geirfa:
rhyngweithiol   ymysg   angerdd   cyfryngau digidol
calonogol

Dydyn ni ddim yn gwybod yn union faint o bobl sy'n siarad Cymraeg dros y byd, ond gallai map **rhyngweithiol** helpu i roi darlun llawnach o'r iaith y tu allan i Gymru. Yn ogystal â dangos bod siaradwyr rhugl ar bum cyfandir – o Miami yn yr Unol Daleithiau i Gambodia yn Asia – mae'r map yn nodi unigolion a grwpiau sy'n dysgu Cymraeg.

Ymysg y dosbarthiadau Cymraeg sydd wedi gosod marciwr ar y map, mae dosbarthiadau yn Utah, UDA, yn Melbourne, Awstralia ac ym Mhatagonia. Mae cofnod hefyd gan grŵp Cymraeg yn Saskatchewan, Canada.

Cwmni Braw Media o'r Alban sydd wedi datblygu'r wefan sy'n cynnwys map o siaradwyr Gaeleg a Gwyddeleg y byd hefyd.

Meddai Magnus Orr o'r cwmni, "Ein nod gyda'r map yw dangos yr **angerdd** sydd gan bobl tuag at yr iaith Gymraeg, nid yn unig yng Nghymru ond dros y byd. Gyda thros 500 o gofnodion wedi eu hychwanegu yn y diwrnod cyntaf, rydw i wrth fy modd gyda'r ymateb. Mae'r **cyfryngau digidol** yn rhoi cyfle gwych i ni helpu gwahanol grwpiau i gysylltu â phobl a hoffai ddysgu Cymraeg a dyna brif bwrpas y map. Mae'n **galonogol** gweld faint o bobl sydd â diddordeb mewn dysgu Cymraeg, Gaeleg neu Wyddeleg fel rhan o'u hunaniaeth genedlaethol."

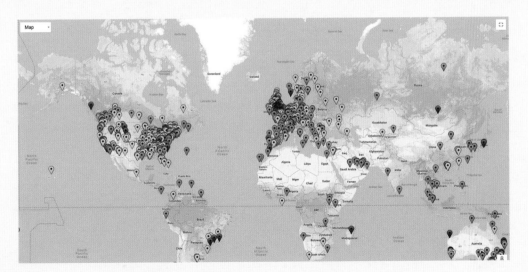

1. Beth yw'r tri phrif bwynt yn yr erthygl?

2. Ystyr **rhyngweithiol** yw *interactive*. Gyda'ch partner, ceisiwch gyfieithu'r geiriau hyn. Cofiwch am y treiglad meddal ar ôl **rhyng**.

to interact ....

international ....

interface ....

internet ....

3. Mae'r erthygl yn dweud bod "siaradwyr Cymraeg rhugl i'w canfod ar bum cyfandir". Allwch chi enwi pum cyfandir yn Gymraeg? Trafodwch gyda'ch partner.

i. ....

ii. ....

iii. ....

iv. ....

v. ....

4. Allwch chi feddwl am eiriau eraill sy'n gysylltiedig â'r ansoddair **calonogol**? Nodwch nhw yn y blwch isod.

Siaradwch

- Ydych chi wedi bod yn rhai o'r gwledydd sy'n cael eu henwi yn yr erthygl?
- Ydych chi'n hoffi edrych ar fapiau? Ydych chi'n gallu dilyn map yn dda neu ydych chi'n dibynnu ar *sat nav*?
- Ydych chi wedi cwrdd â siaradwyr Cymraeg mewn lleoliad annisgwyl?
- Ydy'r cyfryngau digidol wedi eich helpu chi i ddysgu Cymraeg?
- Ydyn ni'n gwneud digon i hysbysebu Cymru a'r Gymraeg dros y byd?
- Mae'r siaradwyr Cymraeg sy'n byw yng Nghymru yn cael eu cyfrif yn y Cyfrifiad bob deng mlynedd. Ydych chi'n meddwl y dylen ni gyfrif pobl sy'n byw mewn rhannau eraill o Brydain neu rannau eraill o'r byd hefyd?

Gwrando – *Cofio* – John Hardy yn holi Mike Reynolds

Geirfa: profiadol
Byddwch chi'n gwrando ar Mike Reynolds o'r Hendy, Sir Gâr, yn siarad am y cyfnod byr a dreuliodd yn byw yn Awstralia.

1. Pam penderfynodd Mike Reynolds fynd i Awstralia?

....

2. Oedd Mike Reynolds yn deithiwr profiadol?

....

3. Nodwch ddau beth rydyn ni'n ei ddysgu am deulu Mike Reynolds yn y sgwrs hon.

i. ....

ii. ....

4. Sut roedd Mike Reynolds yn teimlo wrth adael gorsaf Abertawe?

....

5. Beth oedd yn digwydd os oeddech chi'n aros llai na dwy flynedd yn Awstralia?

....

6. Sut roedd bywyd ar y llong?

....

Mae Mike Reynolds yn defnyddio llawer o eiriau ac ymadroddion tafodieithol. Ydych chi'n gwybod beth yw'r geiriau sydd mewn print trwm mewn Cymraeg safonol? Trafodwch gyda'ch partner.

O'n i'n **ware** rygbi ....

Dyna beth **nethes** i ....

Dim ond **yn fam** oedd yn fyw ....

Ges i **fencyd** suitcase ....

Y costau i **hala** chi mas 'na ....

Es i ma's ar y **bad**, P&O Liner ....

Siaradwch

- Ydych chi erioed wedi byw mewn gwlad dramor?
- Fasech chi'n ystyried symud i fyw dramor tasech chi'n cael cynnig da, fel Mike Reynolds?
- Ydy ymweld â gwledydd tramor yn bwysig i chi?

Darllen ac ymchwilio – Cymunedau Cymreig Ohio

Geirfa:
landlord(iaid)   tenant(iaid)   sefydlu   sefydlwyr   ymfudwyr

Mae'n debyg mai'r Wladfa ym Mhatagonia yw'r enghraifft enwocaf o gymuned Gymreig y tu allan i Gymru. Ond roedd miloedd o Gymry wedi mentro dros y môr i chwilio am fywyd gwell ymhell cyn i'r *Mimosa* gludo Cymry i'r Ariannin yn 1865.

Byddwch chi'n gweithio mewn grwpiau neu barau i ddod o hyd i wybodaeth am Gymry Ohio. Ar ôl casglu ffeithiau oddi wrth grwpiau neu barau eraill, atebwch y cwestiynau isod.

1. Beth ddigwyddodd yng Nghymru rhwng 1801 ac 1901?

....

2. Sut roedd crefydd ac iaith **landlordiaid** yn wahanol i'w **tenantiaid**?

....

3. Pryd sefydlwyd cymuned Gymraeg gyntaf Ohio, ac o ble roedd y **sefydlwyr** wedi dod?

....

4. Pwy oedd John Jones, Tirbach, a beth wnaeth e?

....

5. Beth yw arwyddocâd y rhif 11,000?

....

6. Ble roedd yr **ymfudwyr** yn cynnal gwasanaethau crefyddol i ddechrau?

....

7. Beth ddigwyddodd yn Granville a Newark yn 1842?

....

8. Mae casgliad mawr o .... yn Amgueddfa Gymreig Oak Hill.

9. Enwch ddau beth y mae clybiau a chymdeithasau Cymreig Ohio yn eu gwneud pan maen nhw'n dod at ei gilydd.

....

10. Beth ddigwyddodd yn Aberaeron ac Oak Hill yn 1979?

....

Yn y blwch isod, nodwch unrhyw ffaith arall rydych chi wedi'i dysgu am gymunedau Cymreig Ohio.

Diolch i Broject Cymru-Ohio am eu caniatâd i addasu adnoddau'r wefan.
Am ragor o wybodaeth ac i weld llawer o luniau a fideos diddorol, ewch i
http://ohio.llgc.org.uk/index.php

Siaradwch

- Beth yw'r gwahaniaeth rhwng Cymreig a Cymraeg?
- Beth yw'r gwahaniaeth rhwng Cymru a Cymry?
- Beth rydych chi'n ei ddweud am Gymru a'r Gymraeg wrth siarad â phobl sydd erioed wedi clywed am y wlad na'r iaith?
- Tasech chi'n symud i wlad arall, pa arferion neu draddodiadau y basech chi'n ceisio eu cadw?

Gwylio a gwrando – Siân James yn canu 'Hiraeth'

Fel rydyn ni wedi'i ddysgu yn yr uned hon, roedd bywyd yn anodd i bobl gyffredin yng Nghymru yn y bedwaredd ganrif ar bymtheg. Does dim rhyfedd bod cymaint ohonyn nhw wedi mynd dramor i chwilio am fywyd gwell. Ond er mor anodd oedd bywyd gartref yn yr 'hen wlad', roedd hiraeth mawr am Gymru ar lawer o ymfudwyr ac mae llawer o hen ganeuon a barddoniaeth Gymraeg yn sôn am yr hiraeth yma.

Byddwch chi'n gwylio fideo o'r gantores Siân James yn canu'r gân werin 'Hiraeth'. Mae llawer o hen eiriau yn y gân. Does dim angen i chi ddeall popeth, ond dyma ychydig o eiriau i'ch helpu.

mawrion o wybodaeth –
pobl â llawer o wybodaeth
na ddarfyddo – fydd o/e ddim yn darfod
helaeth – *substantial*
a'm deffry – fy neffro/fy nihuno
erchwyn – ymyl y gwely

a roed – a roddwyd

derfydd – mae o/e/hi yn darfod
pan fwy' – pan fydda i
cilia – cer/dos i ffwrdd (o: cilio)

Hiraeth

Dwedwch fawrion o wybodaeth,
O ba beth y gwnaethpwyd hiraeth;
A pha ddefnydd a roed ynddo
Na ddarfyddo wrth ei wisgo.

Derfydd aur a derfydd arian,
Derfydd melfed, derfydd sidan;
Derfydd pob dilledyn helaeth,
Eto er hyn, ni dderfydd hiraeth.

Hiraeth mawr a hiraeth creulon,
Hiraeth sydd yn torri 'nghalon;
Pan fwy' dryma'r nos yn cysgu,
Fe ddaw hiraeth ac a'm deffry.

Hiraeth, hiraeth, cilia, cilia,
Paid â phwyso mor drwm arna',
Nesa' tipyn at yr erchwyn,
Gad i mi gael cysgu gronyn.

Siaradwch

Mae llawer o siaradwyr Cymraeg yn dweud mai hiraeth yw eu hoff air Cymraeg. Mae'n air anodd iawn ei gyfieithu i ieithoedd eraill; dydy *longing, nostalgia* a *homesickness* ddim yn cyfleu ystyr y gair yn llwyr. Oherwydd hynny, mae rhai wedi awgrymu bod hiraeth yn deimlad sy'n perthyn yn agos iawn at y Cymry.

- Beth yw eich barn chi?
- Beth yw eich hoff air Cymraeg chi?

Rhestr wirio

Dw i'n gallu...

defnyddio **mae** ac **yw/ydy** yn gywir.	
siarad am gymunedau Cymraeg y tu allan i Gymru.	

Uned 25 – Blas ar Uwch 3

Nod yr uned hon yw...

- Cyflwyno agweddau ar arholiad Defnyddio'r Gymraeg Uwch
- Dysgu am sefydlu S4C

Geirfa

archif(au)	*archive(s)*

Etholiad Cyffredinol	*General Election*
gofid(iau)	*worry (-ies), concern(s)*
ymchwil	*research*

cynyddu	*to increase*
galaru	*to mourn*
gollwng	*to drop*
gorymdeithio	*to march, to be in a procession*
gwahardd	*to ban*
llywio	*to steer*
ymgyrchu (dros)	*to campaign (for)*
ymprydio	*to fast*
ymyrryd (â)	*to interfere (with)*

anweledig	*invisible*
diweddar	*recent*
doeth	*wise*
galwedigaethol	*occupational*

ar y naill law	*on the one hand*
fodd bynnag	*beth bynnag*
gwneud smonach	*to make a mess (of something)*
hynod o	*very*
i raddau	*to a degree*
mewn da bryd	*in good time, punctually*
tro ar fyd	*a turning point, a change in circumstances*

Geiriau pwysig i mi...

....

....

Siaradwch

Pwnc llosg – Mae bywyd yn llawer gwell yng nghefn gwlad.

Gyda'ch partner, ysgrifennwch o leia chwe gair defnyddiol yn y blwch:

Mewn grwpiau bach, llenwch y tabl:

Manteision byw yng nghefn gwlad	Manteision byw yn y dre
Anfanteision byw yng nghefn gwlad	**Anfanteision byw yn y dre**
 Llyfrgell　30 milltir	

Gyda phartner newydd, trafodwch y pwnc 'Mae bywyd yng nghefn gwlad yn llawer gwell'. Ydych chi'n cytuno? Ceisiwch ddefnyddio'r ymadrodd **Ar y naill law... ...ar y llaw arall.**

Gwybodaeth o iaith

Gyda'ch partner, ailysgrifennwch y frawddeg gan ddefnyddio'r sbardun mewn prif lythrennau. Dylai'r frawddeg newydd fod mor agos â phosib at y frawddeg wreiddiol o ran ystyr. Mae'n bosib y bydd angen treiglo'r gair sbardun yn yr ateb.

Enghraifft –   Anfonwyd y papurau i'r swyddfa arall.   CAFODD
Cafodd y papurau eu hanfon i'r swyddfa arall.

i. Beth ydy dy broblem di?   BOD

.... arnat ti?

ii. Llyfrau Saesneg sy orau gan John, nid llyfrau Cymraeg.   GWELL

.... na llyfrau Cymraeg.

iii. Aethon ni i weld sawl gwlad yn ystod y daith.   NIFER

.... yn ystod y daith.

iv. Fi ydy perchennog y car mawr.   PIAU

.... 'r car mawr.

v. Beth os dydyn ni ddim yn cael ateb gan y pennaeth?   CAWN

Beth os .... ateb gan y pennaeth?

vi. Dydy Mair ddim yn hoffi mynd am dro yng nghwmni neb arall.   PEN

Mae Mair yn hoffi mynd am dro ....

vii. Mae Gwyn yn gweithio yn y banc o hyd.   DAL

.... yn y banc.

viii. 'Dyn ni eisiau mynd i Bwllheli', meddai'r plant.   DYWEDODD

.... eisiau mynd i Bwllheli.

Ymarfer

Mae'n well gyda fi/gen i

Mae'n well gyda fi/gen i **f**ara brown na bara gwyn.
Pan o'n i'n blentyn, roedd yn well gyda fi/gen i **f**isgedi na **ch**reision.
Basai'n well gyda fi/gen i fynd ar fordaith na gwyliau mewn bws.

Siaradwch â'ch partner a dweud beth sy'n well gyda chi.
Defnyddiwch y syniadau yn y blwch a'ch syniadau eich hun.

Nawr	Pan o'n i'n blentyn	Yn y dyfodol
ffilmiau comedi / ffilmiau antur	yr ysgol gynradd / yr ysgol uwchradd	mordaith / gwyliau mewn bws
byw yng nghefn gwlad / byw mewn ardal drefol	mathemateg / ffiseg	dysgu Almaeneg / dysgu Eidaleg
	cinio ysgol / brechdanau	
mynd i amgueddfa / mynd i barc antur	amser egwyl / gwersi	byw heb beiriant golchi / byw heb gawod
noson gomedi / cwis	chwarae dan do / chwarae yn yr awyr agored	aros mewn nos Sadwrn / mynd allan
canu corawl / canu pop		gallu hedfan / mynd yn anweledig

Cofiwch y gwahaniaeth rhwng:

Mae'n well gyda fi/gen i gerdded.   *I prefer walking.*
a
Mae'n well (Gwell) i mi gerdded.   *I'd better walk.*

Dril – Beth os na...?

Bydd tân gwyllt os bydd hi'n sych.	Beth os na fydd hi?
Byddan nhw'n hunangynhaliol erbyn yr haf.	
Bydd y daith yn un hwyliog iawn.	
Bydd y llosgfynydd yn ddiogel am dipyn.	
Bydd y cyngerdd yn llwyddiant ysgubol.	
Byddi di'n hollol iawn.	
Bydd y plant i gyd yn gwneud yn dda.	
Rwyt ti'n siŵr o glywed rhywbeth yfory.	Beth os na chlywa i?
Rwyt ti'n siŵr o basio'r prawf.	
Rwyt ti'n siŵr o gyrraedd mewn da bryd.	
Rwyt ti'n siŵr o lwyddo yn yr arholiad.	
Rwyt ti'n siŵr o orffen y ras.	
Rwyt ti'n siŵr o ennill y gystadleuaeth.	
Rwyt ti'n siŵr o aros tan y diwedd.	

Ymarfer y cymal enwol

Ailysgrifennwch y brawddegau gan ddechrau gyda **Dywedodd**:

1. 'Dw i'n ystyried symud tŷ,' meddai Siân.

2. 'Mae'r plant mewn ysgol fonedd fawr,' meddai Dafydd.

3. 'Mae Mari wedi bod yn gefn mawr i mi,' meddai Nia.

4. 'Byddwn ni'n ymuno â'r undeb,' meddai'r staff.

5. 'Dw i ddim yn hoff o bwyllgora,' meddai Aled.

6. 'Faswn i ddim yn ymyrryd yn y ddadl', meddai'r pennaeth.

7. 'Dwy dasg sy gyda fi/gen i ar ôl', meddai'r athrawes.

8. 'Ymchwil newydd ydy'r peth pwysicaf', meddai'r darlithydd.

Help llaw – Dal (*still*)

Mae'n gallu bod yn anodd defnyddio'r gair **dal** yn gywir.
Edrychwch ar yr enghreifftiau:

Dw i'n **dal i fyw** yn yr un lle.   Dw i'n **dal yn fyw.**

Gyda **berf**, y patrwm yw:

    yn dal i   Dw i'n dal i weithio./Dw i'n dal i ganu yn y côr.

Gydag **ansoddair** neu **arddodiad**, y patrwm yw:

    yn dal   Dw i'n dal yn dost./Dw i'n dal yn y gwaith.

Gwrando – Richard Burton

diwylliant	llywio	galwedigaethol
sefyllfa	archif	tlodi

Cyn gwrando ar y darn, trafodwch pa wybodaeth y basech chi'n disgwyl ei gweld mewn darn am Richard Burton.

Mae'r darn, sy'n dod o *Post Cyntaf* Radio Cymru, yn trafod dyddiaduron Richard Burton. Atebwch y cwestiynau:

1. Beth ydy'r cysylltiad rhwng Dylan Thomas a Richard Burton yn y darn hwn?

....

....

2. Pam mae Prifysgol Abertawe yn lle pwysig, yn ôl y darn?

....

....

3. Sut roedd Richard Burton yn defnyddio ei arian poced?

....

....

4. Sut mae 'ail gyfnod' y dyddiaduron yn wahanol i'r 'cyfnod cynnar'?

....

....

Mae'r gair **dyddiadur** yn dod o'r gair **dydd**. Pa eiriau eraill sy'n dod o'r gair **dydd**?

....

....

Mae **arian poced** a **cyrsiau galwedigaethol** yn gyfleoliadau – geiriau sy'n gweithio gyda'i gilydd mewn pâr. Ydych chi'n gallu meddwl am eiriau eraill i fynd gydag **arian** a **cyrsiau?**

arian   **cyrsiau**

....

....

....

Darllen a siarad

Geirfa: galaru   cynyddu   gwahardd

Cofio'r rhai a syrthiodd

Mae'r dathlu/**galaru** blynyddol yn sgil pencampwriaeth y chwe gwlad yn rhan o'r meddylfryd cenedlaethol, ac yn ffordd hawdd i'r wasg lenwi tudalennau di-rif, a di-werth. Nid fy mod i'n casáu rygbi o gwbl. A bod yn onest, roeddwn i'n arfer chwarae rygbi'n gyson nes i mi gyrraedd fy ugeiniau. Anaf i bont yr ysgwydd wnaeth ddod â'r yrfa honno i ben yn sydyn, a bu'n rhaid i mi ganolbwyntio ar astudiaethau coleg. Wrth reswm, nid yw'r gêm ar lefel leol yn cael fawr o sylw; mae gemau sy'n digwydd bob dydd Sadwrn ar gaeau dros Gymru yn cael eu cynnal heb gamerâu na sylwebwyr parablus i'w gwylio. Yr hyn sy'n cael ei anghofio yw peryglon rygbi ar bob lefel, a'r ffaith bod cynifer o fechgyn yn dioddef anafiadau difrifol i'w cefnau a hynny'n newid eu bywydau. Nid yw'n ormod dweud bod gan bob ardal yng Nghymru un dyn ifanc a fydd mewn cadair olwyn am weddill ei oes, oherwydd rygbi. Pe baen ni'n cyfrif yr holl ddynion a anafwyd yng Nghymru a gwledydd eraill Prydain, byddai'r nifer yn frawychus. Dynion, gyda llaw yw'r cyfan o'r rhain: mae gêm rygbi merched yn llawer callach, a mwy diogel. Efallai fod gwersi i'w dysgu gan y merched yn hyn o beth. Ry'n ni'n barod i roi sylw i'r dynion ifanc sy'n cael eu hanafu'n ddifrifol wrth ryfela, ond beth am y rhai a anafwyd ar gaeau cefn gwlad Cymru?

Ydy'r anafiadau hyn ar gynnydd, tybed? Rhaid cyfaddef nad ydw i'n cofio sôn am neb oedd wedi cael ei barlysu mewn gêm rygbi, pan oeddwn i'n chwarae na phan oeddwn i yn yr ysgol, hyd yn oed. Dw i heb weld ymchwil nac ystadegau i brofi hyn, ond fy argraff i yw bod y nifer wedi **cynyddu**'n raddol ers nawdegau'r ganrif ddiwethaf ac wedi hynny. Wrth gwrs bod rygbi'n gêm gorfforol, ac mae peryglon wrth chwarae unrhyw gêm felly, gan gynnwys pêl-droed, hoci ac yn y blaen. Fodd bynnag, y gwir plaen yw bod chwaraewyr rygbi cymaint yn fwy nag yn y gorffennol, ac yn treulio llawer mwy o amser yn y gampfa, yn codi pwysau. Does dim angen arbenigwr i ddweud hynny wrthon ni; mae'n gwbl amlwg i'r neb sy'n gwylio gemau yn y stadiwm cenedlaethol. Mae hyd yn oed yr olwyr, sydd i fod i wibio'n gyflym, erbyn hyn yn gewri, ac mae'r un peth i'w weld i raddau llai yn y timau lleol.

A ddylid **gwahardd** rygbi felly? Does dim llawer o bobl yn galw am wahardd y gêm yn llwyr; bydden ni'n brin ofnadwy o destunau sgwrsio hebddo. Ond mae angen ailedrych ar y rheolau, yn enwedig yn y sgarmes neu'r sgrym, lle mae'r rhan fwyaf o anafiadau difrifol yn digwydd. Mae ymdrechion wedi bod i newid y rheolau dros y blynyddoedd, ond heb leihau'r risg. Erbyn hyn, dw i'n rhiant i ddau o fechgyn sydd yn eu harddegau cynnar, a'r cwestiwn sy'n mynd drwy fy meddwl yw: a ddylwn i ganiatáu iddyn nhw chwarae rygbi? Wel, does dim dewis: mae eu cymheiriaid i gyd yn chwarae'r gêm, a byddai'n anodd iawn, iawn iddyn nhw beidio. Mae'r gofid yn mynd drwy fy meddwl i bob tro dw i'n eu gweld nhw'n mynd ar y cae, fel llawer o rieni eraill, dw i'n siŵr. Oherwydd, yn wahanol i'r cyfryngau Cymreig, dw i ddim yn gallu anghofio am y rhai sydd wedi cael anafiadau ofnadwy, a'u bywydau ar chwâl.

1. Beth yw'r pum prif bwynt yn yr erthygl? Trafodwch yn eich grŵp.

2. Ydych chi'n cytuno â'r isod?

Mae gormod o rygbi ar y teledu – does neb yn mynd i wylio gemau erbyn hyn.
Mae tocynnau i'r gemau rhyngwladol yn rhy ddrud.
Dylai fod timau merched proffesiynol ar gael.
Rygbi yw gêm genedlaethol Cymru.
Mae'n well bod plant yn chwarae rygbi na syllu ar gêm gyfrifiadur.

3. Ydych chi'n gallu meddwl am bennawd gwahanol i'r darn?

Gwybodaeth o iaith – Dewis y ffurf gywir

i. Mae digon .... wneud o hyd cyn i ni allu dweud bod y gwaith ar ben.

a. yw   b. ydy   c. i'w   ch. o

ii. Llongyfarchiadau ar .... lwyddiannus iawn neithiwr.

a. nos   b. noswaith   c. noswyl   ch. noson

iii. Mae'r gwragedd yn cael dod â'u .... i Ferched y Wawr heno.

a. gwŷr   b. gŵr   c. gwrau   ch. gŵyr

iv. Gobeithio bydd y dysgwyr yn cael cyfle .... ddarllen y llyfrau ymlaen llaw.

a. o   b. i   c. ar gyfer   ch. at

v. Ydy hi'n gwybod pryd .... 'r cyngerdd yn dechrau?

a. mae   b. ydy   c. i   ch. gwna

vi. Dw i'n mwynhau bwyta yn Chez Pepe'n .... !

a. fawr   b. dda   c. iawn   ch. wir

vii. Dyna'r daith .... dw i'n cofio bod arni erioed.

a. wlypach   b. wlyb   c. wlypaf   ch. wlybwyd

viii. Roedd hi'n wlyb ddoe ond .... ni ddim cwyno am y tywydd heddiw.

a. allan   b. allwn   c. allen   ch. allon

Cyfieithwch:

1. *Monday night was a successful night for the club.*

2. *Tuesday night was a busy night with lots to do.*

3. *Wednesday night was an important night for the members of* Merched y Wawr *and their husbands.*

4. *Thursday night was a quiet night and an opportunity to do the housework.*

5. *Friday night was a very wet night – the wettest night this year!*

Cymraeg ffurfiol

Pwrpas yr adran hon yw eich helpu i ddeall Cymraeg ysgrifenedig, ffurfiol.

Un nodwedd ar Gymraeg ffurfiol yw peidio â defnyddio'r rhagenwau (*pronouns*), yn enwedig ar ôl arddodiaid (*prepositions*). Edrychwch ar yr arddodiad **ar**:

Llafar	Ffurfiol	
arna/arno i	arnaf	ychwanegu **f**
arnat ti	arnat	
arno fe	arno	
arni hi	arni	
arnon ni	arnom	newid **n** yn **m**
arnoch chi	arnoch	
arnyn nhw	arnynt	ychwanegu **t**

Felly, beth fyddai'n digwydd i'r isod?

ohono i ....

atat ti ....

wrtho fe ....

amdani hi ....

droston ni ....

hebddoch chi ....

iddyn nhw ....

Cefndir – S4C

Erbyn hyn, rydyn ni'n derbyn S4C fel rhan o fywyd pob dydd yng Nghymru. Gwyliwch Dewi Llwyd yn rhoi hanes sefydlu'r sianel – mae'r hanes hwnnw'n dyddio'n ôl i'r cyfnod rhwng diwedd chwedegau a dechrau wythdegau'r ganrif ddiwethaf. Beth oedd rhan y bobl yma?

Margaret Thatcher:

....

William Whitelaw:

....

Wyn Roberts:

....

Gwynfor Evans:

....

Y Tri Gŵr Doeth:

....

Siaradwch mewn grŵp a nodwch ddau beth a ddysgoch chi wrth wylio'r clip:

1....

2....

Siaradwch

- Ydych chi o blaid cael pob rhaglen Gymraeg ar un sianel?
- Pa mor bwysig yw S4C i chi wrth ddysgu Cymraeg?
- Ydy S4C yn gwneud digon i helpu dysgwyr?
- Pa raglenni rydych chi'n eu gwylio ar hyn o bryd?

Gwaith cartref

Gwaith cartref – Uned 1

1. Darllen a deall – *Cyw Haul*

Edrychwch eto ar y darn o *Cyw Haul* yn yr uned hon, ac atebwch y cwestiynau hyn.

i. Sut rydyn ni'n gwybod bod Bleddyn yn teimlo'n nerfus?

....

....

ii. Pwy ydy'r 'hen bobol' mae Bleddyn yn siarad amdanyn nhw?

....

....

iii. Pa fath o ddillad mae Bleddyn yn eu gwisgo?

....

....

iv. Sut mae'r dillad yn gwneud iddo deimlo?

....

....

2. Beth sy'n bwysig i chi wrth ddysgu Cymraeg? Ydych chi eisiau swnio fel y bobl yn eich ardal chi? Ydy hi'n bwysig i chi eich bod chi'n siarad yn gywir?

....

....

....

....

....

....

3. Gwyliwch raglen ar S4C neu gwrandewch ar raglen ar Radio Cymru, a nodwch unrhyw eiriau tafodieithol y byddwch chi'n eu clywed.

Gair gan y tiwtor:

Y Tro Nesa - Ewch â 3 llun ohonoch chi ar wyliau i'r wers nesa.

Gwaith cartref – Uned 2

1. Llenwch y bylchau yn y brawddegau hyn, gan ddefnyddio **roedd** neu **bu/buodd**.

i. Ble ....chi am 7.30 y bore 'ma?

ii. Ble.............................. ti'n teithio ar dy flwyddyn 'gap'?

iii. .... fy nghath farw yr wythnos diwethaf.

iv. ....nhw'n arfer gwrando ar y radio bob nos.

v. .... i'n bwyta fy nghinio yn y caffi am 12.30.

vi............................ chi dramor y llynedd?

vii. .... nhw erioed ym Mharc yr Arfau?

viii............................ y tywydd yn braf ddoe?

ix. .... neb yn ateb y ffôn bob tro ro'n i'n ffonio.

x............................e'n ymarfer yn galed ar gyfer y ras hon.

2. **Darllen a deall**

Edrychwch eto ar *Milionêrs*, ac atebwch y cwestiynau hyn.

i. Pam mae Wendi yn poeni am y daith i Mauritius?

....

....

ii. Sut basech chi'n disgrifio cartref Gwyn a Nicola?

....

....

iii. Pa fath o wyliau mae Mal a Wendi yn eu cael fel arfer?

....

....

iv. Beth yw ymateb Gwyn a Nicola i newyddion Wendi a Mal?

....

....

3. Ble buoch chi ar eich gwyliau tramor cyntaf? Ysgrifennwch am y profiad. Os nad ydych chi wedi bod dramor, ysgrifennwch am unrhyw wyliau neu daith ddiddorol.

Gair gan y tiwtor:

Gwaith cartref – Uned 3

1. Darllen a deall

Edrychwch eto ar y darn darllen **Pedair Cainc y Mabinogi** ac atebwch y cwestiynau hyn.

i. Pa mor hen yw *Pedair Cainc y Mabinogi*?

....

ii. Pwy sy'n cysylltu'r chwedlau hyn â'i gilydd?

....

iii. Beth sy'n arbennig am Bendigeidfran?

....

iv. Pam mae adar yn bwysig yn y bedwaredd gainc?

....

v. Beth yw arwyddocâd y llefydd hyn yn y darn darllen?

Aberystwyth ....

Iwerddon ....

Dyfed ....

2. Cyfieithwch y brawddegau hyn, gan ddefnyddio **dydd**, **ddydd** neu **ar ddydd**, **nos** neu **ar nos** yn gywir.

i. *Saturday is my favourite day of the week.*

....

....

ii. *The children used to take a packed lunch to school on Wednesdays.*

....

....

iii. *Since retiring, I enjoy meeting friends for coffee on Friday.*

....

....

iv. *Would you like to go to the cinema next Thursday?*

....

....

v. Our Welsh class will be on Tuesday night from now on.

....

....

vi. I usually finish work at 4.30, but I have to work late this Monday.

....

....

vii. I'm sorry, I can't help you on any Sunday – I'm busy.

....

....

viii. Your parcel will arrive on Friday, between 9.00a.m. and 12.00p.m.

....

....

3. **Ysgrifennu**

Ysgrifennwch grynodeb (tua 200 o eiriau) o chwedl buoch chi'n ei thrafod yn y dosbarth, **neu**
Ysgrifennwch chwedl neu stori dda sy'n perthyn i'ch ardal neu i'ch teulu chi (tua 200 o eiriau).

Gair gan y tiwtor:

....

....

....

Gwaith cartref – Uned 4

1. Cyfieithwch y brawddegau isod fel eu bod nhw'n cynnwys **byddwn i** ac ati.

i. *I would like to go to Spain on my holidays.*

....

ii. *Gruff would retire tomorrow, if that were possible.*

....

iii. *Would you go on a raft down a river?*

....

iv. *They would move to Australia if they won the lottery.*

....

v. *We wouldn't like to live next door to noisy neighbours.*

....

vi. *She had better go home - she is tired.*

....

vii. *What would you do with a million pounds?*

....

viii. *Could she look after the cat when we'll be on our holidays?*

....

2. Edrychwch eto ar y darn darllen 'operâu sebon' ac atebwch y
cwestiynau hyn.

i. Sut dechreuodd y term 'opera sebon'?

....

ii. Pam rydych chi'n meddwl bod sianeli'n awyddus i gael opera sebon?

....

iii. Nodwch ddau wahaniaeth rhwng operâu sebon a dramâu go iawn.

....

....

iv. Pam mae operâu sebon yn gallu bod yn bwysig i gymdeithas?

....

3.   Ysgrifennwch ddau neu dri pharagraff am eich hoff gymeriad mewn opera sebon. Os nad ydych chi'n gwylio opera sebon, ysgrifennwch am eich hoff gymeriad mewn ffilm, rhaglen deledu neu lyfr.

Gair gan y tiwtor:

Gwaith cartref – Uned 5

1. Unwch y ddau hanner gan ddefnyddio cymal enwol (**bod, y**, **i** neu **mai/taw**)

i. Clywais i...   Maen nhw'n ystyried symud y pencadlys.

ii. Mae'n debyg...   Mae pob sefydliad yn nodi ei ganmlwyddiant.

iii. Dw i'n siŵr...   Bydd yr adeilad yn cael ei ddatblygu yn fuan.

iv. Dwedodd e...   Dylai fy nghasgliad fod mewn amgueddfa.

v. Does dim dwywaith...   Nhw yw'r mudiad pwysica yng Nghymru.

vi. Clywais i...   Ymddiswyddodd e ar unwaith.

2. Edrychwch eto ar y darn o'r nofel *Y Llyfrgell*, ac atebwch y cwestiynau hyn:

i. Beth mae Nan yn ei wneud i ddangos i Ana ei bod hi'n gallu gadael y swyddfa?

....

ii. Beth mae Nan yn ei roi i Ana?

....

iii. Beth hoffai Nan ei ddweud wrth Ana?

....

iv. Beth mae'n rhaid i Nan ei wneud yn y swyddfa?

....

v. Ydy Nan yn ffrind i Gwelw, Haf a Petal?

....

vi. Sut byddech chi'n disgrifio Gwelw, Haf a Petal?

....

3. Gwnewch ychydig o ymchwil, ac ysgrifennwch ddarn tua 250 o eiriau ar un o'r sefydliadau yma: Amgueddfa Cymru, Llyfrgell Genedlaethol Cymru, Cynulliad Cenedlaethol Cymru.

Gair gan y tiwtor:

Gwaith cartref – Uned 6

1. **Cyfieithwch y brawddegau hyn gan ddefnyddio berfau amhersonol addas.**

i. *Thousands of Welshmen were killed in the First World War.*

....

ii. *Hedd Wyn and hundreds of Welsh soldiers were buried in Artillery Wood cemetery.*

....

iii. *A memorial service is held every year in Ypres.*

....

iv. *A film was made about Hedd Wyn in 1992.*

....

v. *The film was nominated for an Oscar.*

....

2. **Darllen a deall:** Edrychwch eto ar **Cymru a Rhyfel Cartref Sbaen,** ac atebwch y cwestiynau hyn:

i. Beth ddigwyddodd yn 1936?

....

ii. Ar ba ochr roedd y rhan fwyaf o wirfoddolwyr o Gymru'n ymladd?

....

iii. Pa ranbarth sy'n cael ei enwi yn y darn?

....

iv. Pa wleidydd o Gymru a helpodd i sefydlu pwyllgorau dyngarol?

....

v. Sut mae Rhyfel Cartref Sbaen wedi ysbrydoli Cymry mewn ffordd greadigol?

....

3. Ysgrifennu

Ysgrifennwch ddau baragraff am aelod o'ch teulu a fuodd yn ymladd yn y Rhyfel Byd Cyntaf neu'r Ail Ryfel Byd.

neu: Ysgrifennwch ddau baragraff am berson enwog a gafodd ei ladd mewn rhyfel.

neu: Ydych chi wedi ymweld ag unrhyw gofeb neu amgueddfa ryfel? Ysgrifennwch ddau baragraff am y profiad.

Gair gan y tiwtor:

Gwaith cartref – Uned 7

1. **Cyfieithwch y brawddegau hyn:**

   i. *Huw is the man who had an accident.*

   ....

   ii. *Here is the ball that broke the window.*

   ....

   iii. *The class which is held here on Tuesdays is very popular.*

   ....

   iv. *The Great Glasshouse, which was designed by Sir Norman Foster, is in the National Botanic Garden of Wales.*

   ....

   ....

   v. *There's the mouse that my cat caught.*

   ....

   vi. *The books that were published last year are very popular.*

   ....

2. **Darllen – Gwenallt**

   Edrychwch eto ar y darn darllen, ac atebwch y cwestiynau hyn:

   i. Sut cafodd Gwenallt ei enw barddol?

   ....

   ii. Ble roedd gwreiddiau ei deulu?

   ....

   iii. Ble roedd ei dad yn gweithio?

   ....

   iv. Beth oedd swydd gyntaf Gwenallt?

   ....

   v. Pam cafodd ei garcharu?

   ....

   vi. Ble buodd e'n darlithio?

   ....

   vii. Am beth mae 'Y Meirwon' yn sôn?

   ....

3. Ysgrifennu

Ysgrifennwch ddau baragraff am sut mae diwydiant wedi effeithio ar eich ardal chi. Oes olion hen bwll glo neu chwarel yno? Pa waith sydd yn yr ardal nawr?

neu: Ysgrifennwch ddau baragraff am ffrind neu aelod o'ch teulu fuodd yn gweithio mewn diwydiant trwm o ryw fath.

neu: Ysgrifennwch ddau baragraff am rywbeth rydych chi wedi'i fwynhau yn yr uned hon.

Gair gan y tiwtor:

Gwaith cartref – Uned 8

1. Cyfieithwch

i. *I'm surprised that you didn't read the review on the sports pages.*

....

ii. *I believe that there aren't enough opportunities for adults with disabilities.*

....

iii. *I hope the pupils won't beat the teachers in the game at the end of term.*

....

iv. *We now know that no-one can win the Grand Slam this year.*

....

v. *I heard that Ceri won't be the captain next season.*

....

2. Darllenwch y ddau ddarn am 'Y Gêm Genedlaethol' ac atebwch y cwestiynau:

i. Beth oedd yn anarferol am y gêm rygbi ar 15 Hydref 2011?

....

ii. Beth yw record tîm rygbi Cymru yn erbyn Seland Newydd?

....

iii. Sut mae cefnogwyr rygbi'n wahanol i gefnogwyr pêl-droed, yn ôl y darn?

....

iv. Pa gamp yw'r hyna – rygbi neu bêl-droed?　Sut rydych chi'n gwybod hyn?

....

v. Beth ddigwyddodd yng Nghymru ar ôl twrnamaint yr Euros yn 2016?

....

3. Beth yw'r gair?

Mae'n dod ar ddechrau llyfr. ....

Gwneud gwaith am ddim. ....

Pob rhan o'r byd. ....

Ysgol breifat. ....

Dweud sut bydd y tywydd. ....

4. Ysgrifennwch am eich profiad chi o chwaraeon – nawr ac yn y gorffennol.

Gair gan y tiwtor:

....

....

....

Gwaith cartref – Uned 9

1. Dewiswch **wyth** o'r ymadroddion isod, ac ysgrifennwch un frawddeg yn defnyddio pob un ohonyn nhw.

ar hyd y blynyddoedd
cael gwared ar
hud a lledrith
medden nhw
newyddion da o lawenydd mawr
heb os nac oni bai
yn fyw ac yn iach
gwrthwynebydd cydwybodol
bod wrthi
ar gyfartaledd
i bob pwrpas

i. ....

ii. ....

iii. ....

iv. ....

v. ....

vi. ....

vii. ....

viii. ....

2. Defnyddiwch eich nodiadau ar yr erthygl papur bro i ysgrifennu **crynodeb** o'r erthygl.

3. Ysgrifennwch hysbyseb i'ch papur bro ar gyfer digwyddiad yn eich ardal leol. Gall y digwyddiad fod yn wir.

Gair gan y tiwtor:

Gwaith cartref – Uned 10

1. Ysgrifennwch (ffurf fenywaidd) ansoddeiriau i ddisgrifio'r enwau benywaidd hyn, e.e. merch dlos.

   i. rhestr ....

   ii. ffrog ....

   iii. het ....

   vi. tylluan ....

   v. carreg ....

2. Ysgrifennwch ansoddeiriau (lluosog) i ddisgrifio'r enwau hyn, e.e. storïau byrion.

   i. pobl ....

   ii. pethau ....

   iii. tîm Caerdydd – Y ....

   iv. tîm Seland Newydd – Y Crysau ....

   v. mwyar ....

3. **Edrychwch eto ar y darn darllen ac atebwch y cwestiynau isod.**

   i. Pam roedd hi'n anodd cadw cyfraith a threfn ym Mawddwy?

   ....

   ii. Sut collodd rhai o'r Gwylliaid eu cartrefi?

   ....

   iii. Pwy oedd y Barwn Lewys ab Owain?

   ....

   iv. Beth oedd ateb y Barwn Lewys ab Owain i'r broblem?

   ....

   v. Ym mha lyfr mae hanes Lowri ferch Gruffudd Llwyd?

   ....

   vi. Pam roedd hi'n teimlo'n ddig tuag at y Barwn?

   ....

   vii. Sut cafodd y Barwn a'i ddynion eu dal?

   ....

   viii. Beth wnaeth meibion Lowri ar ôl i'r Barwn gael ei ladd?

   ....

4. Ysgrifennwch dri pharagraff am droseddwr enwog o'ch ardal chi, **neu** ysgrifennwch dri pharagraff am ffilm, rhaglen deledu neu lyfr sy'n trafod trosedd a chosb mewn rhyw ffordd.

Gair gan y tiwtor:

Gwaith cartref – Uned 11

1. Casglwch gymaint o eiriau â phosib yn dechrau gyda **gwrth-**, **an-**, **di-**, neu yn gorffen gyda **-us**, **-ion**, **-gar**.

   ....

   ....

   ....

   ....

   ....

2. **Edrychwch eto ar y darn darllen, ac atebwch y cwestiynau hyn.**

   i. Beth ydy'r "dirgelwch" mae Dr Dafydd Huws yn sôn amdano?

   ....

   ....

   ii. Beth oedd yn achosi i endorffinau gael eu rhyddhau i'r ymennydd mewn "cyfnod cyntefig"?

   ....

   ....

   iii. Pwy sydd â'r synnwyr digrifwch mwya, ym marn Dr Dafydd Huws?

   ....

   ....

3. **Ysgrifennwch jôc.**

   ....

   ....

   ....

   ....

   ....

4. **Ysgrifennwch ddarn byr (rhwng dau a phedwar paragraff) am eich hoff raglen, ffilm neu lyfr doniol.**

Gair gan y tiwtor:

Gwaith cartref – Uned 12

---

1.   **Beth ydy ffurfiau lluosog y geiriau hyn?**

amgueddfa	....	camlas	....	dihiryn	....
llosgfynydd	....	dadl	....	caer	....
atyniad	....	enghraifft	....	golygydd	....
caseg	....	dirwy	....	ffoadur	....
brenin	....	digrifwr	....	seiciatrydd	....

---

2.   **Cyfieithwch:**

i.   *The number of resources for learners of Welsh has increased.*

....

....

ii.   *A number of resources have been developed.*

....

iii.   *The number of rubbish collections by the council has declined* (gostwng).

....

....

iv.   *There are a number of collections in the library.*

....

v.   *The Prime Minister announced that the number of factories in Wales has remained steady* (yn sefydlog).

....

....

vi.   *A number of factories have shut down recently.*

....

3. **Edrychwch eto ar y darn darllen, ac atebwch y cwestiynau hyn.**

i. Beth oedd prif iaith Prydain pan ddaeth y Rhufeiniaid i Brydain?

....

ii. Ble mae Llydaw?

....

iii. Beth ydy sefyllfa'r Llydaweg heddiw?

....

iv. Beth ddigwyddodd yn y flwyddyn 577?

....

v. Pwy oedd Dolly Pentreath?

....

vi. Beth sydd wedi digwydd i'r Gernyweg yn ddiweddar?

....

vii. Ble roedd yr Hen Ogledd?

....

viii. Beth oedd yn arbennig am y ffordd roedd bugeiliaid yr Hen Ogledd yn cyfri defaid?

....

....

4. **Ysgrifennwch am eich profiad o ddysgu unrhyw iaith neu ieithoedd heblaw am y Gymraeg.**

Gair gan y tiwtor:

....

....

....

Gwaith cartref – Uned 13

1. **Cyfieithwch**

   i. *He was the chairperson for ten years.*

   ....

   ii. *She wrote a report for the governors.*

   ....

   iii. *They did the shopping for their neighbours.*

   ....

   iv. *He bought me a new dress for the wedding.*

   ....

   v. *We did it for her sake.*

   ....

2. **Darllen a deall**

   Edrychwch eto ar y darn darllen **Dewi Sant** ac ysgrifennwch y pum ffaith bwysicaf, yn eich barn chi, sy yn y darn. Defnyddiwch eich geiriau eich hun.

3. Ysgrifennu

Rydych chi wedi penderfynu enwebu rhywun am wobr debyg i 'Diolch o galon' neu 'Halen y ddaear'. Ysgrifennwch i'r cwmni teledu neu i'r rhaglen radio yn enwebu'r person gan roi rhesymau pam maen nhw'n haeddu cael eu cydnabod (tua 200 o eiriau).

Gair gan y tiwtor:

Gwaith cartref – Uned 14

1.

i. Ysgrifennwch ddwy frawddeg yn cynnwys **a/ac** (cysylltair).

....

....

ii. Ysgrifennwch ddwy frawddeg yn cynnwys **a** (rhagenw perthynol).

....

....

iii. Ysgrifennwch ddwy frawddeg yn cynnwys **â/ag** (arddodiad).

....

....

iv. Ysgrifennwch ddwy frawddeg yn cynnwys **â/ag** (cysylltair).

....

....

v. Ysgrifennwch ddwy frawddeg yn cynnwys **efo**, **gyda** neu **gydag**.

....

....

2.

Dewiswch ddau air o eirfa'r uned hon, ac ysgrifennwch esboniad yn Gymraeg o'r gair.

i. Gair 1:
Esboniad: ....

ii. Gair 2
Esboniad: ....

3.

i. Pam mae Rowenna yn darllen nofelau oedolion i Siôn?

....

ii. Sut mae Siôn yn cael ei addysgu?

....

iii. Pwy oedd Miss Elis?

....

iv. O ddarllen y darn yma, ydych chi'n credu bod Rowenna wedi mwynhau ei hamser yn yr ysgol? Pam?

....

4. Ysgrifennwch ebost at eich ffrind yn ei berswadio/ei pherswadio i ddarllen llyfr rydych chi wedi ei fwynhau'n ddiweddar.

neu

Os nad ydych chi'n hoffi darllen, **ysgrifennwch dri neu bedwar paragraff** yn esbonio pam, gan sôn am rywbeth arall rydych chi'n hoffi ei wneud yn eich amser hamdden.

Gair gan y tiwtor:

....

....

....

Gwaith cartref – Uned 15

1. Cwblhewch y brawddegau hyn.

i. Oes .... i ti ddod i dorri'r coed yn yr ardd yr wythnos nesa?

ii. .... iddyn nhw orffen tacluso un ystafell, bydd y plant wedi gwneud llanast mewn ystafell arall.

iii. Mae .... helpu eich hunain i de a choffi.

iv. Mae .... i ni fynd i'r ganolfan arddio ddydd Sadwrn.

v. Mae'n .... hi dorri'r lawnt heddiw, cyn i'r tywydd droi.

vi. Wythnos nesaf....
bydd rhaid i mi ....

byddai'n well i mi ....

2. Edrychwch eto ar y darn darllen, ac atebwch y cwestiynau isod.

i. Beth yw arwyddocâd y dyddiadau hyn?

1875 ....

1939–1947 ....

1920 ....

1945 ....

1968 ....

ii. O ble roedd Crwys yn dod?

....

iii. Pa wobr enillodd Crwys yn yr Eisteddfod dair gwaith?

....

iv. Pa swydd roedd Crwys yn ei gwneud?

....

v. Pam roedd 'Y Border Bach' yn boblogaidd?

....

3. Ysgrifennwch ddau neu dri pharagraff i ddisgrifio eich gardd chi ar wefan gwerthu tai.

Gair gan y tiwtor:

....

....

....

Gwaith cartref – Uned 16

1. Cyfieithwch y brawddegau isod gan ddefnyddio ymadroddion sy'n cynnwys yr arddodiad **o**.

i. *I'm pleased to see many supporters in the stadium tonight.*

....

ii. *His son tended to be lazy. He never had high marks in school.*

....

iii. *Mali was determined to run a marathon before her 30th birthday, and was training very hard.*

....

iv. *Compared to last year, the summer was very dry this year.*

....

v. *I'm sure to see you at the Eisteddfod because we like watching the same competitions.*

....

....

2. Dewiswch ddau air o'r uned hon, ac ysgrifennwch esboniad o'r gair yn Gymraeg.

i. Gair 1:   ....
Esboniad: ....

ii. Gair 2:   ....
Esboniad: ....

3. Ysgrifennwch lythyr yn dweud pam mai chi ddylai ennill Dysgwr y Flwyddyn.

Gair gan y tiwtor:

Gwaith cartref – Uned 17

1. Pa fath o rifau yw'r rhain?

i.   2, 4, 6, 8, 10   ....

ii.   1, 3, 5, 7, 9   ....

iii.   3, 6, 9, 12, 15   ....

2. Beth sy'n digwydd yn y symiau hyn? Dilynwch yr esiampl:

i.   2   ?   2   =   4   adio................................

ii.   5   ?   3   =   2   ....

iii.   3   ?   3   =   9   ....

iv.   25   ?   5   =   5   ....

v.   13   +   7   =   20   ....

3. Ysgrifennwch y rhifau mewn geiriau:

i.   3,785   ....

ii.   45,002   ....

iii.   650,378   ....

4. Edrychwch ar y darn darllen **Mathemateg fel Marmite** eto ac atebwch y cwestiynau:

i. Sut mae pobl yn ymateb i'r gair **mathemateg**?

....

ii. Rhowch dair enghraifft o sgiliau rhifedd rydyn ni'n eu defnyddio yn aml.

....

....

iii. Pam mae pobl yn rhedeg allan o bapur wal wrth addurno waliau?

....

5. Rydych chi wedi cael hyd i diwtor mathemateg i'ch plentyn. Ysgrifennwch nodyn ato/ati yn esbonio beth yw anghenion eich plentyn.

Neu

Am un diwrnod, cadwch gofnod o'r rhifau rydych chi'n eu defnyddio, a'r symiau rydych chi'n eu gwneud.

....

....

....

....

....

....

....

....

....

....

Gair gan y tiwtor:

....

....

....

Gwaith cartref – Uned 18

1. Llenwch y bylchau yn y testun isod.

De	Gogledd
Nos Fawrth, es i .... fy nosbarth Cymraeg i weld drama Gymraeg yng Nghaerdydd. Enw'r ddrama .... 'Dianc o Baris'. Drama wedi'i chyfieithu o'r Ffrangeg oedd hi. "Dw i .... chi ddarllen am y ddrama ymlaen llaw," meddai Alys, y tiwtor. Nos Lun, ffoniodd fy ffrind, Beti, sy'n dysgu Cymraeg yn yr un dosbarth .... fi. "Rwyt ti'n siŵr .... fynd ar goll yng Nghaerdydd, Claire, ac mae'n anodd parcio wrth y theatr. .... croeso i ti ddod .... fi." Roedd Beti'n iawn. Byddwn i'n .... o fynd ar goll taswn i'n mynd ar fy .... fy hun. Felly, aeth hi .... fi yn ei char. Roedd y ddrama'n ardderchog. Ar y diwedd, cwrddon ni ....'r dysgwyr .... yn y bar .... roedd hi'n braf trafod y ddrama .... nhw.	Nos Fawrth, mi es i .... fy nosbarth Cymraeg i weld drama Gymraeg ym Mangor. Enw'r ddrama .... 'Dianc o Baris'. Drama wedi'i chyfieithu o'r Ffrangeg oedd hi. "Dw i .... chi ddarllen am y ddrama ymlaen llaw," meddai Alys, y tiwtor. Nos Lun, mi ffoniodd fy ffrind, Beti, sy'n dysgu Cymraeg yn yr un dosbarth .... mi. "Rwyt ti'n siŵr .... fynd ar goll ym Mangor, Claire, ac mae'n anodd parcio wrth y theatr. ....croeso i ti ddŵad .... fi." Roedd Beti'n iawn. Mi faswn i'n .... o fynd ar goll taswn i'n mynd ar fy .... fy hun. Felly, mi aeth hi .... fi yn ei char. Roedd y ddrama'n ardderchog. Ar y diwedd, mi wnaethon ni gyfarfod y dysgwyr .... yn y bar .... roedd hi'n braf trafod y ddrama .... nhw.

2. Ysgrifennwch frawddegau sy'n cynnwys y geiriau hyn (un frawddeg ar gyfer pob gair):

dramodydd ....

cefndir ....

hen bryd ....

diddanu ....

crefftus ....

3. Ysgrifennwch adolygiad o ddrama i'ch papur bro (tua 300 o eiriau).

Gair gan y tiwtor:

....

....

....

Gwaith cartref – Uned 19

1. Llenwch y bylchau yn y brawddegau isod gan ddefnyddio os neu a.

i. Ofynnaist ti iddi hi _____ oedd hi wedi talu am ei thocyn?
ii. Dw i ddim yn siŵr _____ fydda i'n dod i'r cyfarfod, wedi'r cyfan.
iii. Hoffwn i fynd dramor eleni, _____ bydd digon o arian gen i ar ôl y Nadolig.
iv. Gofynnon nhw _____ fyddai ots gyda ti roi lifft adre iddyn nhw.
v. _____ oes rhaid, awn ni i'r theatr yn gynnar fel bod digon o le i barcio.
vi. Roedden ni eisiau holi _____ wyt ti ar gael i warchod y plant nos Wener.
vii. Allwch chi fy helpu gyda hwn, _____ gwelwch chi'n dda?
viii. Gallwch chi ddefnyddio'r cyfleusterau unrhyw bryd _____ ydych chi wedi talu eich tâl aelodaeth.

2. Edrychwch ar y darn Darllen, ac atebwch y cwestiynau isod.

i. Pam mae erthygl am Phil Ratcliffe?

....

ii. Pa mor aml mae Phil Ratcliffe yn mynd i nofio yn y Lido?

....

iii. Beth roddodd Lido Ponty i Phil Ratcliffe?

....

iv. Allwch chi ddefnyddio Lido Ponty pan fydd y tywydd yn oer?

....

v. Pam mae Phil Ratcliffe yn nofio'n rheolaidd?

....

vi. Pam agorwyd Lido Ponty yn 1927?

....

vii. Pa fath o bobl sy'n defnyddio Lido Ponty?

....

3. **Ysgrifennwch ddarn i'ch papur bro** (tua phedwar paragraff) am rywbeth rydych chi neu rywun rydych chi'n ei adnabod wedi'i gyflawni sy'n gwneud i chi deimlo'n falch.

....

....

....

....

....

....

....

....

....

....

....

Gair gan y tiwtor:

....

....

....

Gwaith cartref – Uned 20

1. Edrychwch eto ar y darn darllen o nofel Owen Martell – *Cadw dy Ffydd, Brawd*, ac atebwch y cwestiynau isod mewn brawddegau llawn:

i. Pam adeiladwyd y *Plaza*?

....

ii. Faint oedd oed yr adroddwr yn mynd i weld ffilm *The Godfather*?

....

iii. Pwy oedd yn gweithio yn y *Plaza*?

....

iv. Pam roedd yr adroddwr yn mynd i'r *Plaza* gymaint?

....

v. Pryd roedden nhw'n mynd i'r sinema fel arfer?

....

vi. Sut mae'r adroddwr yn disgrifio'r gwrthwyneb i'r *Plaza*?

....

vii. Pa fath o ffilmiau a welodd yr adroddwr?

....

2. Cyfieithwch y brawddegau canlynol:

i. *Arthur Cheetham was the first person to produce a film in Wales.*

....

....

ii. *Striking views is the best thing about the film*, Conway Castle.

....

....

iii. Syr Ifan ab Owen Edwards *was the first to make a voiced* (llafar) *Welsh film* – Y Chwarelwr.

....

....

iv. *In 1982* S4C *was launched. It helped to develop the film industry in Wales.*

....

....

v. Milwr Bychan *and* Rhosyn a Rhith *were the names of the first Welsh language films in the West End.*

....

....

vi. Hedd Wyn *was the first Welsh film to be nominated for the Best Foreign language Film Oscar.*

....

....

3. Geirfa

Rhowch y geiriau hyn mewn brawddegau:

gwyrth: ....

dan ei sang: ....

rhwystredigaeth: ....

llewyrchus: ....

4. Ysgrifennu

i. Ysgrifennwch adolygiad o unrhyw ffilm ar gyfer eich papur lleol, **neu**

ii. Ysgrifennwch ddeialog rhwng dau berson sy'n trefnu mynd i'r sinema.

Gair gan y tiwtor:

....

....

....

Gwaith cartref – Uned 21

1. Cyfieithwch y brawddegau isod, gan ddefnyddio **hwn, hon, hyn, hwnnw, honno,** a **hynny** yn gywir.

i. *This car is better than that car.*

ii. *That film was shown on S4C last night.*

iii. *Those children will be in year 6 next year.*

iv. *Did you know that this smallholding was Kate Roberts's home?*

v. *Put these socks in the washing machine, please.*

vi. *I don't have a lot of spare time these days.*

vii. *This key opens that door.*

viii. *This view is the best.*

2. Edrychwch eto ar ddarn Darllen 2 – *Rhigolau Bywyd*, ac atebwch y cwestiynau isod mewn brawddegau llawn.

i. Beth yw gwaith Dafydd Gruffydd?

ii. Beth mae Beti yn ei wneud yn y gegin?

iii. Beth mae Dafydd yn ei wneud ar ôl bwyta ei frecwast?

iv. Pwy yw Twm Min y Ffordd?

v. Sut mae Dafydd a Twm yn siarad â'i gilydd? Pam?

3. Rhaid i chi fynd i mewn i'r ysgol leol i siarad am Kate Roberts. Pa bump o bethau byddwch chi eisiau eu dweud?

Gair gan y tiwtor:

....

....

....

Gwaith cartref – Uned 22

1. Gan ddefnyddio ffurfiau'r dyfodol arferiadol, cyfieithwch y brawddegau hyn.

i. *Mari never walks under ladders.*

ii. *The singer wears lucky socks in every concert.*

iii. *I'm always nervous on Friday the 13th.*

iv. *He never puts new shoes on the table.*

v. *The children avoid the cracks in the pavement.*

vi. *Do you open your umbrella indoors?*

vii. *Liam never comes in through the front door because he thinks it's unlucky.*

viii. *Actors call* Macbeth *'The Scottish Play' because of old superstitions.*

2. Edrychwch eto ar ddarn Darllen 2 ac atebwch y cwestiynau isod.

i. Roedd pobl yn credu bod carreg â thwll ynddi yn lwcus. Yn ôl yr ofergoelion, beth oedd carreg fel hyn yn gallu ei wneud?

ii. Sut byddai pobl yn mynd â carreg â thwll gyda nhw o le i le?

iii. Os nad oeddech chi'n cario carreg â thwll, beth allech chi ei wneud i ddod â lwc i'ch hunan?

iv. Beth mae pobl yn ei ddweud yn Saesneg pan fyddan nhw'n ofni'r gwaethaf?

v. Ble mae pobl yn dod o hyd i gerrig â thwll y dyddiau hyn?

vi. Pam maen nhw'n dod o hyd iddyn nhw yn y llefydd hynny?

....

3. Ydych chi'n ofergoelus? Mae S4C yn gwneud rhaglen ar ofergoelion ac eisiau clywed gan bobl. Ysgrifennwch dri pharagraff am unrhyw beth ofergoelus rydych chi'n ei wneud, neu am arferion ofergoelus eich teulu neu'ch ffrindiau.

Gair gan y tiwtor:

....

....

....

Gwaith cartref – Uned 23

1. Pa berson enwog hoffech chi ei gyfarfod/ei chyfarfod? Ysgrifennwch baragraff byr yn esbonio pam:

_____

_____

_____

_____

_____

_____

2. Paratowch gyfres o gwestiynau y byddech chi'n eu gofyn i berson enwog (eich dewis chi neu ddewis eich tiwtor):

_____

_____

_____

_____

_____

_____

3. Dewiswch dri o'r cwestiynau hyn a pharatowch atebion ar ran y person enwog.

_____

_____

_____

_____

_____

_____

_____

_____

_____

_____

_____

_____

_____

Gair gan y tiwtor:

_____

_____

_____

Gwaith cartref – Uned 24

1. Llenwch y bylchau yn y brawddegau isod.

i. Ble .... llyfr? Wyt ti wedi'i weld o?

ii. Pwy .... ei hoff actor?

iii. Pam .... plant yn y gegin? Mae'n rhy beryglus iddyn nhw chwarae yno.

iv. Wyt ti'n gwybod beth .... enw prifddinas yr Ariannin?

v. Beth .... nhw'n ei wneud fory?

vi. Sut .... Daniel? Dw i heb ei weld ers oesoedd.

vii. Ble .... nhw'n mynd ar eu gwyliau eleni?

viii. Pwy .... hi'n ei hoffi ar X-Factor eleni?

ix. Lle .... nhw'n cael cinio?

x. Pwy .... nhw? Dw i ddim yn eu nabod nhw.

2. Edrychwch eto ar y darn Darllen ac atebwch y cwestiynau isod mewn brawddegau llawn.

i. Beth mae'r map rhyngweithiol yn ei ddangos?

....

ii. Yn ôl y map, beth sy'n digwydd yn Utah, UDA, yn Melbourne, Awstralia ac ym Mhatagonia?

....

iii. Pa ieithoedd eraill sy'n cael eu dangos ar y map?

....

iv. Sut mae pobl wedi ymateb i'r wefan?

....

v. Yn ôl Magnus Orr, beth yw prif bwrpas y wefan?

....

3. Naill ai

Ysgrifennu creadigol: Y flwyddyn yw 1820. Rydych chi wedi penderfynu gadael Cymru, i fyw yn Unol Daleithiau America. Ysgrifennwch lythyr at eich teulu a'ch ffrindiau (tua 4–5 paragraff) i esbonio pam rydych chi'n gadael, a'ch gobeithion i'r y dyfodol.

Neu

Mae eich ffrind eisiau dysgu Cymraeg. Ysgrifennwch ebost at eich ffrind, i roi cyngor ar y ffyrdd gorau o ddysgu Cymraeg, gan gynnwys unrhyw dechnoleg sydd wedi eich helpu chi.

....

....

....

....

....

....

....

....

....

....

Gair gan y tiwtor:

....

....

....

Gwaith cartref – Uned 25

1. Gwybodaeth o iaith
Beth yw'r lluosog? Dilynwch y patrwm:

sawl gwlad   nifer o wledydd

i. sawl drws

ii. sawl gwestai

iii. sawl parti

iv. sawl mudiad

v. sawl mis

vi. sawl iaith

Beth yw'r unigol? Dilynwch y patrwm:

sawl planhigyn   nifer o blanhigion

i. _____   nifer o lwyddiannau

ii. _____   nifer o lechi

iii. _____   nifer o ffyn

iv. _____   nifer o ffonau

v. _____   nifer o weisg

2. Cyfieithwch:

i. *I am still working.*

ii. *He is still travelling.*

iii. *She is still in France.*

iv. *We are still learning French.*

v. *They are still ill.*

vi. *Are you still in the house?*

vii. *Are you still helping?*

2. Darllen

Darllenwch y darn isod ac ateb y cwestiynau'n seiliedig arno. Daw'r darn allan o *Tair Rheol Anrhefn*, gan Daniel Davies a gyhoeddwyd gan Y Lolfa yn 2011.

Roedd Paul ryw ganllath o ddrws y fflat a rannai gyda'i gariad, Llinos Burns, pan gafodd syniad. Bu'n bwriadu gofyn y cwestiwn y cyfeiriodd Mansel ato ers amser, ond roedd arno ofn cael ei wrthod. Heno fyddai'r cyfle olaf a gâi cyn i'r ddau fynd ar eu gwyliau ben bore y diwrnod wedyn.

Penderfynodd y byddai un ddiod arall yn rhoi cyfle iddo roi trefn ar ei syniadau. Felly galwodd am beint yn y dafarn agosaf at ei gartref, sef yr Hen Lew Du.
Dim ond pedwar dyn oedd yn y dafarn heblaw am y barmon, dyn tal, tenau yn ei dridegau hwyr, a'i wallt hir wedi'i glymu'n gynffon tu ôl i'w ben. Roedd y cwsmeriaid yn eistedd yn dawel yn y bar cefn a'u pennau i fyny yn gwylio'r teledu uwchben y bar, fel cywion mewn nyth yn aros am fwyd.

Prynodd Paul beint o gwrw cyn eistedd mewn cornel dawel yn y bar ffrynt. Wrth iddo eistedd, gwelodd ddyn arall yn dod i mewn i'r dafarn, yn anelu at y bar ac yn prynu fodca ac oren a dau baced o Scampi Fries.

Cofiodd Paul am anrheg Mansel ac agorodd yr amlen drwchus. Y tu mewn iddi roedd CD ac amlen arall. Ar glawr y CD roedd Mansel wedi ysgrifennu 'Goreuon Mozart: Divertimento yn F – K138, Symffoni rhif 40 yn G leiaf – K550, Serenata Notturna yn D – K239 a Symffoni Rhif 31, y Jupiter, yn C –K551'. Dewis gwahanol, meddyliodd Paul. Fel arfer, byddai Mansel yn rhoi CD o un o'i hoff fandiau o'r chwedegau iddo fel anrheg benblwydd neu anrheg Nadolig – Trout Mask Replica, Pet Sounds, Led Zeppelin III, After the Gold Rush ac yn y blaen.

Penderfynodd lwytho'r traciau i'w iPod cyn gynted ag y cyrhaeddai adref a gwrando arnyn nhw yn ystod ei wyliau, rhag ofn i Mansel ofyn am ei farn arnyn nhw, yn ôl ei arfer.

Cododd ei ben a gweld bod y dyn oedd wedi prynu'r fodca ac oren yn eistedd wrth fwrdd cyfagos. Er ei fod yn darllen papur newydd, teimlai Paul ei fod yn cadw llygad arno yntau hefyd.

Agorodd Paul yr ail amlen. Y tu mewn iddi roedd taflen o bapur ac arni restr o bedwar ar ddeg o gwestiynau. Gwenodd Paul wrth sylweddoli bod ei fentor wedi gosod tasg ddyddiol iddo ei chyflawni tra byddai'n cerdded arfordir sir Benfro.

Cododd y daflen a'i darllen:

> Gan fy mod i'n dod o sir Benfro, meddyliais y byddai'n ddifyr i ti geisio datrys y cliwiau rydw i wedi'u gosod mewn ymgais bitw i gadw dy ymennydd yn siarp a'th feddwl oddi ar waith. Mae pob cliw'n gysylltiedig â'th daith ddyddiol. Felly mae cliw 1 yn ymwneud â'th daith o Lan-rhath i Benalun ar y diwrnod cyntaf... ac yn y blaen. Bydd yr holl atebion, o'u rhoi at ei gilydd, yn cynnig ychydig o ddoethineb i ti hefyd, gobeithio.
>
> Pen-blwydd hapus,
> Mansel

Gwyddai Paul fod Mansel yn hoff iawn o bosau. Yn wir, deallai iddo fod yn un o'r tîm anrhydeddus a fu'n gosod croeseiriau'r *Daily Telegraph* am gyfnod yn ystod yr wythdegau. Teimlai'n falch bod ei fentor wedi ffwdanu creu'r fath ddifyrrwch iddo ar gyfer ei wyliau. Cododd ei ben a gweld bod Mr Fodca ac Oren yn ei wylio'n darllen nodyn Mansel. Wrth i Paul godi ei ben, trodd y llall ei lygaid 'nôl at ei bapur newydd.

Roedd Paul yn amau iddo weld y dyn yn gynharach y diwrnod hwnnw, ond ni allai gofio ymhle na pha bryd. Teimlai braidd yn anghyffyrddus yn ei gwmni, felly cleciodd ei beint. Erbyn hyn, teimlai'n ddigon hyderus i ofyn y cwestiwn hollbwysig i Llinos. Cododd a gadael y dafarn.

i. Roedd rhaid i Paul ofyn cwestiwn i Llinos heno, oherwydd...
a. dyma'r unig amser posibl.
b. doedd e ddim eisiau iddi ddweud 'na'.
c. roedd e wedi bwriadu gofyn ers talwm.
ch. roedd e'n rhannu fflat â hi.

ii. Doedd neb yn siarad pan aeth Paul i mewn i'r bar, oherwydd...
a. fod pawb yn aros am fwyd.
b. fod pawb yn edrych ar y teledu.
c. fod dim byd gan y dynion i'w ddweud.
ch. fod y barmon yn eu gwylio nhw.

iii. Roedd Paul yn synnu pan agorodd e'r anrheg, oherwydd...
a. ei fod e'n hoffi cerddoriaeth glasurol.
b. nad oedd e'n arfer cael anrheg.
c. ei fod e eisiau gwrando ar y traciau'n syth ar ôl mynd adre.
ch. nad dyma'r math o gerddoriaeth roedd e'n arfer ei derbyn.

iv. Roedd e'n mynd i wrando ar y CD yn fuan, oherwydd...
a. ei fod e'n hoffi'r gerddoriaeth.
b. ei fod e'n gallu gwneud hynny yn ystod ei wyliau.
c. byddai ei ffrind eisiau gwybod beth oedd ei farn amdano.
ch. ei fod e'n gallu gwrando ar yr iPod.

v. Roedd Paul yn mynd ar wyliau...
a. am ddiwrnod.
b. am benwythnos.
c. am wythnos.
ch. am bythefnos.

vi. Yn ystod y gwyliau, roedd Mansel eisiau i'w ffrind beidio â...
a. datrys y cliwiau.
b. cherdded yn rhy gyflym.
c. chael doethineb.
ch. meddwl am y gwaith.

vii. Roedd Paul yn meddwl bod y dyn yn y dafarn wedi bod yn ei ddilyn, oherwydd...
a. fod y dyn yn darllen yr un papur.
b. fod Paul wedi ei weld ynghynt.
c. ei fod yn gwneud i Paul deimlo'n anghyffyrddus.
ch. fod y dyn yn edrych yn amheus.

3. Ysgrifennu

Aethoch chi i weld sioe mewn neuadd leol yn ddiweddar. Ysgrifennwch adolygiad ohoni i'r papur bro, gan gyfeirio at:
- gefndir neu stori'r sioe;
- y pethau a oedd yn dda ac yn ddrwg am y perfformiad, yn eich barn chi;
- y cynlluniau i'r dyfodol sydd gan y cwmni a oedd yn perfformio.

Dylech chi ysgrifennu rhwng 190 a 210 o eiriau.

Gair gan y tiwtor:

Geirfa

ans. – *adj.*, ben. – *fem.*, gwr. – *masc.*, gw. – *see*, bôn – *stem*

A

a ballu – *and so on* (Gogledd Cymru)

achlysurol – *occasional, casual*

adio – *to add* (bôn: adi-)

adnodd (gwr.) – *a resource*; adnoddau – *resources*

adolygiad (gwr.) – *a review*; adolygiadau – *reviews*

addysgiadol – *educative, educational*

addysgu – *to educate* (bôn: addysg-)

aelodaeth (ben.) – *membership*

afreal – *unreal, unrealistic*

angerdd (gwr.) – *passion*

anghredadwy – *incredible*

anghrediniaeth (ben.) – *disbelief*

anghyfreithiol – *illegal*

anghysurus – *uncomfortable*

ail-greu – *to recreate* (bôn: ail-gre-)

albwm (gwr.) – *an album*; albymau – *albums*

amaethyddiaeth (ben.) – *agriculture*

amgueddfa (ben.) – *a museum*; amgueddfeydd – *museums*

amgylchiad (ben.) – *a circumstance*; amgylchiadau – *circumstances*

amheuaeth (ben.) – *a doubt*; amheuon – *doubts*

amheus – *doubtful, suspicious*

amneidio – *to beckon, to nod* (bôn: amneidi-)

amrywio – *to vary* (bôn: amrywi-)

amserol – *timely, opportune*

anabledd (gwr.) – *a disability*; anableddau – *disabilities*

anaf (gwr.) – *an injury*; anafiadau – *injuries*

anffawd (ben.) – *a misfortune*; anffodion – *misfortunes*

anfoddog – *dissatisfied, displeased*

anhawster (gwr.) – *a difficulty*; anawsterau – *difficulties*

annibynnol – *independent*

anniddig – *uneasy, irritable*

annisgrifiadwy – *indescribable*

annisgwyl – *unexpected*

anrhydeddus – *honourable*

ansicrwydd (gwr.) – *uncertainty, doubt*

anweledig – *invisible, unseen*

anwybodus – *ignorant*

apelgar – *appealing*

ar brydiau – *at times*

ar draul – *at the expense of*

ar ffurf – *in the form of, in the shape of*

ar fin – *about to*

ar fy marw – *honestly, upon my word*

ar gyfartaledd – *on average*

ar hyd y blynyddoedd – *over the years*

ar ran – *on behalf of*

ar y naill law – *on the one hand*

arallgyfeirio – *to diversify* (bôn: arallgyfeiri-)

arbenigol – *specialised, particular, specialist* (ans.)

archif (ben.) – *an archive*; archifau – *archives*

arf (gwr.) – *a weapon*; arfau – *weapons*

argoel (ben.) – *an omen, a sign*; argoelion – *omens, signs*

arholwr (gwr.) – *an examiner*; arholwyr – *examiners*

ariannol – *financial*

arloesi – *to pioneer* (bôn: arloes-)

artistig – *artistic*

arwyddocâd (gwr.) – *significance*

asiantaeth (ben.) – *an agency*; asiantaethau – *agencies*

atgyfodi – *to revive, to resurrect* (bôn: atgyfod-)

atgyweirio – *to restore, to repair* (bôn: atgyweiri-)

atyniad (gwr.) – *an attraction*; atyniadau – *attractions*

athrylith (gwr.) – *a genius;* athrylithoedd – *geniuses*

awel (ben.) – *a breeze,* awelon – *breezes*

awydd (gwr.) – *a desire;* awyddau – *desires*

B

babandod (gwr.) – *infancy*

beiddgar – *daring, bold*

beirniadol – *critical*

beirniadu – *to criticise, to judge, to adjudicate* (bôn: beirniad-)

bellach – *by now*

benywaidd – *feminine*

betysen (ben.) – *a beetroot;* betys – *beetroot(s)*

beunyddiol – *daily*

blaenllaw – *prominent*

blaenorol – *former, previous*

bod wrthi – *to be at it* (bôn: bu- wrthi)

boed law neu hindda – *come rain or shine*

bratiog – *tattered, frayed, shoddy*

breintiedig – *privileged*

brenin (gwr.) – *a king;* brenhinoedd – *kings*

bri (gwr.) – *honour, reputation, prestige*

brwd – *enthusiastic*

Brython – *a Briton;* Brythoniaid – *Britons*

Brythoneg – *Brittonic (language)*

buarth (gwr.) – *a farmyard;* buarthau – *farmyards*

buddsoddi – *to invest* (bôn: buddsodd-)

buddugoliaeth (ben.) – *a victory;* buddugoliaethau – *victories*

bwch (gwr.) – *a buck;* bychod – *bucks*

bwch gafr (gwr.) – *a billy goat*

bwrlwm (gwr.) – *a buzz of activity, excitement*

byrddio – *to board* (bôn: byrddi-)

byrfyfyr – *extempore, improvised*

C

caban (gwr.) – *a cabin, a hut, a kiosk;* cabanau – *cabins, huts, kiosks*

cadfridog (gwr.) – *a general;* cadfridogion – *generals*

cadoediad (gwr.) – *a truce, a ceasefire;* cadoediadau – *truces, ceasefires*

cael cam – *to suffer an injustice*

caer (ben.) – *a fort;* caerau, ceyrydd – *forts*

cafn (gwr.) – *a trough;* cafnau – *troughs*

calonogol – *heartening, encouraging*

camddealltwriaeth (gwr.) – *a misunderstanding;* camddealltwriaethau – *misunderstandings*

camlas (ben.) – *a canal;* camlesi – *canals*

campwaith (gwr.) – *a masterpiece;* campweithiau – *masterpieces*

canfod – *to discern, to perceive, to find* (bôn: canfu-)

caniatáu – *to allow* (bôn: caniata-)

canmlwyddiant (gwr.) – *a centenary*

canolbwyntio – *to concentrate* (canolbwynti-)

capelwr (gwr.) – *a chapel-*goer; capelwyr – *chapel-goers*

carreg filltir (ben.) – *a milestone;* cerrig milltir – *milestones*

carw (gwr.) – *a deer;* ceirw – *deer*

caseg (ben.) – *a mare;* cesig – *mares*

casineb (gwr.) – *hatred, loathing*

castio – *to cast* (bôn: casti-)

categori (gwr.) – *category;* categorïau — *categories*

cecru – *to bicker, to quarrel* (bôn: cecr-)

cefnfor (gwr.) – *ocean;* cefnforoedd – *oceans*

celfyddyd (ben.) – *art;* celfyddydau – *arts*

celfyddydol – *artistic*

Celtaidd – *Celtic*

celwydd noeth – *a barefaced lie, barefaced lies*

cenedl (ben.) – *a nation;* cenhedloedd – *nations*

Cernyw (ben.) – *Cornwall*

Cernyweg (ben.) – *Cornish (language)*

cesail (ben.) – *an armpit;* ceseiliau – *armpits*

cetyn (gwr.) – *a pipe (smoking);* cetynnau – *pipes*

cigfran (ben.) – *a raven;* cigfrain – *ravens*

claddu – *to bury* (bôn: cladd-)

clamp o – *a giant (of a), a whopper (of a)* + noun

clasur (gwr.) – *a classic;* clasuron – *classics*

clochdar – *to cluck, to cackle, to boast*

cloddio – *to dig, to mine, to quarry, to burrow* (bôn: cloddi-)

clustfeinio – *to eavesdrop* (bôn: clustfeini-)

clyweliad (gwr.) – *an audition;* clyweliadau – *auditions*

codi canu – *to lead the singing (esp. in a chapel)* (bôn: cod- canu)

cofiadwy – *memorable*

cofnodi – *to minute, to note, to record, to register* (bôn: cofnod-)

coffa (ans.) – *memorial*

coffáu – *to commemorate*

cofrestr (ben.) – *register;* cofrestri – *registers*

côl (ben.) – *a lap (as in knees/thighs);* colau – *laps*

colofnydd (gwr.) – *columnist;* colofnwyr – *columnists*

comedïwr (gwr.) – *comedian;* comedïwyr – *comedians*

corawl – *choral*

corddi – *to churn* (bôn: cordd-)

coron (ben.) – *a crown;* coronau – *crowns*

coroni'r cyfan – *to crown it all, to cap it all* (bôn: coron- y cyfan)

cosb (ben.) – *a punishment;* cosbau – *punishments*

crasboeth – *scorching*

creadur (gwr.) – *a creature;* creaduriaid – *creatures*

credadwy – *believable, credible*

crediniol – *of (the) firm belief*

croesair (gwr.) – *crossword;* croeseiriau – *crosswords*

croten (ben.) – *a girl, a lass* (De Cymru); crotesi – *girls, lasses*

crwtyn (gwr.) – *a boy, a lad* (De Cymru); crots – *boys, lads*

cudd – *hidden, concealed*

cydlynu – *to co-ordinate* (bôn: cydlyn-)

cydnabod – *to acknowledge, to recognise* (bôn: cydnabu-)

cydraddoldeb (gwr.) – *equality*

cyfandir (gwr.) – *a continent;* cyfandiroedd – *continents*

cyfansoddi – *to compose* (bôn: cyfansodd-)

cyfartaledd (gwr.) – *an average;* cyfartaleddau – *averages*

cyfarwydd – *familiar*

cyfarwyddwr – *a director;* cyfarwyddwyr – *directors*

cyfeilio – *to accompany (music)* (bôn: cyfeili-)

cyfeilydd – *an accompanist;* cyfeilyddion – *accompanists*

cyfeillgarwch (gwr.) – *friendship*

cyfeirio (at) – *to refer (to)* (bôn: cyfeiri-)

cyferbyniol – *contrasting*

cyffredinol – *general*

cyfieithiad (gwr.) – *a translation;* cyfieithiadau – *translations*

cyflawn – *entire, complete*

cyflawniad (gwr.) – *an achievement;* cyflawniadau – *achievements*

cyfleu – *to convey* (bôn: cyfleu-)

cyflwr (gwr.) – *state, condition;* cyflyrau – *states, conditions*

cyfoethogi – *to enrich* (bôn: cyfoethog-)

cyfraith a threfn – *law and order*

cyfrifiannell – *a calculator;* cyfrifianellau – *calculators* cyfrol (ben.) – *a volume (book)*; cyfrolau – *volumes*

cyfryngau digidol – *digital media*

cyhoedd, y (gwr.) – *the public*

cyhoeddus – *public* (ans.)

cylchdroi – *to rotate* (bôn: cylchdro-)

cymal (gwr.) – *a clause, a phase, a joint*; cymalau – *clauses, phases, joints*

cymanfa ganu (ben.) – *a singing festival*; cymanfaoedd canu – *singing festivals*

cymdogaeth (ben.) – *neighbourhood*; cymdogaethau – *neighbourhoods*

cymhwyster (gwr.) – *a qualification*; cymwysterau – *qualifications*

cymunedol – *communal, community* (ans.)

cymwynasgar – *helpful, kind, obliging*

cynhaeaf (gwr.) – *a harvest*; cynaeafau – *harvests*

cynhenid – *inherent, innate, inborn*

cynhyrchiad (gwr.) – *a production*; cynyrchiadau – *productions*

cynhyrchiol – *productive, prolific*

cynilo – *to save* (arian)

cynllunydd (gwr.) – *a designer*; cynllunwyr – *designers*

cynnydd (gwr.) – *progress, an increase*

cyntefig – *primitive*

cynyddol – *increasing* (ans.)

cynyddu – *to increase* (bôn: cynydd-)

cysyniad (gwr.) – *a concept*; cysyniadau – *concepts*

cywirdeb (gwr.) – *accuracy, correctness*

Ch

chwynnu – *to weed* (bôn: chwynn-)

chwynnyn (gwr.) – *a weed*; chwyn – *weeds*

D

dadfeilio – *to decay, to become dilapidated, to degenerate* (bôn: dadfeili-)

dadl (ben.) – *a debate, an argument*; dadleuon – *debates, arguments*

daeareg (ben.) – *geology*

dall (ans.) – *blind*

dan warchae – *under siege*

darfod – *to end, to finish* (bôn: darfu-)

darlleniad (gwr.) – *a reading*; darlleniadau – *readings*

darganfod – *to discover* (bôn: darganfu-)

darogan – *to predict, to foretell*

datgan – *to declare, to announce* (bôn: datgan-)

daucanmlwyddiant (gwr.) – *a bicentenary*

dedfrydu – *to sentence (legal)* (bôn: dedfryd-)

defod (ben.) – *a ritual, a ceremony, a rite*; defodau – *rituals, ceremonies, rites*

degawd (gwr.) – *a decade*; degawdau – *decades*

deheuol – *southerly, southern*

deintyddfa (ben.) – *dental surgery*; deintyddfeydd – *dental surgeries*

derbyniol – *acceptable*

derwydd (gwr.) – *a druid*; derwyddon – *druids*

destlus – *neat, tidy, trim*

dethol – *to select* (bôn: dethol-)

deunydd (gwr.) – *a material*; deunyddiau – *materials*

deuoliaeth (ben.) – *a dualism*; deuoliaethau – *dualisms*

dewines (ben.) – *a sorceress, an enchantress*; dewinesau – *sorceresses*

dial – *to revenge, to avenge* (bôn: dial-)

dialedd (gwr.) – *a revenge, a reprisal, a vengance*; dialon – *vengences, reprisals* di-baid – *non-stop, ceaseless*

dibynadwy – *reliable, dependable, trustworthy*

dibynnol – *reliant, dependent*

diddanu – *to entertain, to amuse* (bôn: diddan-)

didoli – *to separate, to sort* (bôn: didol-)

diedifar – *unrepentant*

dienyddio – *to execute* (bôn: dienyddi-)

difancoll (gwr.) – *oblivion*

diflaniad (gwr.) – *a disappearance*; diflaniadau – *disappearances*

difrodi – *to damage* (bôn: difrod-)

digid (gwr.) – *a digit*; digidau – *digits*

digrif – *amusing, funny, humorous*

digrifwch (gwr.) – *amusement, fun, humour*

digrifwr (gwr.) – *an entertainer, a comedian*; digrifwyr – *entertainers, comedians*

dihiryn (gwr.) – *a villain, a scoundrel, a rascal*; dihirod – *villains, scoundrels*

dilyniant (gwr.) – *a sequence, a progression*; dilyniannau – *sequences*

diniwed – *harmless, innocent, naïve, blameless*

diolch o galon – *thank you very much, heartfelt thanks*

dirdynnol – *agonising, harrowing*

direidus – *mischievous, naughty, impish*

dirgelwch (gwr.) – *a mystery*; dirgelion – *mysteries*

dirwy (ben.) – *a fine (legal)*; dirwyon – *fines*

diwyd – *industrious, busy*

dodwy – *to lay (an egg)* (bôn: dodwy-)

doeth – *wise*

dogn (ben.) – *a dose, a ration*; dognau – *doses, rations*

dogni – *to ration, to apportion*

dôr (ben.) – *a door*; dorau – *doors*

drachefn – *again, afresh*

dramodydd (gwr.) – *a dramatist, a playwright*; dramodwyr – *dramatists*

drewdod (gwr.) – *a stink, a stench*

droeon – *frequently, time and again*

drwgdeimlad (gwr.) – *ill-feeling, animosity*

dryll (gwr.) – *gun*; drylliau – *guns*

drysni (gwr.) – *perplexity, confusion*

duwies (ben.) – *goddess*; duwiesau – *goddesses*

dwl – *silly, daft*

dŵr (gwr.) – *water*; dyfroedd – *waters*

dwrn (gwr.) – *a fist*; dyrnau – *fists*

dychmygus – *imaginative*

dychryn (rhag) – *to be frightened (of), to frighten, to scare* (bôn: dychryn-)

dyfal – *diligent*

dyfroedd – *waters* (gw. dŵr)

dyfyniad (gwr.) – *a quotation*; dyfyniadau – *quotations*

dylanwadu – *to influence; to affect* (bôn: dylanwad-)

dymuniad (gwr.) – *a wish*; dymuniadau – *wishes*

dymunol – *pleasant*

dyngarol – *humanitarian; philanthropic*

dyrchafiad (gwr.) – *a promotion*; dyrchafiadau – *promotions*

dywediad (gwr.) – *a saying, an expression*; dywediadau – *sayings, expressions*

E

eang – *broad, extensive, spacious*

e-ddarllenwr (gwr.) – *an e-reader*; e-ddarllenwyr – *e-readers*

eglwyswr (gwr.) – *a churchgoer*; eglwyswyr – *churchgoers*

enghraifft (ben.) – *an example*; enghreifftiau – *examples*

eiddo (gwr.) – *property*

eil (ben.) – *an aisle*; eiliau – *aisles*

eildro (gwr.) – *a second time*

eilrif (gwr.) – *an even number*; eilrifau – *even numbers*

eisoes – *already*

eithriadol – *exceptional*

enbyd – *severe*

endorffin (gwr.) – *an endorphin;* endorffinau – *endorphins*

enwebiad (gwr.) – *a nomination;* enwebiadau – *nomonations*

enwebu – *to nominate* (bôn: enweb-)

enwogion – *famous people, eminent people*

ergyd farwol (ben.) – *a fatal blow, final blow;* ergydion marwol – *fatal blows*

estyn – *to reach, to extend, to stretch, to get out* (bôn: estynn-)

ethnig – *ethnic*

etholiad (gwr.) – *an election;* etholiadau – *elections*

Etholiad Cyffredinol (gwr.) – *a General Election*

euraidd – *golden*

F

fatha – *like, similar to* (Gogledd Cymru)

fodd bynnag – *however*

Ff

ffactor (gwr.) – *factor;* ffactorau – *factors*

ffawd (ben.) – *destiny, fate, fortune*

ffoadur (gwr.) – *a refugee;* ffoaduriaid – *refugees*

ffoli (ar) – *to be besotted (with)* (bôn: ffol-)

ffraeth – *witty*

ffrwtian – *to splutter, to bubble away* (bôn: ffrwti-)

ffug – *false, fake*

ffurf (ben.) – *form;* ffurfiau – *forms*

ffurfiol – *formal*

ffwrnais (ben.) – *a furnace;* ffwrneisi – *furnaces*

G

galaru – *to mourn, to grieve* (bôn: galar-)

galwedigaethol – *vocational, occupational*

gast (ben.) – *a bitch;* geist – *bitches*

glofaol – *coal-mining* (ans.)

goddefgarwch (gwr.) – *tolerance*

goddrych (gwr.) – *subject* (gramadeg); goddrychau - *subjects*

gofid (gwr.) – *a worry;* gofidiau, gofidion – *worries*

gogleddol – *northern, northerly*

gohirio – *to postone* (bôn: gohiri-)

goleuedig – *enlightened*

goleuni (gwr.) – *light, brightness*

golwg (ben.) – *eyesight, appearance, a view;* golygon – *views, sights*

golygydd (gwr.) – *an editor;* golygyddion – *editors*

gollwng – *to drop, to leak* (bôn: gollyng-)

gorfoledd (ben.) – *joy, elation, jubilation*

gor-hoff – *overly fond*

goruchwilio – *to supervise* (bôn: goruchwili-)

gorymdeithio – *to march, to be in a procession* (bôn: gorymdeithi-)

greddf (ben.) – *an instinct, intuition;* greddfau – *instincts*

gro (gwr.) – *gravel, shingle, earth*

gronyn (gwr.) – *a grain, a particle (Physics);* gronynnau – *grains, particles*

grym (gwr.) – *power, might;* grymoedd – *powers*

gwacáu – *to empty, to deplete, to evacuate* (bôn: gwaca-)

gwadd – *guest* (ans.) (e.e. siaradwr gwadd – *guest speaker)*

gwae (gwr.) – *woe;* gwaeau – *woes*

gwaedlyd – *bloody*

gwahanu – *to separate* (bôn: gwahan-)

gwahardd – *to forbid, to prohibit, to ban* (bôn: gwahardd-)

gwahodd – *to invite* (bôn: gwahodd-)

gwasgod (ben.) – *a waistcoat;* gwasgodau – *waistcoats*

gwatwar – *to mock, to ridicule (through imitation)* (bôn: gwatwar-)

gwaywffon (ben.) – *a spear, a javelin;* gwaywffyn – *spears, javelins*

gweddu – *to suit, to befit* (bôn: gwedd-)

gwenynen (ben.) – *bee;* gwenyn – *bees*

gwep (ben.) – *a face, a grimace;* gwepiau – *faces, grimaces*

gwerth chweil – *worthwhile*

gwerth ei halen – *worth his/her salt*

gwerthfawrogi – *to appreciate* (bôn: gwerthfawrog-)

gwireddu – *to realise, to fulfil* (bôn: gwiredd-)

gwirfoddoli – *to volunteer* (bôn: gwirfoddol-)

gwirfoddolwr – *volunteer;* gwirfoddolwyr – *volunteers*

gwladol – *national*

gwledig – *rural*

gwneud smonach (o) – *to make a mess (of something)*

gwobrwyo – *to reward* (bôn: gwobrwy-)

gwreiddlysieuyn (gwr.) – *a root vegetable;* gwreiddlysiau – *root vegetables*

gwres (gwr.) – *heat, heating, temperature*

gwrthryfel (gwr.) – *rebellion, revolt;* gwrthryfeloedd – *rebellions, revolts*

gwrthwynebydd cydwybodol (gwr.) – *conscientious objector*

gwybodus – *knowledgeable*

gwyddbwyll (ben.) – *chess*

gwyddonias (gwr.) – *science fiction*

gwynegol – *rheumatoid*

gwyrth (ben.) – *a miracle;* gwyrthiau – *miracles*

gwyrthiol – *miraculous; remarkable*

gwystl (gwr.) – *a hostage;* gwystlon – *hostages*

gynt – *formerly, once*

H

haeddiannol – *worthy, deserving*

haeddu – *to deserve* (bôn: haedd-)

haen (ben.) – *a layer, a tier;* haenau – *layers, tiers*

hafal – *equal*

hafaliad (gwr.) – *an equation;* hafaliadau – *equations*

hafalnod (gwr.) – *an equal sign;* hafalnodau – *equal signs*

halen y ddaear – *salt of the earth*

hanfod (gwr.) – *an essence, nature;* hanfodion – *essences, essentials*

hanu (o) – *to hail (from)* (bôn: han-)

harddwch (gwr.) – *beauty*

hawlfraint (ben.) – *a copyright;* hawlfreintiau – *copyrights*

heb os nac oni bai – *with no ifs nor buts, without a shadow of a doubt*

heddychlon – *peaceful*

hen bryd – *high time*

herwr (gwr.) – *an outlaw;* herwyr – *outlaws*

hiraethus – *nostalgic*

hoelen (ben.) – *a nail (carpentry);* hoelion – *nails*

holi – *to ask, to inquire* (bôn: hol-)

honiad (gwr.) – *an allegation;* honiadau – *allegations*

hoyw – *gay*

hud a lledrith – *magic and enchantment*

hudol – *magical*

hunangynhaliol – *self-sufficient*

hunaniaeth – *an identity;* hunaniaethau – *identities*

hunllefus – *nightmarish*

hurt – *stupid, silly*

hwb (gwr.) – *a boost;* hybiau – *boosts*

hybu – *to boost, to promote* (bôn: hyb-)

hynod o – *exceptionally, remarkably* (+ ans.)

I

i bob pwrpas – *to all intents and purposes*

i raddau – *to degrees, to a certain extent, broadly*

iarll (gwr.) – *an earl;* ieirll – *earls*

iarlles (ben.) – *countess;* iarllesau – *countesses*

ieithyddol – *linguistic*

incwm (gwr.) – *income*

iselder (gwr.) – *depression*

Iseldiroedd, yr – *the Netherlands*

L

landlord (gwr.) – *a landlord;* landlordiaid – *landlords*

loetran – *to loiter* (bôn: loetr-)

Ll

llawysgrif (ben.) – *a manuscript;* llawysgrifau – *manuscripts*

llechen (ben.) – *a slate;* llechi – *slates*

llechu (rhag) – *to shelter, to hide, to lurk, to skulk* (bôn: llech-)

llefaru – *to speak* (bôn: llefar-)

lleiafrifol – *minority* (ans.)

llên (ben.) – *literature*

lleng (ben.) – *a legion;* llengoedd – *legions*

llenyddol – *literary* (ans.)

lleoli – *to locate, to site, to place*

llidiart (gwr.) – *a gate, a lock gate;* llidiardau – *gates, lock gates*

llinyn (gwr.) – *a string, a strand, twine;* llinynnau – *strings, strands*

llochesu – *to harbour, to shelter* (bôn: lloches-)

llofrudd (gwr.) – *a murderer;* llofruddion – *murderers*

llonyddwch (gwr.) – *stillness, calmness, silence*

llosgfynydd (gwr.) – *a volcano;*

llosgfynyddoedd – *volcanoes*

lludw (gwr.) – *ash, ashes*

lluosi – *to multiply* (bôn: lluos-)

lluosrif (gwr.) – *a multiple;* lluosrifau – *multiples*

llwyddiant ysgubol (gwr.) – *a resounding success*

Llydaweg (ben.) – *Breton (language)*

llysgennad (gwr.) – *an ambassador;* llysgenhadon – *ambassadors*

llythrennol – *literal*

llythyren (ben.) – *letter;* llythrennau – *letters*

llywio – *to steer, to guide, to navigate* (bôn: llywi-)

llywodraethwr (gwr.) – *a governor;* llywodraethwyr – *governors*

llywydd (gwr.) – *a president;* llywyddion – *presidents*

M

maen (gwr.) – *a stone, a rock;* meini – *stones, rocks*

maleisus – *malicious*

mamiaith (ben.) – *a mother tongue;* mamieithoedd – *mother tongues*

manwerthu – *to retail* (bôn: manwerth-)

masnachol – *commercial* (ans.)

mawnog (ben.) – *a peatbog;* mawnogydd – *peatbogs*

medden nhw – *so they say*

meillionen (ben.) – *a clover, a shamrock;* meillion – *clovers, shamrocks*

meithrin – *to nurture* (bôn: meithin-)

melinydd (gwr.) – *a miller;* melinwyr, melinyddion – *millers*

melltith (gwr.) – *a curse;* melltithion – *curses*

metel tawdd (gwr.) – *molten metal;* metelau tawdd – *molten metals*

mewn da bryd – *in good time, punctually*

mewn hwyliau da – *in good spirits*

misol – *monthly*

modd (gwr.) – *a means, a manner, a mode*; moddau – *means, modes*

moeswers (ben.) – *a moral*; moeswersi – *morals*

moethusrwydd (gwr.) – *luxury*

mwyngloddio – *to mine* (bôn: mwyngloddi-)

mynach (gwr.) – *a monk*; mynachod – *monks*

mynachlog (ben.) – *a monastry*; mynachlogydd – *monastries*

mynd â bryd – *to capture one's attention, one's interest*

mynd i'r afael â – *to deal with, to get to grips with*

N

nawddsant (gwr.) – *a patron saint*; nawddsaint – *patron saints*

naws (ben.) – *atmosphere, ambiance*; nawsau – *atmospheres, ambiances*

newyddiadurol – *journalistic*

newyddion da o lawenydd mawr – *glad tidings (great news) of great joy*

niwed (gwr.) – *harm, damage*; niweidiau – *damages*

nod (gwr.) – *an aim, a target*; nodau – *aims, targets*

nodi – *to note, to mark*; (bôn: nod-)

nodweddiadol – *typical, characteristic*

noddwr (gwr.) – *a sponsor*; noddwyr – *sponsors*

noson lawen (ben.) – *an evening of entertainment*; nosweithiau llawen – *evenings of entertaiment*

noswylio – *to go to bed* (bôn: noswyli-)

nwydd (gwr.) – *merchandise, article of commerce*; nwyddau – *goods*

O

o blaid – *in favour of*

o blith – *from amongst*

o ganlyniad i – *as a result of*

odrif (gwr.) – *an odd number*; odrifau – *odd numbers*

ofergoel (ben.) – *a superstition*; ofergoelion – *superstitions*

ofergoelus – *superstitious*

olew olewydd (gwr.) – *olive oil*

ôl-fflachiadau – *flashbacks*

P

pafiliwn (gwr.) – *pavilion*; pafiliynau – *pavilions*

paganaidd – *pagan* (ans.)

paladr (gwr.) – *a ray (as in X-ray)*; pelydr – *rays*

panasen (ben.) – *a parsnip*; pannas – *parsnips*

pantomeim (gwr.) – *a pantomime*; pantomeimiau – *pantomimes*

parhaol – *permanent*

paun (gwr.) – *a peacock*; peunod – *peacocks*

pedwar ban y byd – *the four corners of the earth / world*

pencadlys (gwr.) – *a headquarter*; pencadlysoedd – *headquarters*

penderfynol – *determined, insistent*

pendroni – *to ponder, to ruminate, to brood* (bôn: pendron-)

pennod (ben.) – *a chapter, an episode*; penodau – *chapters, episodes*

pennog (gwr.) – *herring*; penwaig – *herrings*

penodol – *specific, definite*

penrhyn (gwr.) – *a peninsula, a headland*; penrhynnau – *peninsulas, headlands*

perchnogaeth (ben.) – *ownership*

perffeithio – *to perfect* (bôn: perffeithi-)

perlysieuyn (gwr.) – *a herb*; perlysiau – *herbs*

perthnasol – *relevant*

peryglu – *to endanger, to jeopardise* (bôn: perygl-)

pioden (ben.) – *a magpie;* piod – *magpies*

pla (ben.) – *a plague, a pest, an infestation;* plâu – *plagues, pests, infestations*

pleidlais (ben.) – *a vote;* pleidleisiau – *votes*

pob cwr o'r byd – *all parts of the world*

pobl (ben.) – *people;* pobloedd – *peoples*

portread (gwr.) – *a portrait, a portrayal;* portreadau – *portraits, portrayals*

portreadu – *to portray, to personate, to represent* (bôn: portread-)

proffwydo – *to foretell, to predict, to prophesy* (bôn: proffwyd-)

pryderu – *to worry, to care, to be concerned*

pwerus – *powerful*

pwyllgora – *to hold, frequent or attend committees* (bôn: pwyllgor-)

pwyslais (gwr.) – *emphasis*

R

realaeth (ben.) – *realism*

Rh

rhagair (gwr.) – *a foreword;* rhageiriau – *forewords*

rhagolwg (gwr.) – *a forecast;* rhagolygon – *forecasts*

rhagweladwy – *forseeable, predictable*

rhanbarthol – *regional*

rheibus – *predatory*

rheithgor (gwr.) – *a jury;* rheithgorau – *juries*

rhif cysefin (gwr.) – *a prime number;* rhifau cysefin – *prime numbers*

rhifyn (gwr.) – *an issue, an instalment;* rhifynnau – *issues, instalments*

rhinwedd (ben.) – *a virtue;* rhinweddau – *virtues*

rhwystredigaeth (ben.) – *a frustration;*

rhwystredigaethau – *frustrations*

rhyddiaith (ben.) – *prose*

rhyddhad (gwr.) – *relief, liberation, release*

rhyfeddol – *amazing*

rhyfel (gwr.) – *a war;* rhyfeloedd – *wars*

rhyngweithiol – *interactive*

S

saff – *safe*

sain (ben.) – *a sound;* seiniau – *sounds*

sefydlydd (gwr.) – *a founder;* sefydlwyr – *founders*

seiciatrydd (gwr.) – *a psychiatrist;* seciatryddion – *psychiatrists*

seicolegydd (gwr.) – *a psychologist;* seicolegwyr – *psychologists*

seiliedig (ar) – *founded (on), based (on)*

seilio – *to base* (bôn: seili-)

selog – *ardent, zealous*

sgaffald (gwr.) – *a scaffold;* sgaffaldiau/ sgaffaldau – *scaffolds, scaffolding*

sgìl (ben.) – *a skill;* sgiliau – *skills*

sgil effaith (ben.) – *a side effect;* sgil effeithiau – *side effects*

sicrhau – *to ensure* (bôn: sicrh-)

simnai (ben.) – *a chimney;* simneiau – *chimneys*

sisial – *to whisper, to murmur* (bôn: sisial-)

siwrnai (ben.) – *journey;* siwrneiau – *journeys*

slafio – *to slave, to drudge* (bôn: slafi-)

snobyddlyd – *snobbish, snobby*

stelcian – *to skulk, to stalk* (bôn: stelci-)

stiwdio (ben.) – *a studio;* stiwdios – *studios*

swllt (gwr.) – *a shilling;* sylltau – *shillings*

swyno – *to charm* (bôn: swyn-)

syfrdan – *astonished, thunderstruck*

syfrdanol – *astonishing*

sylfaenol – *fundamental, basic*

symudiad (gwr.) – *a movement;*
symudiadau – *movements*

synnwyr digrifwch – *a sense of humour*

T

tasgu – *to splash, to spatter, to scatter*
(bôn: tasg-)

teclyn (gwr.) – *a device, a gadget, a tool;*
teclynnau – *devices, gadgets, tools*

teilwng – *worthy, deserving, deserved*

teilyngdod (gwr.) – *merit, worthiness*

tenant (gwr.) – *a tenant;* tenantiaid –
tenants

testun sbort – *laughing stock*

tirwedd (ben.) – *landscape;* tirweddau –
landscapes

tisian – *to sneeze* (bôn: tisi-)

tlodi (gwr.) – *poverty*

tlws (gwr.) – *a trophy;* tlysau – *trophies*

to (gwr.) – *a roof;* toeau – *roofs*

trafferthu – *to trouble* (bôn: trafferth-)

trawiadol – *striking, impressive*

trawst (gwr.) – *a beam, a rafter, a joist;*
trawstiau – *beams, rafters, joists*

treiddio – *to penetrate* (bôn: treiddi-)

treisgar – *violent*

tro ar fyd – *a turning point, a change in
circumstances*

trochion – *foam, lather, suds*

troedio – *to tread* (bôn: troedi-)

trosedd (ben.) – *a crime;* troseddau –
crimes

troseddwr (gwr.) – *a crminal;*
troseddwyr – *criminal*

trwy gyfrwng y Gymraeg – *through the
medium of Welsh*

trysorydd (gwr.) – *a treasurer;*
trysoryddion – *treasurers*

trywydd (gwr.) – *a trail, a path;*
trywyddau – *trails, paths*

twrnai (gwr.) – *a lawyer, an attorney;*
twrneiod – *lawyers, attorneys*

twrnamaint (gwr.) – *tournament;*
twrnameintiau – *tournaments*

twyllo – *to cheat, to deceive* (bôn:
twyll-)

tyddyn (gwr.) – *a smallholding, a croft;*
tyddynnod – *smallholdings, crofts*

tystio – *to testify, to witness*
(bôn: tysti-)

tywysog (gwr.) – *a prince;* tywysogion –
princes

tywysoges (ben.) – *a princess;*
tywysogesau – *princesses*

U

uchafbwynt (gwr.) – *a highlight, a
climax;* uchafbwyntiau – *highlights,
climaxes*

uchelgais (gwr.) – *an ambition;*
uchelgeisiau – *ambitions*

unawd (gwr.) – *solo;* unawdau – *solos*

unfan (gwr.) – *same place, a spot*

uniaethu (â) – *to identify (with)* (bôn:
uniaeth-)

unigol – *singular, individual*

unman – *nowhere*

urddasol – *dignified, noble, stately*

ustus (gwr.) – *a magistrate, a justice;*
ustusiaid – *magistrates, justices*

Y

Y Ffiwsilwyr Brenhinol Cymreig – *The
Royal Welch Fusiliers*

Y Gamp Lawn – *the Grand Slam*

Y Gorllewin Gwyllt – *the Wild West*

Y Rhufeiniaid – *the Romans*

ychwanegiad (gwr.) – *an addition,
an enhancement;* ychwanegiadau –
additions

ynghlwm (wrth) – *bound (with), tied up
(with)*

yma ac acw – *here and there*

ymadrodd (gwr.) – *phrase;* ymadroddion
– *phrases*

ymbil – *to beg, to plead, to entreat* (bôn:
ymbili-)

Beth 02·01·2020

ymchwil (gwr.) – *research*

ymchwiliad (gwr.) – *inquiry, investigation;* ymchwiliadau – *inquiries, investigations*

ymddiddori – *to take interest in* (bôn: ymddiddor-)

ymdopi (â) – *to cope* (with) (bôn: ymdop-)

ymennydd (gwr.) – *a brain;* ymenyddau – *brains*

ymfudo – *to emigrate* (bôn: ymfud-)

ymfudwr – *an emigrant;* ymfudwyr – *emigrants*

ymgyrchu – *to campaign* (bôn: ymgyrch-)

ymhyfrydu (yn) – *to take delight in* (bôn: ymhyfryd-)

ymprydio – *to fast* (bôn: ymprydi-)

ymwybodol – *conscious, aware*

ymyrryd (â) – *to interfere (with)* (bôn: ymyrr-)

ymysg – *among, amongst, amid, amidst*

yn ei anterth – *at its height*

yn gefn i ni – *supportive (of us)*

yn gyfan gwbl – *entirely, completely*

yn rhannol – *partly, partially*

yn ystod – *during*

ysbrydoli – *to inspire* (bôn: ysbrydol-)

ysgol fonedd (ben.) – *a public school;* ysgolion bonedd – *public schools*

ysgrifenedig – *written, in writing*

ysgubor (ben.) – *a barn, a granary;* ysguboriau – *barns, granaries*

ystod (ben.) – *a range, a swath;* ystodau – *ranges, swathes* (gw. yn ystod)

ystyried – *to consider* (bôn: ystyri-)

ywen (ben.) – *a yew tree;* yw – *yew trees*